www.tredition.de

Denise Frei Lehmann

Auf der Suche nach dem Märchenprinzen

© 2020 Denise Frei Lehmann

Lektorat: Michel Bossart – www.schreibkram.ch

Verlag & Druck: tredition GmbH, Halenreie 40-44, 22359 Hamburg

978-3-7497-9400-3 (Paperback)

978-3-7497-9401-0 (Hardcover)

978-3-7497-9402-7 (e-Book)

Bibliografische Information der Deutschen Nationalbibliothek:

Die Deutsche Nationalbibliothek verzeichnet diese Publikation in der Deutschen Nationalbibliografie; detaillierte bibliografische Daten sind im Internet über http://dnb.d-nb.de abrufbar.

Inhaltsverzeichnis

Wie alles begann

„Geh in den Wald, such dir einen Frosch, küsse ihn und wer weiss, vielleicht ist es der langersehnte Märchenprinz", grinste Alan seine Freundin Vivienne beim gemeinsamen Mittagessen an, nachdem sie sich wieder einmal ausgiebig über die Unzulänglichkeiten ihres Partners Richard beklagt hatte. Vivienne lachte ob des Vorschlags, der so typisch war für ihren eher sarkastisch gestrickten Freund, den sie aus dem Berufsleben kannte. „Ist es denn so wichtig, eine romantische Liebesbeziehung zu führen?" wollte er noch wissen. „In einer Partnerschaft sind meiner Meinung nach vor allem Vertrautheit, Zuverlässigkeit und Loyalität ausschlaggebend, denn Liebesgefühle haben früher oder später ein Verfallsdatum." „Interessant – hast Du Dich schon mal gefragt, warum du eigentlich regelmässig von deinen Partnerinnen verlassen wirst, obwohl du so gut weisst, wie eine perfekte Partnerschaft zu funktionieren hat?" konnte sich Vivienne nicht verkneifen nachzufragen. „Hm, ja gute Frage. Vielleicht war die Richtige noch nicht dabei und vielleicht fehlt mir halt doch die gewisse Prise Romantik, um in Liebesgefühlen zu schwelgen, was euch Frauen so in Entzücken versetzt" gab er nach einiger Überlegung zu. „Ja, so sehe ich das auch. Euch Männern ist vielleicht der Sinn nach Sex gegeben, doch an romantischen Gefühlen und an der Sehnsucht nach der vollkommenen Liebe fehlt es euch gänzlich." „Was ist die vollkommene Liebe?" wollte Alan provozierend wissen. „Zur vollkommenen Liebe gehören neben Vertrautheit, Zuverlässigkeit und Loyalität auch Leidenschaft und tiefe, verschmelzende Gefühle dazu. Sich in den Armen des anderen geborgen fühlen, sich anlehnen, verschmelzen, das alles gehört zur vollkommenen Liebe. Als Kind und später Jugendliche wünschte ich mir oft, in einen Tiefschlaf zu verfallen, um nach meinem 20. Altersjahr vom Märchenprinzen wach geküsst zu werden. Dann wäre ich erwachsen gewesen und meine Eltern hätten nichts mehr zu sagen gehabt" erklärte Vivienne ihren Hang zur Märchenwelt. „Jetzt bist du aber erwachsen und kannst tun und lassen was Du willst. Und vor allem kannst du nach dem Märchenprinzen Ausschau halten, der alle deine Sehnsüchte erfüllt" spöttelte Alan. „Vivienne, ich kenne dich vor allem aus dem Geschäftsleben und da agierst du klar und zielorientiert. Und nun schwärmst du mir vom Märchenprinzen vor, den es in der Realität nicht gibt? Ich kann das kaum glauben!" „Vergiss unser Gespräch wieder, Alan, ich wollte dich nicht überfordern" wechselte Vivienne frustriert das Thema. ‚Vielleicht muss ich tatsächlich endlich so richtig erwachsen werden und meine Vorstellungen über eine perfekte Partnerschaft herunterschrauben' kam sie zur Überzeugung, nachdem sie sich von Alan verabschiedet hatte und mit ihrem Auto zurück zur Arbeit fuhr.

„Warum machst du so ein wütendes Gesicht?", wollte der 14jährige Fabian abends von seiner Mutter wissen, als er nach der Schule zur Haustüre reinkam. „Weil ich es satthabe, mit einem Partner zusammen zu leben, der kaum Zeit für uns aufbringt. Soeben hat sich dein Stiefvater fürs Abendessen abgemeldet und ist zurück in sein Geschäft gefahren!" „Mein Stiefvater hat einen Namen, Mami, er heisst Richard. Immer wenn du wütend bist, nennst du ihn *Stiefvater*. Wie das tönt! Du weisst ja, dass er grad sein neues Geschäft aufbaut und das braucht halt Zeit." „Jaja, schon gut. Damit hat sich dein Grossvater auch immer herausgeredet. Obwohl weder meine Mutter noch wir Kinder Freude an seinem Dauerfernbleiben vom Familientisch hatten! Nun wiederholt sich das Ganze mit Richard. Ich verstehe nicht, warum er seinen gut bezahlten Job für ein eigenes Geschäft aufgegeben hat. Zusammen mit meinem Einkommen könnte es uns nun so richtig gut gehen. Aber nein, Monsieur greift lieber nach den Sternen, als am Boden zu bleiben und das Leben zu geniessen!" „Wann gibt es zu essen?" wollte Fabian wissen, ohne weiter auf das Gezeter seiner Mutter einzugehen. „In zehn Minuten, bitte wasch dir vorher noch die Hände." „Bin ich ein kleines Bubi Mami?" fragte er augenrollend und machte sich dann aber doch auf, um sich im Badezimmer frisch zu machen. Vivienne ging in die Küche, um die Pfanne mit Geschnetzeltem vom Herd zu nehmen.

Die wahren Gründe, warum sich Richard kurzfristig fürs Abendessen abgemeldet hatte, verschwieg sie Ihrem Sohn. Der unschöne Streit ging ihr nun durch den Kopf. Ihr Partner hatte ihr ein aus ihrer Sicht unmoralisches, nein, ungeheuerliches Angebot gemacht, nachdem sie sich einmal mehr über seine Distanziertheit und Karrieregeilheit beklagt hatte. „Ich liebe dich nach wie vor" meinte er daraufhin. „Du bist grundsätzlich meine Traumfrau, doch ich kann deinen Ansprüchen nicht gerecht werden, das bin ich mir wohl bewusst und das hast du nicht verdient. Darum mache ich dir jetzt einen Vorschlag: Wir bleiben zusammen und du suchst dir nebenbei einen Liebhaber." „Machst Du Witze, Richard?!" bebte Vivienne vor Wut. „Manchmal frage ich mich, ob du nicht schwul bist und dir der Mumm fehlt, dazu zu stehen?" „Sicher bin ich nicht schwul…", entrüstete er sich. „Ich mag einfach keinen Sex, das war schon immer so! Meine Devise ist, dass man mit seiner Partnerin einmal Sex hat und dann gehört man zusammen. Mehr benötigt es meiner Meinung nach nicht. Das wäre verschwendete Energie!" „Geh doch endlich mal zu einem Psychiater!!! Du tickst einfach nicht richtig! Oder werde Priester! In einem katholischen Orden rennst du mit deiner Einstellung offene Türen ein!" „Wie soll mir ein Psychiater helfen? Die haben selbst nicht alle Tassen im Schrank und von Priestern halte ich noch viel weniger. Ich mag keinen Sex, damit hat es sich. Und das hat weder mit dem Zölibat noch mit Gott weiss was zu tun." „Okay, dann nimm jetzt einfach zur Kenntnis, dass ich mich sicher nicht in eine Affäre stürzen werde, nur damit du dein schlechtes Gewissen beruhigen kannst. Unsere Zeit ist abgelaufen, so sieht es aus!", Richard schüttelte den Kopf. „Mir ist der Appetit vergangen, ich esse besser auswärts", dann verliess er wütend die Wohnung, um zurück ins Geschäft zu fahren. Dort angekommen setzte er sich ans Pult und versuchte einen Auftrag zu bearbeiten. Doch das fiel ihm nach dem Streit mit seiner Partnerin schwer. Nachdem er sich eine Zigarette angezündete hatte, schenkte er sich Kaffee aus der Thermoskanne ein. Dann griff er zum Telefonhörer und rief Vivienne an. „Hast Du Dich wieder beruhigt?" wollte er wissen. „Nein, mein Entscheid steht fest. Wir passen einfach nicht zusammen, um auf Dauer glücklich zu sein" tönte es ungnädig aus dem Hörer. „Ich bedaure deinen Entscheid sehr, denn grundsätzlich bist du die einzige Frau, mit der ich mir ein gemeinsames Leben bis ans Ende meiner Tage vorstellen kann. Doch mag ich einfach keinen Sex." „Ja, Richard, das wissen wir ja jetzt. Nur, eine Partnerschaft zu dritt kommt für mich niemals in Frage, niemals!!! Es ist eine Unverschämtheit, mir so etwas vorzuschlagen!" schrie Vivienne durchs Telefon und legte auf. ‚Zum Glück hat Fabian nichts vom Streit mitbekommen', überlegte sie, währen die das Essen auf die Teller schöpfte. Ihr Sohn mochte Richard, auch wenn er ihn nicht viel zu Gesicht bekam.

Anderentags einigte sich das Paar darauf, dass es nur noch solange zusammenleben würde, bis Richard eine eigene Wohnung gefunden hätte.
Vivienne informierte ihren Sohn abends nach der Arbeit über die Trennungsabsichten. „Aber gell Mami, ich wünsche eine friedliche Trennung. Das Theater, wie bei der Scheidung zwischen dir und Papi muss ich nicht mehr haben." Mit Schaudern erinnerte er sich an die Scheidungsschlacht seiner Eltern. Damals, zehn Jahre zuvor, war es für ihn als kleines Kind kaum nachvollziehbar, warum sich seine Eltern nicht auf ein gemeinsames Sorgerecht einigen konnten. Doch dies war Ende der 1970er Jahre verpönt und vor allem sein Vater und der Rest der Familie sannen auf Rache, weil seine Mutter, die als ledige Schwangere zur Ehe genötigt wurde, nun um jeden Preis ihr ungeliebtes Ehejoch verlassen wollte. Fabian hing zu jenem Zeitpunkt mehr an seinem Vater und dessen Familie als an der Mutter und deren Familie. So entschied er sich als Fünfjähriger, lieber bei seinem nachsichtigen und nachgiebigen Papi zu bleiben. Seine Mutter war damals am Ende ihrer Kräfte und ertrug den aufgezwungenen Ehemann kaum noch, weshalb auch ihre Ärzte zur Scheidung drängten. Keiner jedoch hätte mit einem Scheidungskrieg derartigen Ausmasses gerechnet. Dies vor allem, weil sich Viviennes Vater als Gegenanwalt aufspielte, um seine Tochter wieder zurück an den heimischen Herd zu zwingen. Dabei ging es

ihm als christlich konservativem Politiker vor allem um sein politisches Ansehen. Doch alles nützte nichts: Vivienne beharrte auf der Scheidung und war ab jenem Zeitpunkt eine Persona non grata für ihre Familie.

Fabian wohnte einige Jahre bei seinem Vater und bat eines Tages darum, nun doch bei seiner Mutter leben zu dürfen. Sein Vater Bruno begrüsste den Wunsch seines Sohnes, weil er als Erziehungsberechtigter immer mehr an seine Grenzen stiess, was auch Fabians Lehrer und der Tagesmutter nicht entgangen war. Beide machten Vivienne auf Brunos fahrlässiges Verhalten aufmerksam und baten sie eindringlich, das elterliche Sorgerecht wieder zu übernehmen, das sie einst freiwillig ihrem damaligen Ehemann überlassen hatte. Das Familiengericht entsprach diesem Wunsch nach einer Anhörung problemlos und glücklicherweise lebte sich Fabian rasch im mütterlichen Umfeld ein, das ihm aus seinen regelmässigen Wochenendbesuchen bereits bestens bekannt war. Einzig in der neuen Schule gab es Probleme, weil er mit einigen Lehrern nicht klarkam. Darum meldete Vivienne ihren Sohn in einer Privatschule in der Nähe der Firma Matter an, in der sie seit bald zwei Jahren als Personalchefin arbeitete. Die Stelle fand sie über ein Chiffre Inserat, das Richard für sie gestaltete und in einer der Tageszeitungen veröffentlichte. Einige interessierte Firmen meldeten sich und sie entschied sich schlussendlich für die Firma Matter, die in ihrer Wohnregion als Arbeitgeber einen ausgezeichneten Ruf genoss.

Neue Lebenssicht

Durch die Personalbetreuung der über 550 Mitarbeitenden und die damit verbundene grosse Verantwortung, änderte sich mit der Zeit einiges an Viviennes bisheriger Lebenssicht. Fast tagtäglich wurde ihr vor Augen geführt, dass es nicht allen Menschen gleich gut geht. Sie wurde mit tragischen Krankheits- und Todesfällen oder Unfällen konfrontiert, mit Selbstmord und auch mit Verbrechen, die Mitarbeiter zu verantworten hatten. Zudem begann 1990 kurze Zeit nach ihrem Eintritt in die Firma der Jugoslawienkonflikt. Immer wieder kam es deswegen zu Auseinandersetzungen zwischen den aus dem Vielvölkerstaat stammenden Mitarbeitern und mehr als einmal sah sich Vivienne genötigt, zwischen den verschiedenen Volksgruppen zu vermitteln. Zudem klopften des Öfteren Polizeibeamte an ihre Bürotür und baten darum, zum Arbeitsplatz von diesem oder jenem Mitarbeiter geführt zu werden, weil ihnen unterschiedliche Delikte vorgeworfen wurden.

Der Zufall wollte es, dass sich Vivienne zu jener Zeit im Geschäft um eine ältere Serbin, die nach einem Arbeitsunfall nicht mehr voll einsatzfähig war, besonders kümmerte. Ab und zu sprach sie mit der 60-jährigen Delia Simic über den Krieg in Jugoslawien und wollte wissen, wie sie darüber dachte. „Man muss immer beide Seiten kennen, um sich ein Urteil bilden zu können" gab die zur Antwort. Der intensive Kontakt mit Delia Simic war zu jener Zeit insofern wertvoll, weil sich die junge Personalchefin durch die Gespräche vertiefter in die Kultur des jugoslawischen Vielvölkerstaates einfühlen konnte und so die Mentalität der einzelnen Völkergruppen besser verstand. Doch in ihren Augen gab es keine Entschuldigung für die Gräueltaten, unter denen die Bevölkerung zu leiden hatte. Es gab Mitarbeiter, die ihr detailgetreu erzählten, was ihren Verwandten während des Krieges angetan wurde. Mehr als einmal gefror Vivienne fast das Blut in den Adern und auf so manche Schilderung hätte sie liebend gern verzichtet.

Vor Beginn der Herbstferien warf Vivienne wieder einmal einen prüfenden Blick in den Badezimmerspiegel und stellte fest: ‚Ich bin einfach nicht mehr so wirklich attraktiv'. Obwohl sie sich jeden Tag perfekt schminkte, ihre langen, blonden Haare sorgfältig frisierte und Wert auf gepflegte und schön lackierte Fingernägel legte, war sie unzufrieden. Mit ihren 165 Zentimeter Körpergrösse fühlte sie sich zu dick und hatte das Gefühl, dass sich vor allem an Bauch und Oberschenkeln zu viel Speck angesetzt hatte. Eigentlich hätte sie mit ihrer wohlproportionierten Figur und Kleidergrösse 38 mehr als zufrieden sein können. Trotzdem meldete sie sich in einer nahegelegenen medizinischen Massagepraxis zu einer aufwändigen Behandlung an. Sie hatte keine Ahnung, was auf sie zukommen würde und liess sich vom jungen Therapeuten beraten, nachdem sie ihm ihr Problem geschildert hatte. Reto Schuler empfahl ihr eine Lymphdrainage, die die eitle Frau zwang, tief ins Portemonnaie zu greifen. Vivienne schluckte zuerst leer, als ihr der Therapeut erklärte, dass die Behandlung mit zehn Massagen über tausend Franken kosten würde. ‚Schönheit muss eben leiden, materiell und immateriell' dachte sie, bevor sie mutig zusagte.

Nach den ersten Behandlungen, die entweder während der Mittagspause oder nach Feierabend stattfanden, freundete sich Vivienne mit ihrem Therapeuten Reto an. Dies, weil er sehr viel Interessantes über Astrologie und Zwischenweltliches zu erzählen wusste. Wohl kannte Vivienne die Sternzeichen ihrer Familienangehörigen und Freunde, doch dass aus den Konstellationen der einzelnen Zeichen der Lebensweg einer Person zu erkennen war, war ihr neu. Während der Massagebehandlungen erzählte ihr Reto manchmal aus seinem Leben und umgekehrt erzählte sie ihm diese und jene Episode aus ihrem. Sie erwähnte auch die immer häufiger auftretenden Migräneattacken, an denen sie seit Jahren litt. „Migräneattacken? Wann traten sie das erste Mal auf?" wollte Reto wissen und kam zur Überzeugung, dass die Kopfschmerzen einen Bezug zu dem unerwarteten Tod ihres Vaters vier Jahre zuvor haben könnten. Doch Vivienne erkannte den Zusammenhang zwischen Migräne und Todesfall nicht. Reto ermunterte sie daraufhin eine Persönlichkeitsanalyse bei Astrointelligenz in Zürich zu bestellen. „Da bekommst du Antworten über dein Leben, die dir einiges erklären" begründete er seinen Rat und so liess sich Vivienne nach einigem Zögern die Adresse des Astrounternehmens geben. Sobald sie zu Hause angekommen war, rief sie dort an und bestellte eine Analyse, die aufgrund von persönlichem Geburtsdatum, -zeit und -ort erstellt wurde.

Fünf Tage später lag das achtzigseitige Dokument in ihrem Briefkasten. Vivienne war nach Durchsicht der ersten Seiten über die Erklärungen, warum ihr Leben und ihre Partnerschaften bis anhin so und nicht anders verliefen, fasziniert. Tatsächlich stand schwarz auf weiss, dass sie mehr als einmal heiraten und erst in späteren Jahren eine stabile Ehe führen würde. Zu ihrem grossen Erstaunen wurden auch die familiäre Situation ihrer Eltern und Grosseltern beschrieben sowie prägende Charaktereigenschaften erwähnt, die sich eins zu eins mit Viviennes Erfahrungen deckten. Abschliessend war zu lesen, dass es jedem Menschen trotz seiner angeborenen Charaktereigenschaften und familiären Hintergrunds möglich sein würde, sich im Verlauf seines Lebens aus emotionalen und mentalen Verstrickungen zu lösen, um ein selbstbestimmtes Leben zu führen.

Zum nächsten Massagetermin nahm Vivienne die Analyse mit und Reto überflog ein paar Seiten. Genau wie seine Kundin war er beeindruckt, wie zutreffend ihre Lebenssituation beschrieben wurde. Nach der Massage philosophierten die beiden noch ein wenig über die Möglichkeiten der Astrologie, die nach Viviennes Meinung wohl einiges erklärten, aber Probleme nicht wirklich lösen würden. Ihre Migräneanfälle auf jeden Fall lösten sich trotz der neuen Erkenntnisse nicht in Luft auf und Vivienne legte die Analyse in eine Schublade im Wohnzimmerschrank.

‚Ob ich je den richtigen Mann kennen lernen werde?' überlegte sie kurze Zeit später während ihres allabendlichen Bads. Sich nach einem anstrengenden Tag wohlig im warmen und nach Rosenöl duftenden Wasser zu räkeln, gehörte seit längerem zu ihren Ritualen, um abzuschalten und neue Energien zu tanken. ‚Wenigstens beruflich hab ich das grosse Los gezogen' überlegte sie weiter. Ausser, dass ihr der kommunikative Umgang ihres Chefs ab und zu auf die Nerven ging, gab es nichts zu beklagen. Sie kannte Konrad Koch unterdessen gut genug, um zu ahnen, dass er nicht bereit war, sein Verhalten zu ändern. ‚Solange er mich jedoch in Ruhe arbeiten lässt und mir meine Handlungsfreiheit zugesteht, muss mir dies egal sein.'

Wochen später ging Vivienne wie jeden Morgen zur Arbeit. Kurz vor dem Firmengelände sah sie von weitem ihren Chef auf dem Gehsteig der Strasse entlanggehen und überlegte, ob sie nun am Fussgängerstreifen auf ihn warten oder so tun sollte, als ob sie ihn nicht bemerken würde. Doch dies ging nicht ohne weiteres, denn Konrad Koch war ein schlauer Fuchs und spürte sofort, wenn man ihn mied. ,Also bleibe ich jetzt besser stehen und warte auf ihn' überlegte sie leicht genervt. Ihr Vorgesetzter kam näher und nickte ihr lächelnd zu. Als er neben ihr stand, wünschten sie sich gegenseitig einen guten Morgen und wollten, nachdem sie sich zuerst links und rechts versichert hatten, dass kein Auto zu sehen war, die Strasse auf dem Fussgängerstreifen überqueren. Auf der anderen Strassenseite lief ein Mitarbeiter auf den Eingang der Firma Matter zu und winkte ihnen. Die beiden waren noch nicht ganz in der Mitte der Strasse angekommen, als Vivienne vor Schreck erstarrte. Wie aus dem Nichts raste ein rotes Auto auf sie zu! Sie zupfte ihren Chef am Ärmel seiner Jacke, um auf die Gefahr aufmerksam zu machen. Vivienne hatte das Gefühl, als würde sie zur Salzsäule erstarren. Sie war nicht in der Lage, einen Schritt weder vorwärts noch zurück zu machen. Wie gelähmt versagte jegliche Reaktion, um der Gefahrenzone zu entfliehen. ,Oh Gott, was machen wir nur?!?' fragte sie sich entsetzt. Da erfasste sie eine unbeschreibliche Leichtigkeit. Zu ihrem grossen Erstaunen wurde sie zusammen mit ihrem Begleiter sanft angehoben und nach hinten gezogen. Vivienne hatte das Gefühl, als würde sie schweben. ,Nein, das ist nicht nur ein Gefühl' überlegte sie. ,Es fühlt sich an, als wären wir in Watte gepackt, ein paar Zentimeter nach

17

hinten gehoben und dann wieder sanft abgestellt worden'. Und schon raste das rote Auto knapp an ihren Körpern vorbei. Der Kollege auf der anderen Strassenseite stand mit weit aufgerissenen Augen völlig geschockt da und rief den beiden zu: „Ich weiss nicht, wie das gegangen ist, denn eigentlich müsstet ihr jetzt tot unter dem Auto liegen." Vivienne war dankbar für die Rettung durch ihre Schutzengel, denn eine andere Erklärung fand sie dafür nicht. Ob ihr Chef an Schutzengel glaubte, wusste sie nicht, doch für sie war klar, dass bei ihrer Rettung höhere Mächte die Hände im Spiel gehabt hatten. Schweigend gingen die beiden zusammen die Treppe zur Personalabteilung hoch und dann jeder für sich ins eigene Büro.

Im Laufe des Tages löste sich die Schockstarre und Vivienne staunte über die Abgebrühtheit des Personaldirektors, der ihr kurz vor Feierabend mitteilte: „Ich habe mir die Autonummer gemerkt und bei der Polizei eine Anzeige erstattet." Tatsächlich rief anderentags ein Polizeibeamter an, der Vivienne bat, noch am selben Abend auf dem Polizeiposten zu erscheinen. Sie leistete der Aufforderung Folge und schilderte ihr Erlebnis, während der zuständige Beamte alles protokollierte. Natürlich erwähnte sie die Schutzengel nicht, sondern meinte lediglich, dass ihr Chef sie aus der Gefahrenzone nach hinten gezogen hätte. „Ihr Chef gab aber zu Protokoll, dass Sie ihn nach hinten gezogen hätten" liess der Polizist sie erstaunt wissen. „Ah ja? Mir kam es aber so vor, als hätte er mich zurückgezogen" widersprach Vivienne. „Das wird der Schock gewesen sein" versuchte der Polizist die Situation zu erklären und hielt ihr das Protokoll zur Unterschrift hin. Nachdem Vivienne den Polizeiposten wieder verlassen hatte, überlegte sie sich, dass irgendwer im Himmel beschlossen haben musste, dass sie und ihr Chef noch weiterleben sollten. Es kam ihr vor, als wären Konrad Koch und sie ab jenem Moment zu einer Art Schicksalsgemeinschaft zusammengeschweisst geworden. ‚Nur, für was soll das gut sein?‘

Am frühen Abend vor den Weihnachtsferien stand die bald 35jährige an ihrem Bürofenster und beobachtete die dicken Schneeflocken im Licht der Strassenbeleuchtung, die langsam die Landschaft in sanftes Weiss hüllten. Sie freute sich auf die weihnächtliche Auszeit und etwas Ruhe. Fabian wollte über die Festtage zusammen mit seinem Vater die Grosseltern in der Ostschweiz besuchen. Sie selbst war zusammen mit Richard, mit dem sie trotz beschlossener Trennung nach wie vor eine freundschaftliche Beziehung pflegte, bei Freunden eingeladen und dankbar, für einmal nicht selbst in der Küche zu stehen, um ein aufwendiges Festmahl zu kochen. Plötzlich wurde sie durch aufgebrachte Stimmen aus dem benachbarten Lohnbüro aufgeschreckt. Sie ging auf den Korridor und sah, wie Konrad Koch wütend aus dem Lohnbüro marschierte. Als er Vivienne bemerkte, erklärte er ihr kurz den Grund seiner Wut: „Der Bolt ist und bleibt eine Niete und wird dieses neue System nie kapieren.“ Sobald ihr Chef zurück in seinem Büro war und die Türe hinter sich geschlossen hatte, warf sie einen Blick ins benachbarte Büro und sah, wie ihr Kollege verzweifelt versuchte, herauszufinden, warum die Lohnabrechnungen einmal mehr fehlerhaft aus dem Drucker ratterten. „Glauben Sie mir Frau Zeller, ich habe alles richtig gemacht und trotzdem stimmen die Abrechnungen hinten und vorne nicht. Warum musste dieses neue System überhaupt eingeführt werden? Das alte funktionierte immer per fekt! Doch der da oben" zeigte er mit Blick an die Decke und Richtung Büro des Firmeninhabers, „hat es anders entschieden. Und wie sich der Koch mir gegenüber aufführt, glauben Sie mir Frau Zeller, das lasse ich mir nicht mehr gefallen. Immer wieder stutzt er mich nach Fehlermeldungen auf Zwerggrösse herunter und dies wird er eines Tages bitter bereuen! Dem Koch wünsche ich nichts Gutes! Irgendwann bekommt er es zurück!" Hermann Bolt war sichtlich verzweifelt und stand kurz vor einem Nervenzusammenbruch. Nach dem Zwischenfall verabschiedete sich der Personaldirektor mit grimmiger Miene, um wenig später zusammen mit seiner Familie in die Weihnachtsferien zu verreisen. Bevor er die Treppe runter eilte, ging er kurz zu Vivienne ins Büro: „Ich wünsche Ihnen angenehme Weihnachtszeit und im neuen Jahr muss ich mit dem Bolt eine Lösung finden, so geht das nicht weiter. Ich habe keine Lust mehr, unserem Firmenleiter immer wieder von neuem zu erklären, warum die Lohnadministration nicht fehlerfrei funktioniert. In anderen Firmen wurde dasselbe System auch eingeführt und zwar ohne dieses Theater, wie ich es hier jeden Tag erleben muss. Bei mir funktioniert die Verarbeitung der Kaderlöhne einwandfrei, doch warum nicht mit den Schichtarbeiter-Löhnen? Unser Informatiker drohte bereits mit Kündigung, wenn das so weiter geht." Vivienne hörte ruhig zu und verzichtete auf einen Kommentar und wünschte ihrem Chef ebenfalls schöne Weihnachtstage. ‚Wie ich dieses Theater hier satthabe' überlegte sie sich, während sie ihren Pult aufräumte und den Topfpflanzen Wasser gab. ‚Niemals wird es Konrad Koch gelingen, den Bolt rauszuwerfen. Die Einheimischen halten fest zusammen und sind über alle vier Ecken immer irgendwie miteinander verbandelt, ob verwandtschaftlich oder freundschaftlich. Ich will hier in Ruhe und Frieden meinen Job machen, doch dies scheint nicht mehr möglich zu sein'. Mehr als einmal versuchte Vivienne ihrem Chef hinsichtlich des Lohnbürochefs klar zu machen, dass man aus einem VW keinen Porsche machen konnte und er sein kommunikatives Verhalten entsprechend anpassen sollte. Vergeblich! Sie nahm sich vor, den ganzen Ärger für den Moment zu vergessen und sich die Freude an den Feiertagen nicht verderben zu lassen. Sie verabschiedete sich von ihren Kollegen und machte sich auf den kurzen Heimweg.

Eine Viertelstunde später zu Hause angekommen, gönnte sie sich wie jeden Abend ein warmes Bad, um zur Ruhe zu kommen. Später rief sie Richard an, um über ihren Frust zu jammern. „Diese Gehässigkeiten halte ich nicht mehr aus" liess sie ihn wissen. „Aber Du verstehst dich doch so gut mit den meisten der Abteilungsleiter. Du wirst von ihnen als Ratgeberin geschätzt und kannst jetzt doch nicht einfach abhauen" gab Richard zu bedenken. „Ja, das stimmt" gab sie ihm recht. „Doch ich arbeite primär in der Personalabteilung und im direkten Arbeitsumfeld muss es für mich stimmen. Ich habe mich heute definitiv entschieden, dass ich mich anfangs Januar auf die Suche nach einer neuen Stelle mache. Wann kommst du nach Hause?" wollte sie noch wissen. „Gegen Mitternacht, die Arbeit geht mir hier nicht aus." „Okay, aber morgen bist du um 16 Uhr zu Hause, damit wir pünktlich Richtung Ostschweiz abfahren können. Ich will keinesfalls zu spät bei unseren Gastgebern eintreffen" mahnte sie Richard, bevor sie aufhängte.

Bruno holte seinen Sohn wie verabredet am anderen Morgen ab und Vivienne fuhr gegen Abend zusammen mit Richard ebenfalls los, um bei ihren Freunden Gerda und Benni Weihnachten zu feiern. Doch Vivienne war nicht wirklich nach Feiern zumute, denn für einmal liessen sie die Geschäftsprobleme nicht los. Dies war neu, denn normalerweise war Abschalten für sie kein Problem. Zu allem Elend hielten sich Gerdas Kochkünste in Grenzen, was Viviennes Stimmung zusätzlich trübte. ‚Pasta und Merlot an Weihnachten, das ist doch kein Festessen, sondern banaler Alltag' überlegte sie und bereute, die Einladung überhaupt angenommen zu haben. Sie kannte Gerda seit ihrer frühesten Kindheit und mochte sie nach wie vor als Vertraute. Doch als Köchin und Gastgeberin brillierte sie nie besonders, da fehlte ihr einfach das Händchen. Vivienne war da anders gestrickt und grad für die Weihnachtstage legte sie grossen Wert auf festlich dekoriertes Ambiente. Nun sass sie an einem Holztisch ohne Tischtuch, lediglich geschmückt mit roten Alltags-Tischsets, ein paar Tannenzweigen und Kerzen. Am liebsten wäre sie gleich nach dem Dessert aufgestanden, um nach Hause zu fahren. Anstandshalber blieb sie sitzen, bis Richard gegen Mitternacht meinte: „Wir müssen los, Vivienne, es beginnt zu schneien. Jetzt sind die Strassen noch fahrbar, in einer Stunde kann dies anders sein." Vivienne liess sich nicht zweimal bitten. Nachdem sie sich von ihren Gastgebern verabschiedet hatte, stieg sie bei dichtem Schneetreiben ins Auto ein und Richard fuhr los. „Was ist eigentlich mit dir los?", wollte er während der Fahrt wissen. „Du warst heute Abend alles andere als gesprächig, was man bei dir als abnormal bezeichnen könnte." „Ich will nicht darüber sprechen, ist was Geschäftliches. Zudem bin ich hundemüde" erklärte Vivienne in einem Ton, der kein Nachfragen duldete.

Am Weihnachtstag nach dem Frühstück setzte sie sich ins Wohnzimmer, um sich weitere Gedanken über ihre Arbeitssituation zu machen. Ihr wurde bewusst, dass es in ihrem Berufsleben bis anhin steil bergauf gegangen war. Egal in welchem Betrieb sie arbeitete, wurde ihr rasch Vertrauen geschenkt und sie durfte einiges bewegen. Dabei schaffte sie fast alles, was sie sich vorgenommen hatte. Vor allem, wenn es um die Einführung von Neuerungen oder das Schlichten verhärteter zwischenmenschlicher Situationen ging. ‚Im Fall Koch/Bolt ist dies aber aussichtslos, weil in den letzten Jahren – bereits vor meinem Eintritt – zu viel Geschirr zerschlagen wurde' gestand sie sich ein. Zudem war es für einen Vorgesetzten, wie in diesem Fall Konrad Koch, schier unmöglich, Neuerungen mit Mitarbeitern erfolgreich umzusetzen, die vom Intellekt und von der Ausbildung her so anders tickten, wie er selbst. ‚Wenn ich Konrad Koch wäre, hätte ich längst gekündigt, statt mich jahrelang jeden Tag aufs Neue mit Ewiggestrigen zu duellieren.' Genau hingesehen war es ein Kampf gegen Windmühlen! Nur, warum liess sich dies ihr Chef gefallen und machte einfach weiter, obwohl er daran fast zerbrach?

Das Telefon läutete und unterbrach ihre Gedanken. Ihre Freundin Conny meldete sich am anderen Ende der Leitung und fragte nach, ob sie und Richard Lust hätten, den Start ins neue Jahr in Norditalien, genau genommen in Novello, einem kleinen Dorf inmitten der Hügel des Piemonts, zu verbringen. „Eigentlich sind Richard und ich nicht mehr wirklich zusammen" erklärte Vivienne ihrer Freundin. „Doch es stört

mich nicht, wenn er dabei ist, einfach in getrennten Hotel-
zimmern. Lässt sich das so kurzfristig organisieren?" „Kein
Problem, um diese Jahreszeit hat es kaum Touristen im Pie-
mont" meinte Conny. Sie zeigte sich nicht erstaunt über die
Trennungsabsichten der beiden, denn auch ihr fiel seit längerem auf, dass die beiden nicht *das* Traumpaar waren. Doch
dies waren sie und ihr Mann Armin ebenfalls nicht. Doch sie
hatten sich arrangiert, wie man so schön sagte. Seit längerem
pflegte sie heimlich eine Liebschaft, die ihr das gab, was sie
bei Armin vergeblich suchte. Trotzdem liebte sie ihren Mann
und wollte ihn nicht verlassen. „Ich ruf dich gleich zurück,
weil ich zuerst abklären muss, ob Richard mit von der Partie
ist" erklärte Vivienne ihrer Freundin. „Etwas Abwechslung
tut mir sicher gut nach der monatelangen Rackerei in meinem
Geschäft" willigte Richard ein und so brachen die vier
Freunde mit dem Auto einen Tag vor Silvester Richtung
Norditalien auf. Armin stellte sich als Chauffeur zur Verfügung und teilte seinen Fahrgästen mit, dass sie in vier Stunden am Ziel sein würden.
Leider wurden daraus sieben Stunden, weil sich der Verkehr
vor dem Zoll in Chiasso ellenlang staute. Nachdem sie den
Zoll mit über einer Stunde Verspätung endlich passieren
konnten, zwang sie Bodennebel in schrittweisem Tempo weiter zu fahren. Statt sich an der hügligen Landschaft des Piemonts zu erfreuen, wähnten sich die Vier in einer Milchsuppe
ohne Ausgang. ‚Hoffentlich kommen wir heil in Novello an.'
Vivienne bat ihre Schutzengel darum, den Nebel zu vertrei-
ben. Doch die Bitte wurde nicht erhört. Erst am späten Abend
erreichten sie endlich ihre Pension im nebligen Irgendwo. Zu
allem Elend stellte sich heraus, dass die Pensionsbesitzerin,
bei der Conny telefonisch die Zimmer gebucht hatte, vorsätz-

lich doppelte Buchungen vornahm nach dem Motto: „Wer zuerst kommt, hat Glück, die anderen sollen selbst weiter schauen. Hauptsache meine Zimmer sind vermietet." Die Vier gehörten nun zu denjenigen, die Pech hatten und weiter schauen mussten. Nur mit Not fand sich auf die Schnelle eine neue Unterkunft, die alles andere als komfortabel war. Die nette Besitzerin zeigte den unerwarteten Gästen ihre wenigen Zimmer und erklärte Conny währenddessen auf Italienisch, dass die Zimmer erst geheizt werden, wenn sie sich zum Bleiben entschlossen hätten. „Doch es dauert eine Weile, bis die Räume aufgeheizt sind. Und im Badezimmer gibt es gar keine Heizung, wir sind eher auf Sommer- und Herbstgäste eingestellt" ergänzte sie noch. Nachdem Conny übersetzt hatte, was ihr die Hotelière grad mitteilte, zeigte sich Vivienne ausser sich. „Es bleibt uns um diese Tageszeit wohl nichts anderes übrig, als diese eiskalten Zimmer zu nehmen! Ja wir müssen sogar dankbar sein, dass wir überhaupt noch etwas gefunden haben!" Richard und Armin nickten betreten und so bezogen Conny und Armin ihr Doppel-Zimmer, Richard und Vivienne die Einzelzimmer.

Nachdem sich alle in ihren Zimmern eingerichtet hatten, trafen sie sich zu einem Aperitif in der kleinen Hotel-Bar. „Das wäre in der Schweiz oder sonst wo kaum möglich, dass sich jemand mit Vorsatz erlaubt, doppelte Hotelbuchungen vorzunehmen! Die Frau gehört angezeigt! Nun hocken wir hier bei -5 Grad Aussentemperatur und nicht mehr als 12 Grad Innentemperatur. Habt ihr auf eure Betten geschaut? Hier gibt es nicht mal warme Daunendecken, sondern einzig Leinentuch mit dünner Wolldecke. Und ich habe vorhin im Badezimmer versucht warmes Wasser rauszulassen, um zu duschen. Vergeblich! Eiszapfenkaltes kam raus……ich will nach

Hause, sofort!!!" liess Vivienne ihrem Frust freien Lauf. „Lass es gut sein!" versuchte Richard seine Freundin kopfschüttelnd zu besänftigen. „Wir müssen uns damit abfinden, dass es eben solche und solche Hotelwirte gibt. Wir hatten nun Pech und sollten das Beste draus machen. Betrachte es als ein Abenteuer….in ein paar Jahren lachst du darüber. Wir gehen jetzt was essen und dann wird uns wieder wärmer." Armin versuchte Vivienne ebenfalls zu trösten. „Also im Militär habe ich ganz andere Situationen erlebt, zum Beispiel im Gebirge bei -20 Grad im Zelt zu kampieren." „Nun übertreibst du aber!", tadelte Conny ihren Mann. Dann wandte sie sich Richard und Vivienne zu. „Wir gehen jetzt essen und dann wird uns allen wieder wärmer. Und nachts legen wir unsere Mäntel über die Betten, das kommt einer Daunendecke gleich." „Wenn du meinst" antwortete Vivienne resigniert und trottete den Reisegefährten bis zum nächst gelegenen offenen Restaurant nach. Tatsächlich hatte um die Ecke ein gemütliches Restaurant zu später Stunde noch geöffnet und nach einem reichhaltigen Essen sowie zwei Grappas fühlten sich die vier Reisegefährten wieder besser.

Nach einer unruhigen Nacht in einem Bett mit viel zu weicher Matratze und immer noch viel zu kaltem Zimmer trafen sich die Vier zum Frühstück. „Und, wie habt ihr geschlafen?" wollte Vivienne mit Blick auf ihre Freunde wissen. „Es geht" meinte Richard und ergänzte „die Matratze war viel zu weich." „Wo verbringen wir überhaupt den Sylvester-Abend?" wollte Vivienne wissen, während sie ihre heisse Schokolade aus der Tasse schlürfte. „Das müssten wir noch organisieren, auf jeden Fall nicht im geplanten Restaurant, weil das nämlich geschlossen hat" liess Armin seine Reisegefährten kleinlaut wissen. „Auch das noch, wären wir doch nur zuhause geblieben" giftete Vivienne und blickte dabei Armin vorwurfsvoll an. „Ich kann nichts dafür, dass hier alles schiefläuft und mir passt es genauso wenig wie dir" giftete er in seinem Militärton zurück. Conny mischte sich ein und taxierte ihren Mann mit vernichtendem Blick: „Sorry, du hast uns doch während der Reise erklärt, dass du einen Tisch im angesagtesten Piemonteser-Restaurant weit und breit reserviert hättest. Doch anscheinend war das einer deiner berüchtigten Scherze, denn hättest du tatsächlich einen Tisch reserviert, wäre dir aufgefallen, dass der Nobelschuppen eben geschlossen hat!!" „Ja und wo essen wir jetzt zu Silvester?" hakte Richard nach. „Wir werden schon noch was finden" versuchte Armin gewohnt optimistisch zu beschwichtigen. „Also im Militär habe ich schon um einiges schwierigere Probleme gelöst..." „Es interessiert hier jetzt grad keinen, welche Probleme du im Militär zu lösen hast" fiel ihm Conny ins Wort. „Wir wollen wissen, wo wir den Silvesterabend verbringen, nichts weiter." Armin machte sich auf zur Rezeption und fragte die Hotelwirtin um Rat. Diese gab ihm glücklicherweise die Adresse eines passablen Restaurants ganz in der Nähe. Vorsichtshalber rief sie gleich selbst dort an, um nach einem freien Tisch zu fragen. Sie ergatterte den letzten freien Tisch und Armin war sichtlich erleichtert über die gute Nachricht. „Der Abend ist gerettet, wir werden heute Abend in Novello ganz in der Nähe zu unserem Hotel Sylvester feiern" meinte er wenig später wieder zurück am Frühstückstisch. Dann schlug er vor, mit dem Auto nach Alba zu fahren, um Steinpilze und Morcheln einzukaufen. Eine Stunde später war Abfahrt und Vivienne war gespannt, was sie im 20 Minuten entfernt gelegenen Städtchen alles erwarten würde. Sie stellte sich auf schicke Einkaufsgeschäfte ein, doch ausser unzähliger Delikatessengeschäfte, die getrocknete Pilze, Käse, Wein, Grappa und regionale Süssigkeiten verkauften, gab es nicht allzu viel zu sehen. Zu ihrem und Connys Bedauern war die Trüffel-Saison längst vorbei und die köstlichen Knollen mit ihrem erotisierenden Duft waren nur konserviert in Gläsern erhältlich. „Gibt es hier keine Kleiderläden?" wollte Vivienne von ihrer Freundin wissen. „Anscheinend nicht, ich sehe auf jeden Fall keinen." Conny schlug vor, sich in einem der kleinen Cafés entlang der Einkaufsstrasse mit Espressi aufzuwärmen. „Mir ist alles recht, um der Kälte zu entfliehen" stimmte Vivienne dem Vorschlag schlotternd zu. Den beiden Männern konnte die Kälte nichts anhaben, weil sie mit Felljacken ausgerüstet waren. Vivienne und Conny hingegen hatten nur ihre schicken Wintermäntel dabei, die sie wohl vorteilhaft kleideten, jedoch kaum wärmten.

Nachdem alle ihre Espressi fertig getrunken hatten, ging es mit dem Auto wieder zurück Richtung verschneiter Piemonteser Hügellandschaften, um in Barbaresco und Barolo einige Weingüter zu besuchen. ‚Kalt, kalt, kalt' stellte Vivienne frustriert fest. ‚Egal wo man hier hingeht, ist es saukalt'.

Stunden später wieder zurück im Hotel, hatten ihre Zimmer in der Zwischenzeit endlich die gewünschte Raumtemperatur erreicht. Sogar warmes Wasser war der Dusche zu entlocken und Vivienne nutzte die Gunst der Stunde, um zu duschen. Danach fühlte sie sich erfrischter, obwohl nach dem anstrengenden Tag ein heisses Bad genau das Richtige gewesen wäre. Bevor sie sich wieder mit Richard, Conny und Armin in der Hotelbar treffen würde, legte sie sich im Bademantel auf ihr Bett, um noch ein wenig zu dösen. ‚Was wird wohl das neue Jahr bringen? Wer weiss, vielleicht kommt doch noch

irgendwann ein Märchenprinz daher geritten, der mich auf
Händen trägt, mich leidenschaftlich liebt, mir jeden Wunsch
von den Augen abliest und mich all meine Sorgen vergessen
lässt...' Dann schlief sie ein. Erst durch energisches Klopfen
an der Türe wurde sie eine Stunde später wieder wach und
hörte Richard rufen: „Vivienne, ist mit dir alles in Ordnung?
Wir warten unten beim Eingang auf dich, wo bleibst du
nur?" „Oh, ich bin eingenickt und habe die Zeit vergessen! In
ein paar Minuten bin ich unten" rief sie Richard durch die
Türe zu, während sie rasch in ihr schwarzes Cocktailkleid
schlüpfte. Dann streifte sie sich ihren Wintermantel über, zog
die warmen Stiefel an und steckte die Abendschuhe in eine
Plastiktüte. Dann rannte sie in die Hotellobby, wo ihre Reisegefährten ebenfalls festlich gekleidet auf sie warteten. Nach
fünf Minuten Fussmarsch auf einer vereisten Strasse erreichten sie das Restaurant und als sie in die warme Gaststube ein-
traten, stellten Conny und Vivienne überrascht fest: „Wir
sind overdressed." Der einfach gekleidete Wirt nahm die vier
festlich gekleideten Gäste schmunzelnd in Empfang und
führte sie zu einem der wenigen mit weissem Tischtuch gedeckten Tische. „Wir machen das Beste draus" meinte
Richard, der sich wie Armin in einen Anzug mit Krawatte
geworfen hatte. ‚Ja, wir machen das Beste draus, überlegte
Vivienne. Nach einem üppigen Nachtessen und kurz vor Mitternacht fragte sie sich einmal mehr: ‚Was wird wohl dieses
neue Jahr bringen?' Vor zwei Jahren hatte sie sich genau dieselbe Frage gestellt und gespürt, dass sich etwas nachhaltig
verändern würde. Tatsächlich veränderte sich 1989 nicht nur
ihr persönliches Leben durch den neuen Job als Personalchefin, sondern im selben Jahr fiel die Mauer in Berlin mit nach-
haltiger Wirkung auf den gesamten Ostblock und die restli-

chen europäischen Länder. ‚Im Laufe des Januars werde ich
mich nach einer neuen Stelle umsehen' nahm sie sich vor.
Dann prostete sie ihren Freunden aufs neue Jahr zu.

Gegen Abend des 1. Januars waren die Vier wieder zurück in
der Schweiz. Kaum zuhause angekommen und zur Türe rein,
stellte Vivienne ihren Koffer ab und ging ins Badezimmer,
um sich ein warmes Bad einlaufen zu lassen. Während das
warme Wasser in die Wanne plätscherte, packte sie rasch den
Koffer aus und grad als sie ins Bad steigen wollte, klingelte
das Telefon. Zu ihrem grossen Erstaunen meldete sich ihr
Chef völlig aufgelöst am anderen Ende der Leitung. „Guten
Abend Frau Zeller. Zuerst mal ein gutes neues Jahr, ich hoffe,
Sie sind besser gestartet als ich." Vivienne war völlig perplex
über den unerwarteten Anruf und kam nicht dazu, ihrem
Chef ebenfalls ein gutes neues Jahr zu wünschen, weil er ohne Unterbruch weiterredete. „Es ist mir morgen nicht möglich zur Arbeit zu kommen, weil meine Tochter Charlotte völlig überraschend einen Herzstillstand erlitten hat und in Le-
bensgefahr schwebt" liess er seine Mitarbeiterin verzweifelt
wissen.
Vivienne zeigte sich betroffen über die Nachricht und wollte
wissen, was der Grund der Herzattacke war. „Charlotte fuhr
am 31. Dezember, ihrem 22. Geburtstag, mit Freunden zum
Schlitteln in die Berge. Dort brach sie auf der Piste für alle
überraschend zusammen. Keiner wusste, was los war, und
darum konnte man ihr auch nicht sofort helfen" schluchzte es
verhalten aus dem Telefonhörer. „Mit nur 22 Jahren muss sie
jetzt wahrscheinlich sterben", fügte er noch hinzu.
Vivienne gab sich keine Mühe, irgendwelche tröstenden
Floskeln zu finden. Keiner, wirklich keiner konnte auch nur

ahnen, welch unermesslichen Schmerz ein Angehöriger eines geliebten sterbenden oder schwer kranken Menschen fühlte. Das Einzige, was in solch einem Fall etwas Trost spendete, war Betroffene in die Arme zu nehmen, um so Mitgefühl zu signalisieren. Doch das war in diesem Fall nicht möglich. Einmal, weil sie ihren Chef niemals in die Arme nehmen würde und wenn doch, er nicht zugegen war. Vivienne versicherte Konrad Koch, dass er der Arbeit beruhigt fernbleiben könnte und sie auch ohne ihn den „Laden im Griff" haben würde. Konrad Koch nahm dies dankbar zur Kenntnis und teilte Vivienne mit, dass er Rudolf Matter bereits über den Schicksalsschlag verständigt hätte und bat sie, Stillschweigen gegenüber den anderen Mitarbeitern zu bewahren. „Solange noch nicht feststeht, wie es um Charlottes Gesundheitszustand wirklich steht, bitte ich um Diskretion." „Sie können sich auf mich verlassen" sicherte ihm Vivienne ihre Verschwiegenheit zu und wünschte ihm und seiner Familie viel Kraft. „Vielleicht geschieht ja noch ein Wunder und Charlotte wird wieder gesund", versuchte sie nun doch noch tröstende Worte zu finden. „Ihr Wort in Gottes Ohr", entgegnete er und legte auf. Nach dem unerfreulichen Telefongespräch nahm Vivienne ihr Bad und versuchte sich zu entspannen. Durch die Badezimmertüre hörte sie, wie ihr Sohn nach Hause kam und nach ihr rief. „Ich bin im Bad, Fabian!" rief sie zurück. „Okay, Mami. Ich pack jetzt aus, und später erzähle ich dir von all meinen Geschenken, die ich zu Weihnachten bekommen habe." „Ja, machen wir so, doch jetzt will ich für eine halbe Stunde Ruhe, um auszuspannen." Vivienne war dankbar, dass ihr Sohn wieder heil aus den Weihnachtsferien zurück war. Wie ihr nun nach dem Gespräch mit Konrad Koch bewusst wurde, war dies keine Selbstverständlichkeit. Vivienne versuchte sich im warmen Wasser zu entspannen, was ihr nicht gelang. Zu sehr waren ihre Gedanken mit der Familie Koch und deren Schicksal beschäftigt. Sie hoffte inständig, dass sich Charlotte, die sie nicht näher kannte, bald wieder erholen würde.

Während sie im wohlduftenden Badewasser weiter vor sich hindöste, wurde ihr plötzlich bewusst: ‚Oh Gott, nun kann ich nicht kündigen!' Wenn Charlotte Koch nach der Herzattacke stürbe, käme ihr Vater mit diesem Schicksalsschlag kaum zurecht, da war sie sich fast sicher. Zu sehr hing ihr Chef an seiner Tochter, wie sie immer wieder beobachtete. Charlotte war sein ganzer Stolz, sein Lebensmittelpunkt. Von seinem Sohn Mike sprach er selten. Trotzdem war sie überzeugt, dass die Familie Koch ein sehr harmonisches Familienleben führte.

Am ersten Arbeitstag im neuen Jahr ging Vivienne früher als üblich ins Geschäft, um sich auf die zusätzlichen Aufgaben vorzubereiten, die sie für einige Zeit übernehmen würde.

Erst in der zweiten Arbeitswoche liess sich Konrad Koch kurz blicken, um nach dem Rechten zu sehen. Vivienne war schockiert, als er ihr Büro betrat, um ein paar Unterlagen auf ihr Pult zu legen. Nicht der selbstbewusste, unbesiegbar scheinende Personaldirektor aus früheren Tagen stand vor ihr, sondern ein gebrochener Mann, dem unterdessen bewusst war, dass seine Tochter nach dem Herzstillstand und zu später Reanimation wohl überleben, jedoch ihr restliches Leben als Schwerstinvalidin in einer Pflegeeinrichtung verbringen würde. Charlotte, die eben noch quirlige und lebenslustige junge Frau, würde nie wieder sprechen, selbst essen, sitzen, geschweige denn gehen können. Ein ortsansässiger Arzt, der für seine undiplomatische Art bekannt war, liess die Familie in ihrem allergrössten Schmerz wissen, dass man Charlotte besser nicht reanimiert hätte und dass dies ein Ärztefehler gewesen sei. Als der Leid geprüfte Vater Vivienne von diesem Gespräch erzählte, rollten ihm Tränen über die Wangen, denn für ihn wäre der Tod seiner Charlotte noch unerträglicher gewesen. Nun blieb ihm wenigstens die Hoffnung, dass vielleicht doch noch ein Wunder geschehen und seine Tochter sich eines Tages wieder erholen würde.

Die Reaktionen innerhalb der Firma Matter auf Kochs Familiendrama, das sich unterdessen herumgesprochen hatte, waren zu Viviennes Erstaunen vielfältiger Natur. Auf der einen Seite herrschte Betroffenheit, vor allem weil Charlotte vielen als fröhliches Mädchen und mittlerweile als junge sympathische Frau bekannt war. Früher während der Schulferien jobbte sie ab und zu in einer der Produktionsstätten und besuchte dieselben Schulen wie die Kinder der Angestellten. Nebst der Betroffenheit gab es jedoch auch andere Stimmen. „Das ist jetzt die Strafe für sein Benehmen" meinte zum Beispiel der Finanzchef zum Lohnbürochef. Hermann Bolt widersprach ihm nicht, wie er Vivienne später versicherte. Die ablehnende Haltung gegenüber dem Personaldirektor bekam für Vivienne auf diese Weise ein neues Gesicht oder besser, eine hässliche Fratze. Sie nahm sich vor, auch wenn sie nicht immer mit seinem Verhalten einverstanden war, ihm Rückendeckung zu geben.

Beim nächsten Massagetermin erzählte Vivienne ihrem Therapeuten über Charlottes Herzstillstand und dessen Folgen. „Das ist karmisch" antwortete er spontan. „Was ist denn das?" wollte sie erstaunt wissen. „Ja das ist etwas, das in einem anderen Leben noch nicht erledigt wurde und sich nun in diesem Leben wieder manifestiert." „Wie bitte? In einem anderen Leben!?" fragte Vivienne zur Sicherheit nach. „Ja" belehrte er seine Kundin. „Wir kommen immer wieder auf die Welt, und wenn wir etwas in einem anderen Leben nicht aufgearbeitet haben, dann erledigen wir es eben im nächsten. Dies kann auch über eine Krankheit oder einen Schicksalsschlag sein. Manchmal ist es nicht unbedingt das Opfer, das etwas zu lernen hat, sondern seine Angehörigen. Das Opfer stellt sich somit als Lehrpfad für die anderen zur Verfügung." „Also Reto, so einen Quatsch habe ich noch nie gehört, woher willst du das denn wissen? Wer wird schon krank, um anderen quasi als „Lehrpfad" zu dienen!?! Ich finde, du gehst nun zu weit." Dann erklärte sie Reto kurz ihre persönlichen Ansichten zum Thema Religion. „Der Mensch stirbt irgendwann und je nachdem, wie sein Sündenregister ausfällt, geht's in den Himmel, in die Hölle oder ins Fegefeuer. Danach ist Schluss! Also komm mir nicht mit früheren Leben. Du versündigst dich damit."

Reto lächelte milde. „Nein, nein, so ist es ganz bestimmt nicht. Das erzählen uns die Kirchenoberen nur, um uns klein zu halten. Das läuft alles ganz anders. Ich weiss das, weil ich mit meinem besten Freund jeden Montag einen sehr weisen Mann besuche, der mehr sieht und weiss, als der normale Mensch" flüsterte Reto nun fast verschwörerisch. „Das klingt nach Sekte" gab Vivienne zu bedenken. „Sicher nicht, sehe ich aus wie ein Sektierer?" entrüstete sich Reto. Vivienne schaute dem weiss gekleideten, mittelgross gewachsenen, blonden jungen Mann in seine hellblauen Augen und meinte dann lachend: „Nein, eigentlich siehst du nicht wie ein Sektierer aus." Nachdem Reto Viviennes Neugierde geweckt hatte, wollte sie mehr über seine geheimen Treffen mit dem weisen Mann wissen. „Kann ich an solch einem Treffen mal mit dabei sein?" fragte sie darum Reto erwartungsvoll. „Du wirst im Laufe deines Lebens sicher noch mehr darüber erfahren, was zwischen Himmel und Erde tatsächlich so läuft. Mehr, als du Dir vorstellen kannst. Doch nun ist die Zeit noch nicht reif dafür. Sowas kann man nicht erzwingen, der richtige Moment wird kommen!" schloss er das Thema ab. Nach der Massage verabschiedete sie sich und hoffte, dass Reto sie irgendwann doch noch zu einem seiner Geheimtreffen mitnehmen würde. Bereits Wochen zuvor hatte sie ihr Massage-Abo verlängert. Nicht nur, weil ihr die Therapie als willkommene Entspannung diente, sondern weil sich ihr spiritueller Horizont durch die Gespräche mit Reto um einiges erweiterte.

Eine Woche später begrüsste Reto seine Kundin freudestrahlender als üblich. „Ich habe eine gute Idee, wie du mehr über Karma und Weiterleben nach dem Tod erfahren könntest." „Ah ja? Und wie willst du das anstellen?" wollte Vivienne erstaunt wissen. „Nimmst du mich nun doch zu einem deiner Geheimtreffen mit?" „Nicht zu meinem weisen Freund. Doch gerne würde ich dich zu einem Medium aus England mitnehmen, das in ein paar Monaten in der Ostschweiz auf Besuch weilt. Ich habe für mich einen Channeling-Termin über die Parapsychologische Gesellschaft in Basel gebucht und das wär auch was für dich. Das bekannte Medium reist jedes Jahr für ein paar Wochen in die Schweiz und ist jetzt schon fast ausgebucht." „Medium? Bitte Reto, klär mich auf. Was um Gotteswillen ist ein Medium?! Und was ist ein Channeling?" „Ein Medium ist eine Person mit einer besonderen Begabung, in diesem Fall eine Frau. Sie stellt sich als Kanal zwischen der geistigen Welt der Verstorbenen und der irdischen Welt der Lebenden zur Verfügung. Das nennt man Channeling. Ein Kollege erzählte mir davon. Er war begeistert, weil ihm sein Grossvater eine Botschaft durch das Medium übermittelte, die hundertprozentig stimmte. Dir könnte so eine Sitzung helfen, um dich mit deinem verstorbenen Vater zu versöhnen. Vielleicht hat er dir noch etwas zu sagen. Obwohl, zum Vornherein weiss man natürlich nie, wer sich alles meldet, weil auch Verstorbene ihren freien Willen haben. Es gibt solche, die mit früheren Angehörigen keinen Kontakt mehr wünschen und dies gilt es dann zu respektieren."

Bis zu jenem Zeitpunkt war Vivienne der Ansicht, dass Verstorbene nach ihrem Tod für die noch lebenden Menschen unerreichbar seien. Nun eröffneten ihr jedoch Retos ungewöhnliches Wissen neue Horizonte und sie bat ihn kurzentschlossen, auch für sie einen Termin zu vereinbaren. „Du musst dich aber noch ein paar Monate gedulden, gell, das Medium kommt erst im Herbst wieder in die Schweiz." Mittlerweile war erst April und Geduld gehörte nicht zu Viviennes ausgeprägtesten Eigenschaften.

Abends rief sie Richard an. „Und, was gibt es Neues?" wollte der wissen. „Stell dir vor, mein Therapeut nimmt mich in ein paar Monaten zu einem Medium aus England mit!" „Alles Quatsch!" höhnte es aus dem Hörer. „Man kann unmöglich mit Verstorbenen sprechen! Das dient nur der Geldmacherei." Vivienne wurde sich nach Richards brüskierender Reaktion bewusst, dass künftig Vorsicht geboten war, mit wem sie über ihren Besuch bei einem Medium sprechen sollte und mit wem ganz sicher nicht. ‚Eigentlich sollte ich besser mit gar niemandem drüber sprechen' nahm sie sich vor. Schliesslich hatte sie selbst nur Tage zuvor abweisend auf die Aussicht reagiert, mit Hilfe eines Mediums Verstorbene zu kontaktieren. Warum sollte dies anderen nicht auch so ergehen? So verzichtete sie darauf, Fabian in ihre Pläne einzuweihen, denn ihr Sohn war grad mit ganz anderen Sorgen beschäftigt, nämlich mit der Suche nach einer Lehrstelle. Für ihn war klar, dass er eine Velo-Mofa-Mechaniker Ausbildung absolvieren wollte und zwar in jenem Geschäft, in dem er seit einiger Zeit an den freien Mittwochnachmittagen aushalf, um etwas Sackgeld zu verdienen. Für dieses Vorhaben konnte sich die Mutter wenig begeistern, denn ihr Sohn würde der erste Lehrling überhaupt in jenem Geschäft sein und somit fehlte dem künftigen Lehrmeister jegliche Erfahrung. „Jeder fängt ja mal neu an" meinte Fabian lapidar, nachdem ihm seine Mutter ihre Bedenken mitgeteilt hatte. „Und was mir ebenfalls nicht passt, ist die Tatsache, dass Nicki Nickel in einem Wohnwagen lebt, statt in einer Wohnung. Wie soll denn ein junger Mann, der selbst noch nicht ganz trocken hinter den Ohren ist, Lehrlinge ausbilden?" gab Vivienne weiter zu bedenken. Doch sie rannte bei ihrem Sohn gegen verschlossene Türen. Wenn Fabian sich etwas in den Kopf gesetzt hatte, blieb er stur. Nach etlichen Diskussionen lenkte sie letztendlich ein und unterschrieb widerwillig den Lehrvertrag. Beruflich sah sie ihren hübschen, 170 Zentimeter grossen und dunkelhaarigen Sohn, der ihre ovale Gesichtsform, dichten Haare und grauen Augen geerbt hatte, eher im Verkauf. Ihrer Meinung nach lagen dort seine wahren Talente. Doch Fabian entschied nun anders und aus eigener Erfahrung wusste sie nur zu gut, wie es sich anfühlte, wenn Eltern ihren Kindern den eigenen Willen aufdrängten. Ihr Bruder Daniel zum Beispiel haderte bis heute damit, dass er nicht Automechaniker hatte werden dürfen. Auf Befehl der Eltern hatte er eine kaufmännische Lehre absolviert und dieses Schicksal mit der aufgezwungenen Lehre wollte sie Fabian ersparen.

Der Griff nach dem Rettungs-Anker

Im Frühsommer, fünf Monate nach Charlottes Herzstillstand lud Konrad Koch Vivienne und die Personalassistentin samt ihren Partnern zu einem gemeinsamen Abendessen zu sich nach Hause ein. „Passt Ihnen Samstag in zwei Wochen?" wollte er von seinen Mitarbeiterinnen wissen. „Danke für die Einladung, doch ich muss zuerst meinen Partner fragen. Er ist momentan ziemlich beschäftigt mit dem Aufbau seiner Setzerei" erwiderte Vivienne wenig begeistert. Dass Richard und sie mehr oder weniger getrennt lebten, verschwieg sie bislang ihrem Chef, weil sie fand, das sei ihre Privatsache. Nach wie vor stand Richard als Begleiter zur Verfügung, wenn sie nicht allein zu irgendwelchen Anlässen gehen wollte. „Bis mein Nachfolger eingearbeitet ist, übernehme ich diesen Job halt noch" witzelte er jeweils, wenn Vivienne ihn wieder mal um seinen Begleitservice bat. „Ich komme mit, aber nicht mit Freuden. Wie Du weisst, mag ich die Kochs nicht besonders. Zudem habe ich keine Lust, den ganzen Abend da zu sitzen und mir Geschichten aus der Firma Matter anzuhören. Und warum laden die uns überhaupt ein?" wollte er noch wissen. „Keine Ahnung, aber gut, kommst du mit", bedankte sich Vivienne, die ebenfalls erstaunt über die Einladung war.

Der Abend bei Kochs entpuppte sich angenehmer, als erwartet. Die Gastgeberin gab sich alle Mühe und das von ihr servierte Filet im Teig war vorzüglich. Trotzdem fühlten sich die Gäste in der Gesellschaft des vom Schicksal gebeutelten Ehepaars unwohl, vor allem auch, weil der gegenseitige Umgang zwischen den Ehepartnern eher unterkühlt und distanziert zu sein schien.

„Zu Ihrer Information, wir wagen räumlich einen Neuanfang und werden nächstens in eine andere Wohngegend umziehen. Hier erinnert uns alles zu sehr an Charlotte und das schmerzt uns jeden Tag aufs Neue" liess Konrad Koch seine Gäste während des Desserts wissen. „Das würde mir wahrscheinlich auch so gehen" meinte Vivienne kurz angebunden, weil es sie je länger je mehr befremdete, was ihr normalerweise zurückhaltender Chef alles aus seinem Privatleben preisgab.

„Vor Charlottes Unglücksfall erzählte er kaum etwas über sich oder seine Familie und irgendwie war mir dies auch recht so. Plötzlich sucht mein Chef nun meine Nähe und erzählt mir Dinge, die ich so nie von ihm erwartet hätte" meinte Vivienne auf dem Nachhauseweg zu Richard. „Ich weiss nicht, was du hast. Er muss sich halt mit jemandem austauschen, nachdem was er alles erlebt hat. Auf jeden Fall war's ein netter Abend und das Essen schmeckte ausgezeichnet."

Tatsächlich zog die Familie Koch wenig später in eine neue Wohnung und ihr Chef wirkte nach dem Umzug um einiges gelassener und zufriedener. Nachdem das neue Zuhause eingerichtet war, lud Konrad Koch sein Führungsteam zu einem Mittagessen ein, worüber vor allem Fridolin Tobler erstaunt war. „Noch nie in der bald vierzehnjährigen Zusammenarbeit habe ich erlebt, dass der Koch irgendjemanden aus der Firma in seine Wohnung eingeladen hätte. Ob ihn das Unglück seiner Tochter geläutert hat? Er ist in letzter Zeit um einiges ruhiger und zugänglicher geworden. Selbst wenn es Probleme mit dem Lohnsystem gibt, reagiert er gelassener." ‚Hauptsache das Arbeitsklima hat sich verbessert, warum auch immer', überlegte Vivienne, während sie ihrem Kollegen zunickte. Auch ihr war nicht entgangen, dass sich ihr Chef nach dem Wohnortwechsel um einiges umgänglicher verhielt und lernte ihn so von einer völlig neuen Seite kennen.

Nachdem sich das positive Arbeitsklima über drei Monate hinweg hielt, gab es für Vivienne keinen Grund mehr, sich um eine neue Stelle zu bemühen. Wohl gab es Momente, in denen sie gewisse Animositäten ihres Chefs nicht verstand, doch da diese nichts mit ihr zu tun hatten, nahm sie sich vor, darüber hinwegzusehen. Natürlich war ihr bewusst, dass Konrad Koch Tag für Tag alle Kraft zusammennehmen musste, um mit der neuen Familiensituation klar zu kommen. Einmal gestand er ihr unter Tränen ein, dass er aus verschiedenen Gründen nie ein besonders gläubiger Mensch gewesen war und sich dies nun durch Charlottes Unglück noch verstärkt hätte. „Ich verstehe Gott nicht, wenn es ihn überhaupt gibt, warum er so etwas zulässt. Charlotte war so eine hoffnungsvolle und fröhliche junge Frau. Warum musste ausgerechnet sie einen Herzstillstand erleiden? Nie klagte sie über Herzprobleme. Warum nur muss sie jetzt für den Rest ihres Lebens als Schwerstinvalidin leben?" „Dies ist Charlottes Schicksal und Sie als Vater müssen das wohl lernen zu akzeptieren. Sie können für den Moment nichts anderes tun, als ihr beizustehen", versuchte sie ihn zu trösten. Dann wollte sie noch wissen: „Wie geht Ihre Frau mit der Situation um?" „Keine Ahnung, wie meine Frau damit umgeht, wir sprechen nicht darüber. Und warum muss meine Tochter so ein grausames Schicksal überhaupt durchleben, haben Sie dazu auch eine Antwort?" fragte Konrad Koch, der alles andere als begeistert über Viviennes Auslegung der traurigen Situation war. Erstaunt blickte ihn Vivienne an, was ihn irritierte. Plötzlich wurde ihm bewusst, dass er seiner Mitarbeiterin gar nicht so viel aus seinem Privatleben Preis geben wollte. Er wandte sich rasch ab und verliess ihr Büro, um in seines zu gehen. Nachdem er an seinem Pult Platz genommen hatte, überlegte er, dass er bis zum heutigen Moment noch nie so offen mit jemandem über seine wahren Gefühle gesprochen hatte. Früher als Kind und in seiner Jugendzeit war er sehr emotional veranlagt. Doch durch die Ehe mit Elena legte er jene Seite ab, weil sie Gefühlsduseleien nichts abgewinnen konnte. Der Umgang zwischen ihm und seiner Frau war eher rational, respektvoll und kumpelhaft, statt von grosser Nähe und Zärtlichkeit geprägt. Er liebte seine Frau, doch von der wahren, grossen Liebe, wie er sich diese immer mal wieder zwischen Mann und Frau vorgestellt hatte, konnte keine Rede sein. Grad jetzt, wo er ihre Nähe gebraucht hätte, wo auch er ihr gerne Nähe gegeben hätte, verhielt sie sich ihm gegenüber noch distanzierter und kühler.

Am anderen Morgen suchte Konrad Koch wieder Viviennes Nähe und erzählte ihr von einem Konzert, das er kürzlich besucht hatte. Es kam Vivienne langsam so vor, als würde er durch die persönlichen Gespräche mit ihr Lebenskraft tanken. Für die Personalchefin war es nicht neu, dass Menschen ihre Nähe suchten, um ihr Herz auszuschütten. Das gehörte zu ihrem Beruf und gerne half sie mit aufmunternden Worten oder Ratschlägen weiter. Doch dass nun ihr sonst so distanzierter Chef ihre Nähe suchte, überforderte sie, weil sie der Meinung war, dass er besser professionelle Hilfe in Anspruch nehmen sollte, um den schweren Schicksalsschlag zusammen mit seiner Familie zu verarbeiten.

Dass Konrad Koch immer mehr Viviennes Nähe suchte, fiel mit der Zeit auch anderen Mitarbeitenden auf. Vor allem die Assistentin des Unternehmensleiters, Irma Müller, flüsterte ihrer Kollegin während eines Firmen-Apéro augenzwinkernd und mit vorgehaltener Hand zu: „Was mit dem Koch los ist, sieht ein Blinder." „Ja was denn?" fragte Vivienne arglos zurück. „Der ist in Sie verschossen, mein liebes Kind. Schade, gefällt er Ihnen nicht. Er könnte tatsächlich verborgene Qualitäten haben, die bis jetzt noch keiner wahrgenommen hat. Und wissen Sie, seine Frau ist doch etwas zickig und haben Sie gesehen, wie es in deren Wohnung aussieht? Wie in einem Museum." Tage zuvor besuchten Vivienne und Irma Müller das Stadtkino, um sich den Film „Nicht ohne meine Tochter" anzusehen. Ihr Chef bekam dies mit und da das Kino direkt neben seiner Wohnung lag, passte er die beiden Damen nach der Vorstellung ab und lud sie spontan zu einem Glas Champagner ein. Seine Frau schien etwas irritiert darüber zu sein, liess ihren Ehemann jedoch gewähren. Irma Müller, eine kultivierte und vom Leben nicht gerade verwöhnte Deutsche, die sich und ihren kleinen Sohn allein durchbringen musste, nachdem ihr Mann bei einem Flugzeugabsturz ums Leben gekommen war, musste man nichts vormachen. Durch ihre Lebenserfahrung besass sie einen Röntgenblick, dem nichts entging. So auch nicht, dass Kochs Wohnung kein gemütliches Zuhause war, sondern, wie sie es ausdrückte, eine sterile Museumsatmosphäre ausstrahlte. „Vielleicht kommt der Mann emotional zu kurz und ist deswegen immer so komisch drauf" mutmasste die Geschäftsleitungsassistentin, während sie eines der Apéro-Häppchen in ihren Mund schob.

Vivienne bewunderte die grossgewachsene, kluge Deutsche mit Stil, Weitsicht und klarem Verstand, mit der sie sich nach deren Anstellung in der Chefetage etwas angefreundet hatte. Die Initiative hatte damals Irma Müller ergriffen, weil diese nach ihrem Eintritt rasch erkannte, dass Vivienne die einzige weibliche Person im Unternehmen war, mit der Unterhaltung auf gehobenem Niveau möglich war. Ihr gefiel die Art, wie sich die junge Frau kleidete und auch sonst immer gepflegt daherkam, genauso wie sie selbst. Darum hatte sie Vivienne und ihren Partner bereits einige Wochen vor dem Kinobesuch zu einem gemeinsamen Abendessen zu sich nach Hause eingeladen. Mit gemischten Gefühlen hatte Vivienne damals Richard mitgenommen, weil er sich von morgens bis abends und auch an den Wochenenden abrackerte, was zwangsläufig zu Schlafmangel führte. Eingeladen bei Freunden, konnte er sich meist nach dem Essen kaum mehr auf den Beinen halten und legte sich, ohne um Erlaubnis zu bitten, aufs Sofa der Gastgeber, um begleitet von einem lauten Schnarchkonzert in Tiefschlaf zu fallen. Leider fehlte Richard jegliches Fingerspitzengefühl, bei welchen Gastgebern es irgendwie drin lag, sich für ein Schläfchen aufs Sofa zu legen und bei welchen unter keinen Umständen. „Wir wären nächstes Wochenende bei Frau Müller zum Nachtessen eingeladen, Richard. Du hast aber sicher keine Zeit, so wie ich das einschätze?" hatte Vivienne damals vorsichtig nachgefragt. Insgeheim hatte sie gehofft, dass er ihre Annahme bestätigen und abwinken würde. Doch das Gegenteil war der Fall: „Etwas Abwechslung tut mir gut und die Müller wollte ich schon lange mal kennen lernen" hatte er Vivienne wissen lassen. „Kann die überhaupt kochen oder lässt sie kochen?" Vivienne hatte ihm schon einiges über die schillernde, 57jährige Assistentin des CEO erzählt und so war er gespannt auf die Begegnung gewesen. „Du weisst dich zu benehmen, gell, Richard. Schläfchen auf dem Sofa liegt bei der Deutschen Lady nicht drin. Ich glaub, die würde dich hochkant rauswerfen" hatte sie ihn unmissverständlich wissen lassen.

Wie abgemacht waren die beiden zur verabredeten Zeit bei Irma Müller eingetroffen und diese begrüsste ihre Gäste freundlich und damenhaft, wie dies ihre übliche Art war. Grosse Herzlichkeitsbekundungen waren von ihr nicht zu erwarten, sie war von ihrem Wesen her eher rational und distanziert gestrickt. Ganz im Gegensatz zu Vivienne, deren Grundwesen herzlich und empathisch war. Bereits im Korridor roch es nach Braten und die beiden freuten sich auf einen kulinarisch vielversprechenden Abend. Im Wohnzimmer herrschte eine noble Atmosphäre, die vor allem von den sorgfältig ausgewählten, dunkelgrünen Lederpolstermöbeln im englischen Stil ausging und den in Goldrahmen gehaltenen Stiche an den Wänden. Im angrenzenden Esszimmer war der Tisch bereits mit einem weissen Tischtuch und schönem Porzellan gedeckt, so wie es Vivienne nicht anders erwartet hatte. Sie schaute Richard kurz von der Seite an und gab ihm mit Blick auf den Diwan heimlich einen Stupser. Dabei schüttelte sie den Kopf mit strenger Miene und wollte ihn so nochmals daran erinnern, dass er sich nach dem Essen dort auf keinen Fall hinlegen durfte. Richard grinste nur und nickte ihr zu.
Nach dem üppigen Essen und dem dazu gereichten edlen Wein wurde Richard wie üblich müde, blieb aber am Tisch

sitzen und folgte dem anregenden Gespräch zwischen den beiden Frauen. Ab und zu gab er seinen Kommentar ab, doch mit der Zeit ermattete ihn die Diskussion, die sich hauptsächlich um den Geschäftsalltag der beiden Frauen drehte. „Wo ist die Toilette?" wollte er von der Gastgeberin wissen. Sie stand auf und zeigte ihm den Weg ins obere Stockwerk, wo sich die Gästetoilette befand. Dann kam sie wieder zurück und die beiden setzten ihr Gespräch fort. Dabei bemerkten sie nicht, dass sich Richard nicht mehr zu ihnen an den Tisch setzte, sondern sich in der Zwischenzeit ungefragt aufs edle Sofa legte und sogleich in einen Tiefschlaf gefallen war, untermalt von seinem üblichen Schnarchkonzert. „Woher kommen diese lauten Geräusche?" wollte Irma Müller konsterniert wissen. „Klingt, als würde einer schnarchen." Als die Gastgeberin realisierte, woher die Schnarchgeräusche kamen, wandte sie sich mit strenger Miene Vivienne zu: „So etwas ist mir noch nie passiert! Nicht einmal mir käme es in den Sinn, mich zum Schlafen aufs Sofa zu legen. Was fällt dem Kerl eigentlich ein?! Den lassen Sie das nächste Mal bitte zu Hause! Was wollen Sie überhaupt mit solch einem, der passt doch gar nicht zu Ihnen!" Richard bekam von der Schelte nichts mit und schlief weiter, bis ihn Vivienne weckte, um nach Hause zu fahren. Auf dem Heimweg meinte er: „War soweit ein netter Abend und das Essen schmeckte sehr gut. Doch Frau Müllers noble Art ging mir etwas auf den Kecks. Die Verabschiedung war in meinen Augen zu unterkühlt. Ich glaube nicht, dass die uns nochmals einlädt." „Dich bestimmt nicht!" zischte Vivienne Richard wütend an. „Du hast dich unmöglich benommen und in Zukunft bleibst du zu Hause. Ich muss mich wohl tatsächlich nach einem neuen Begleiter umsehen. Notfalls nehme ich Fabian mit, im Gegensatz zu dir weiss er sich zu benehmen!"

Nun, einige Wochen nach jenem Besuch, versuchte Irma Müller ihrer zwanzig Jahre jüngeren Arbeitskollegin klarzumachen, dass sich der nicht immer unproblematische Personaldirektor in sie verliebt hätte. Vivienne schüttelte den Kopf und wehrte ab. „Sie irren sich Frau Müller! Der Mann ist glücklich verheiratet und wenn's solche Dramen gibt, wie die Familie Koch grad durchlebt, wird eine Ehe noch enger zusammengeschweisst. Niemals würde sich Herr Koch nach einer anderen Frau umsehen. Seine Gefühle mir gegenüber sind meiner Meinung nach rein freundschaftlicher Natur." Innerlich musste Vivienne jedoch zugeben, dass sich das Verhältnis zwischen ihr und ihrem Chef seit Charlottes Unglück tatsächlich verändert hatte. Seit ihrer Anstellung vor bald zwei Jahren ging man sachlich und distanziert miteinander um, nun war eine gewisse Vertrautheit spürbar. Doch sie pflegte auch mit anderen Arbeitskollegen aus dem Kader einen vertraulicheren Umgang. Doch im Gegensatz zu ihren Kollegen, war Konrad Koch ihr Chef und da war aus ihrer Sicht Distanz Pflicht.

Nach Irma Müllers Hinweis beobachtete Vivienne das Verhalten ihres Chefs genauer und musste Tage später ihrer Kollegin recht geben, denn tatsächlich schien es, als hätte ihr Chef ein Auge auf sie geworfen. Vivienne fühlte sich peinlich berührt und nahm sich vor, Konrad Koch weiterhin ausschliesslich als ihren Chef zu behandeln und sein seltsames, oft liebevolles Benehmen einfach zu ignorieren. ‚Er durchlebt eine schwierige Zeit und wenn er das Unglück mit seiner

Tochter etwas verdaut hat, wird sich das Ganze wieder normalisieren' gelangte sie zur Überzeugung. ‚Ich bin jetzt sowas wie ein Rettungsanker, an dem er sich festhält, bis sich der Sturm wieder gelegt hat.'

Auch dem Verkaufschef und Personalkommissionspräsidenten im Nebenamt, Fritz Weber, entging die positive Verwandlung des Personaldirektors nicht. Er arbeitete seit bald 20 Jahren in der Firma und kannte Konrad Koch aus verschiedenen hart geführten Sitzungen und persönlichen Gesprächen rund um die Belange der Personalkommission bestens. „Was ist eigentlich mit Ihrem Chef los, Frau Zeller? Er zeigt sich in letzter Zeit während Verhandlungen ungewöhnlich locker und verständnisvoll. Dies vor allem, wenn Sie zugegen sind", wollte er verschmitzt lächelnd wissen, nachdem er Vivienne wieder einmal in ihrem Büro aufsuchte, um mit ihr verschiedene personelle Anliegen zu besprechen. „Ich weiss nicht, was mit ihm los ist, ausser, dass er sehr unter Charlottes Unglück leidet", versuchte Vivienne das für sie unangenehme Gespräch in andere Bahnen zu lenken. „Vielleicht sucht er in Ihrer Nähe Liebe und Geborgenheit, weil er die zu Hause nicht findet. Seine Frau scheint doch eher unterkühlt zu sein, wie ich schon beobachtet habe. Nun fehlt ihm seine Tochter, die er richtiggehend vergöttert hat, wie man sich so erzählt."

„Sie meinen, er sucht in mir einen Ersatz für seine Tochter?" fragte Vivienne empört nach. „Nein, das denke ich nicht. Er sucht eher eine starke Schulter zum Anlehnen und wir wissen hier ja alle in der Firma, dass Sie über solche Qualitäten verfügen. Darunter verstehe ich trösten, Zuspruch und die richtigen aufmunternden Worte in Krisensituationen zu finden", fügte Fritz Weber augenzwinkernd hinzu, bevor er sich wieder verabschiedete.

Nach ihrem obligaten Feierabend-Bad rief Vivienne Richard an und erzählte ihm von den seltsamen Annäherungen ihres Chefs. „Er sucht Trost und Halt, ist doch verständlich", war sein einziger Kommentar. „Musst halt selbst wissen, wie du damit umgehst, da kann ich dir nicht helfen. Ich hab jetzt grad einen Kunden hier und kann nicht frei sprechen."

Vivienne nahm sich vor, ihrem Chef gegenüber wieder mehr auf Distanz zu gehen. Doch Konrad Koch bemerkte ihr distanziertes Verhalten sofort und sprach sie bei passender Gelegenheit darauf an. „Habe ich was falsch gemacht, dass Sie mein Büro meiden wie die Pest?" fragte er geradeheraus. „Nein, Sie haben nichts falsch gemacht" antwortete sie und wollte sogleich wieder gehen. „Sehen Sie, Sie halten es keine zwei Minuten in meiner Gegenwart aus" amüsierte er sich. „Ein Mitarbeiter wartet in meinem Büro, darum bin ich in Eile" versuchte sich Vivienne rauszureden, bevor sie sein Büro wieder verliess. ‚Irgendetwas beginnt sich zwischen uns schicksalshaft zu verändern' wurde ihr mit mulmigem Gefühl in der Magengegend bewusst. ‚Ist es Liebe oder einfach eine besondere Sympathie? Egal, beides bringt Ärger' ging es ihr durch den Kopf, bevor sie den wartenden Mitarbeiter in ihrem Büro begrüsste.

Eine verhängnisvolle Einladung mit unabsehbaren Folgen

Ein paar Wochen später, unterdessen war es Mitte August und Charlottes Herzstillstand lag über acht Monate zurück, trat Viviennes Assistentin Ulla ins Büro ihrer Chefin, um Arbeitsverträge zur Unterschrift vorbeizubringen. Die dunkelhaarige, eher kleingewachsene, sympathische Frau mit grossen braunen Augen und sportlichem Kurzhaarschnitt, hatte vor kurzem ihren 28. Geburtstag gefeiert und arbeitete seit einem Jahr in der Personaladministration. Bevor sie das Büro wieder verliess, drehte sie sich nochmals um. „Gerne würde ich dich und Richard zusammen mit Kochs zu einem Abendessen in unser neues Haus einladen." „Mit mir kannst du nicht rechnen" wimmelte Vivienne Ulla wirscher ab, als sie eigentlich beabsichtigte. „Warum nicht? Ich möchte aber, dass du dabei bist. Was soll ich allein mit unserem Chef und seiner Frau? Und wenn ich dich allein einlade und Herr Koch kommt dahinter, ist er beleidigt. Du *musst* kommen, bitte, bitte!" flehte Ulla. „Ist ja schon gut" beruhigte sie ihre Assistentin, die sie als zuverlässige und loyale Vertraute sehr schätzte. „Dann werden Richard und ich halt auch mit von der Partie sein. Obwohl ich ihn garantiert dazu überreden muss, denn er mag die beiden nun mal nicht." „Vielen Dank, da fällt mir ein Stein vom Herzen", meinte Ulla sichtlich erleichtert. Nach der mehr oder weniger aufgezwungenen Zusage verspürte Vivienne einmal mehr ein flaues Gefühl in ihrer Magengegend und ahnte, dass sie die Einladung besser nicht angenommen hätte.

Wie nicht anders zu erwarten war, zeigte Richard alles andere als Freude über die Aussicht, einen ganzen Abend lang zusammen mit Kochs an einem Tisch zu sitzen. „Wenn es denn halt sein muss, bin ich dabei" sagte er widerwillig zu. „Danke Richard, doch bedenke, dass du auf Ullas Sofa strengstes Schlaf- und Schnarchverbot hast. Ich hoffe sehr, ich kann mich dieses Mal auf dich verlassen." „Ich gelobe es" scherzte er und schaute dabei Vivienne schelmisch an.

Am verabredeten Abend trafen alle pünktlich im neuen Haus von Ulla und ihrem Mann Werner ein. Die Gastgeber begrüssten ihre Gäste herzlich und Ulla zwinkerte ihrer Chefin kurz zu. Vivienne stellte bewundernd fest, dass das sympathische Paar seine Gastgeberrolle perfekt beherrschte. Der Tisch war festlich gedeckt und aus der Küche duftete es verführerisch. Zum Apéro gab es Champagner und feine Häppchen; im Hintergrund rieselte romantische Musik aus den Lautsprechern der Musikanlage. Aus Viviennes Sicht hätte die Stimmung besser nicht sein können, wenn ihr Elena Koch nicht immer wieder seltsame Blicke zugeworfen hätte, die sie zuerst nicht richtig einzuordnen wusste. Plötzlich bemerkte sie, dass einer ihrer BH-Träger an der rechten Schulter zu sehen war, weil sie ein ärmelfreies Sommerkleid trug. ‚Was soll das?' überlegte sich Vivienne ärgerlich. ‚Will die Frau nun wegen solch einer Bagatelle miese Stimmung machen?' Den ganzen Abend hinweg schaute die Direktorengattin immer wieder auf die Achsel und Vivienne war drauf und dran zur Toilette zu gehen und den BH auszuziehen. Doch dies wäre keine gute Idee gewesen, denn dann hätten sich ihre Brüste durch den dünnen Stoff des Kleides abgezeichnet. ‚Da musst Du nun durch' versuchte sie sich zu beruhigen und gab sich

Mühe, der seltsamen Frau einfach zuzulächeln, während sie die Achsel mit dem verrutschten BH-Träger immer wieder aufs Neue fixierte.

Ulla brillierte derweil in ihrer Gastgeberrolle und reichte zum ausgezeichneten Essen köstlichen französischen Rotwein. Ihre Gäste liessen sich dies gerne gefallen und lauschten bei Kerzenschein den Klängen amerikanischer Schnulzen, die aus den Lautsprechern rieselten. Vivienne mochte die sanften Klänge und fühlte sich auf angenehme Weise berührt. Elena Koch sass ebenfalls mit verträumtem Blick da und unterliess es für den Moment, auf Viviennes Schultern zu starren. ‚Wenn jetzt der Märchenprinz daher geritten käme und mich küssen würde, hätte ich nichts dagegen‘ überlegte Vivienne. Ihr Herz war übervoll vor Liebe und Leidenschaft, die sie bis anhin nie mit dem richtigen Mann zu teilen vermochte. ‚Wie lange muss ich wohl noch warten?‘ überlegte sie mit Blick auf Richard, der wohl ihr guter Freund und Vertrauter war, jedoch von romantischen Liebesgefühlen nicht viel hielt und schon gar nichts davon verstand. Wohl liebte er sie auf seine Weise, doch seine wirkliche Leidenschaft galt seiner Setzerei. Als Sohn aus ärmlichem und kinderreichem Elternhaus war es für sein Selbstbewusstsein zwingend, irgendwann zu grossem Reichtum zu kommen. Mit Unbehagen beobachtete Vivienne dieses Greifen nach den Sternen, die ihrer Meinung nach für Richard einfach zu hoch hingen. Er setzte sich ehrgeizige Ziele, die es normalerweise Schritt für Schritt zu erreichen galt. Doch seiner Meinung nach hatte er keine Zeit dazu, sondern wollte alles möglichst sofort. Diese Einstellung und dieses fast schon fanatische Streben nach Reichtum war ein weiterer Grund, warum es zwischen ihnen beiden auf Dauer einfach nicht funktionieren konnte. Sie selbst war zwar ebenfalls ungeduldig, manchmal ganz schön verträumt, oft naiv, doch wenn es um Geld und Karriere ging, war sie Realistin und plante Schritt für Schritt.

Vivienne schaute in die Runde der Anwesenden und stellte fest, dass alle in Gedanken versunken der Musik lauschten. Plötzlich spürte sie eine Berührung an der linken Fussfessel. Im ersten Moment dachte sie, Richard würde einen Annäherungsversuch starten, was sie allerdings mehr als überrascht hätte. Er sass ihr gegenüber und gab sich verkrampft Mühe, nicht vom heiss ersehnten Schlaf übermannt zu werden. Als er Viviennes Blick spürte, tat er so, als wäre er hellwach und grinste sie an.

Sie warf einen weiteren Blick in die Runde und bemerkte Konrad Kochs verschmitzten Gesichtsausdruck. Mit liebevollem Blick beobachtete er die heimlich Angebetete, in die er seit Wochen verliebt war. Zwar gab er sich alle Mühe, seine Gefühle im Zaun zu halten, doch Frau Zeller, wie er sie immer noch nannte, war für ihn zum Rettungsanker in der schlimmsten Zeit seines Lebens geworden. Vor Charlottes Herzstillstand empfand er ihr gegenüber Sympathie und eine gewisse Bewunderung, wie sie all die von ihrem Vorgänger hinterlassenen Personalprobleme in kürzester Zeit löste. Zudem hatte sie Humor, lachte gerne, manchmal aus Sicht von Rudolf Matter auch zu laut. Doch dies störte ihn überhaupt nicht und er liess sie gewähren. Schliesslich konnte er ihr nicht verbieten, laut zu lachen, nur weil es dem CEO nicht passte. Nun, da sie ihm im Kerzenschein vis-à-vis sass, wirkte sie auf ihn noch schöner und verführerischer als bei Tageslicht. Am liebsten hätte er sie in seine Arme genommen und entführt. Irgendwohin, weit weg, wo es nur sie beide gab, die sich in Liebe und Leidenschaft verlieren und ihn das Trauma um Charlottes Drama vergessen lassen würde. Während er den verbotenen Gedanken freien Lauf liess, konnte er sich entgegen jegliche Vernunft nicht zurückhalten, seine Angebetete wenigstens unter dem Tisch am Bein zu berühren. Er hoffte seit Wochen auf ein Zeichen, dass sie genauso für ihn empfand, wie er für sie. Doch die Hoffnung war bislang vergebens und darum musste er die Gelegenheit nutzen und ihr zu verstehen geben, wie es wirklich um ihn stand. Vivienne schaute in seine Augen und wurde sich bewusst: ‚So hat mich noch nie ein Mann angeschaut und dieser Mann hätte mich auch nie so anschauen dürfen. Schon gar nicht in Begleitung seiner Frau.'

Elena Koch und Richard bemerkten zum Glück nichts von Konrads Flirtattacke. Ulla und ihr Mann waren in der Küche, um Dessert und Kaffee vorzubereiten. Bevor Ulla die Nachspeise servierte, meinte sie mit Blick auf ihre Gäste: „Nun wäre eine gute Gelegenheit, dass wir Euch unseren besonderen Weinkeller zeigen. Herrn Koch und Frau Zeller habe ich diesen bereits während des Aperitifs gezeigt, doch Frau Koch und Herr Bigler haben ihn noch nicht gesehen." Ulla verhielt sich förmlich, da sie nur mit Vivienne und Richard per Du war. Zum ungeschriebenen Gesetz der Firma Matter gehörte, dass die Direktoren sich mit keinem ihrer Mitarbeiter duzen sollten, auch nicht mit den engsten. Nicht mal innerhalb der Geschäftsleitung war man per Du, sondern man achtete auf Distanz, was einem konstruktiven Arbeitsklima nicht immer zuträglich war.
Richard und Elena Koch folgten Ulla in den Keller und Werner hantierte in der Küche herum, während Vivienne und ihr Chef weiter am Tisch sitzen blieben. ‚Jetzt oder nie' überlegte

Konrad, stand rasch auf und setzte sich neben Vivienne, um sie auf den Mund zu küssen. ,Oh mein Gott, soll ich ihm jetzt eine runterhauen?' war ihr erster Gedanke. Warum musste ausgerechnet ihr verheirateter Chef sie küssen, den sie bis anhin nicht besonders mochte, obwohl sie in letzter Zeit eine unerklärliche Verbindung spürte. „Sie haben jetzt grad eine Grenze überschritten, die nur in einer Katastrophe enden kann" flüsterte sie ihm energisch zu. Er schüttelte lächelnd den Kopf und küsste sie nochmals, dieses Mal um einiges intensiver. ,Fühlte sich so der Kuss des Märchenprinzen an?' Vivienne kam nicht dazu, ihre Frage zu beantworten, denn Werner brachte das Dessert aus der Küche und Ulla kam mit Elena Koch und Richard aus dem Weinkeller zurück. Konrad sass wie ein braver Schuljunge wieder auf seinem Platz und niemand ahnte, was sich wenige Minuten zuvor in diesem Raum abgespielt hatte. Ausser Richard, der Vivienne kurz musterte, weil er irgendeine Veränderung spürte. „Du siehst so blass aus, ist Dir nicht gut?" wollte er wissen. „Das meinst Du nur" gab sie abweisend zur Antwort. „Vielleicht lässt mich das Kerzenlicht etwas blasser erscheinen und zudem bin ich müde."

Nach dem Dessert und dem Kaffee, es war schon beinahe Mitternacht, schaute Richard auf die Uhr und stand auf: „Vivienne, es ist schon spät und wir müssen morgen wieder arbeiten. Für mich wird es eine sehr kurze Nacht, weil ich um vier Uhr wieder raus muss." Vivienne stand ebenfalls auf und bedankte sich herzlich bei ihren Gastgebern. Das Ehepaar Koch taten es ihr gleich und nachdem sich alle voneinander verabschiedet hatten, fuhren Kochs mit ihren Fahrrädern, Richard und Vivienne mit dem Auto nach Hause.

Nach zehn Fahrminuten hielt Richard vor ihrer gemeinsamen Wohnung an, damit Vivienne aussteigen konnte. „Ich schlaf besser im Geschäft, da kriege ich wenigstens noch meine vier Stunden Schlaf. Und gell, Vivienne, Du bist Dir schon bewusst, dass dein Chef in dich verliebt ist?" verabschiedete er sich. „Erzähl kein dummes Zeug" entgegnete diese empört und schlug die Autotür mit voller Wucht zu, bevor sie die Treppe rauf und ins Haus rannte. Ihre schlafenden Nachbarn hatten garantiert keine Freude an ihrem mitternächtlichen Temperamentsausbruch. Doch auf irgendeine Weise musste sie nun Dampf ablassen.

Eine Viertelstunde später lag sie im Bett und ihre Gedanken drehten sich unablässig wie ein Karussell. Sie wollte die Kussszene schnellstmöglich wieder vergessen, doch dies war schneller gesagt als getan. Endlich fiel sie in einen unruhigen Schlaf und als Fabian sie ein paar Stunden später weckte, fühlte sie sich so, als hätte sie nicht eine Minute geschlafen. „Wie war der Abend bei Ulla? Bist du spät nach Hause gekommen?" wollte er während des Frühstücks wissen. „Ich muss vorwärts machen, Fabian. Ich erzähle Dir heute Abend davon", versprach sie ihrem Sohn, bevor sie zur Haustüre rausrannte. Kaum im Geschäft, begegnete ihr Konrad Koch in allerbester Laune auf dem Weg zur Personalabteilung. Noch nie hatte sie ihn so gelöst und fröhlich erlebt, schon gar nicht frühmorgens. „Wie geht es dir, seid ihr gut nach Hause gekommen?" fragte er sie, als wären sie ein Paar. Viviennes Antwort fiel knapp und das „Dir" ignorierend, aus: „Ja danke, und ich hoffe Sie auch." Dann drehte sie sich um, ging so rasch wie möglich in ihr Büro und schloss die Türe hinter sich zu. ‚Was nun?' überlegte sie. Verliebt war sie nicht und doch liess sie der unerwartete Kuss nicht mehr los. ‚Warum, bitte schön, werde ich von einem gebundenen Mann geküsst, der erst noch mein Chef ist? *Verheirateter Prinz küsst Dornröschen oder Schneewittchen*, das steht in keinem Märchenbuch und so soll es ja auch nicht sein. Somit vergessen wir das Ganze einfach wieder!' Ulla klopfte an die Bürotür und schaute kurz rein. „Und, wie war der Abend für dich? Alles halb so schlimm mit Kochs, oder?" fragte sie lächelnd nach. „Ja, es war erträglich, Ulla, und nochmals herzlichen Dank für eure Gastfreundschaft. Richte meinen Dank bitte auch Werner aus. Ein unvergesslicher Abend. Ich lade euch beide nächstens auch mal zu uns ein, aber ohne Kochs. Was steht heute auf dem Programm?" versuchte sie vom vergangenen Abend abzulenken. „In einer Stunde hast du ein Vorstellungsgespräch mit einem Kandidaten für die Finanzabteilung. Ich bring dir nachher die Unterlagen."

Bevor Ulla die Türe hinter sich schloss, erinnerte sie Vivienne an den Ausflug mit den Pensionierten, der in ein paar Tagen stattfinden würde. „Du weisst, man erwartet, dass du mitgehst. Unser Chef organisiert das Ganze und bis jetzt haben sich 73 Pensionierte angemeldet. Der Älteste ist bereits 90 Jahre alt, wenn das nur gut kommt", grinste Ulla. „Wohin geht es schon wieder? Habe die Einladung verlegt...", schaute Vivienne ihre Assistentin fragend an. Dann suchte sie vergeblich in einer ihrer Pultschubladen danach. Ulla trat ans Pult, öffnete eine andere Schublade und zog die Einladung heraus. „Voilà, hier ist sie." Nur zu gut kannte sie Viviennes chaotischen Ordnungssinn und wusste meist, in welcher Schubladenecke diese ihre Unterlagen verlegt hatte. „Was würde ich nur ohne Dich machen?" bedankte sich Vivienne lachend. Dann las sie in Ruhe die Eckdaten des Ausflugs durch, die aufzeigten, wie sich der Tag gestalten würde. Frühmorgens Abfahrt in zwei Bussen Richtung Luzern und danach über den Brünigpass nach Brienz im Berner Oberland. Von dort weiter zum Ballenberg, einem naturhistorischen Museum, von dem sie noch nie etwas gehört hatte. Als Ostschweizerin war das Berner Oberland für sie so etwas wie „Ausland." Ulla klärte sie auf, dass es sich beim Naturmuseum um einen riesigen Waldpark in den Bergen handle. „Dort stehen landestypische alte Häuser aus allen Regionen der Schweiz, die den Besuchern das Leben „anno dazumal" authentisch nahebringen." „Ich hasse Busfahrten" liess sie Ulla wissen. „Und wenn es denn sein muss, möchte ich gerne vorne sitzen, dann fühle ich mich nicht so eingeengt." „Geht klar, ich organisiere das für dich" beruhigte Ulla sie.

Am Ausflugstag versammelten sich alle Pensionierten und die Begleitpersonen vor den beiden parkierten Bussen. Bevor es ans Einsteigen ging, bat Konrad Koch seine heimlich Angebetete, neben ihm in der vordersten Reihe Platz zu nehmen. Während der ganzen zweistündigen Reise ins Berner Oberland benutzte der Personaldirektor die Gelegenheit, um seiner Mitarbeiterin einiges aus seinem bisherigen Leben zu erzählen. Er wuchs in der Nähe von Bern als Sohn eines Bäckermeisters auf und kannte die landschaftlich reizvolle Gegend, durch die sie der Bus nun führte, wie seine Westentasche. Mied Vivienne früher seine Gesellschaft, fühlte sie sich während der Fahrt in seiner Nähe geborgen und vertraut, wie niemals zuvor zusammen mit einem anderen Mann. Es schien ihr, als würden sie sich bereits seit sehr langer Zeit kennen und es war ihr ein Rätsel, warum sie so fühlte.

Spätabends, um viele neue Eindrücke reicher, kehrte die Reisegesellschaft wieder zum Ausgangspunkt zurück und nachdem alle ausgestiegen waren und sich verabschiedet hatten, machte sich Vivienne so rasch als möglich aus dem Staub, vor allem auch, um der Nähe ihres Chefs zu entfliehen. Während dieses Tagesausflugs spürte sie einmal mehr eine Vertrautheit, die sie sich nicht erklären konnte. ‚Zur Erinnerung, Vivienne' mahnte sie ihre innere Stimme ‚der Mann ist verheiratet, zudem dein Chef und 15 Jahre älter als du.' Das Alter wäre für Vivienne das kleinste Problem gewesen, denn seit jeher war sie der Meinung, dass ein älterer Partner besser als ein gleichaltriger zu ihr passen würde. Doch ein verheirateter Mann und erst noch ihr Chef, das wäre für sie normalerweise nicht mal eine Überlegung wert. ‚Vielleicht drängt sich nun doch ein Stellenwechsel auf?' Sie nahm sich vor, in den kommenden Wochen die Stelleninserate wieder genauer unter die Lupe zu nehmen.

Nach Ende der Sommerferien trat Fabian seine Lehre an und nur Wochen später zog der Herbst mit vielen nassen und nebligen Tagen ins Land. Um dem nasskalten Wetter wenigstens für ein paar Tage zu entfliehen, entschloss sich Vivienne, zusammen mit Fabian und ihren Freunden Noella und Robert nach Kreta zu fliegen. Die Vier, die einst im selben Miethaus als Nachbarn gewohnt und sich damals angefreundet hatten, freuten sich auf die Abwechslung kurz vor Wintereinbruch. Und da im Spätherbst die Hotelpreise einiges tiefer als in der Hauptsaison lagen, leisteten sie sich den Luxus eines Fünfsternehotels.
Nach dem dreistündigen Flug erreichte der Ferienflieger den Flughafen von Heraklion. Während sie am Gepäckband auf

ihre Koffer warteten, nahm sich Vivienne vor, nicht eine Sekunde an die Schweiz, Konrad Koch oder ihre Arbeit zu denken. Ein Taxifahrer brachte die Vier nach einer Stunde Fahrzeit mit seinem klapprigen Taxi zu ihrem Hotel, das direkt am blausten Meer aller Meere, wie Vivienne die Ägäis nannte, lag. Bereits zum vierten Mal besuchte sie die mystische Insel, die ihr ans Herz gewachsen war. Nach dem Einchecken wurden sie durch einen Pagen zu ihren Zimmern begleitet. Zu Viviennes grosser Freude lagen ihr und Fabians Zimmer etwas erhöht mit direktem Blick auf das tiefblaue Meer. Fabian wollte in der Fremde nicht allein in einem Zimmer schlafen und bevorzugte die Nähe seiner Mutter. Zudem schätzte er die Gespräche mit ihr vor dem Einschlafen. Da konnte er seine Mutter alles Mögliche fragen, was ihn gerade beschäftigte, für das zuhause kaum Zeit blieb. Noellas und Roberts Bungalow mit grossem Sitzplatz und schattenspendendem Feigenbaum lag im Park der grossen Hotelanlage. Die Vier vereinbarten, das Frühstück unter dem Feigenbaum einzunehmen, statt im grossen Speisesaal. Vivienne verabscheute den morgendlichen Kampf am Frühstücksbuffet und ihren Reisegefährten ging es ebenso. Doch zuerst wollten die Vier nun ihre Koffer auspacken und sich noch etwas hinlegen nach der langen Reise. Für Robert war es mit seinen 45 Jahren die erste Flugreise und Noella war ihrer Freundin dankbar, dass sie ihn dazu überreden konnte. „Vielleicht kommt mein Mann so auf den Geschmack und will nicht immer nur mit dem Auto nach Italien in die Ferien verreisen", flüsterte sie Vivienne kurz vor dem Abflug zu. Tatsächlich überstand Robert seinen ersten Flug ohne Zwischenfälle und dies hatte wahrscheinlich auch mit den hübschen Flugbegleiterinnen zu tun, von denen er sich gerne umsorgen liess.

Langsam ging die Sonne unter und ein kühler Wind wehte vom Meer her. „Hast du deine warme Jacke dabei?" fragte Vivienne ihren Sohn. „Klar doch, hast du mir ja aufgeschrieben. Ich habe genau das eingepackt, was auf deinem Zettel stand. Wenn ich also etwas vergessen habe, bist du schuld, weil du es nicht aufgeschrieben hast." „So, so und wie wäre es mit mitdenken?" fragte Vivienne lehrmeisterlich zurück. „Oh, Mami, musst du immer so empfindlich reagieren? Ich habe doch nur Spass gemacht" redete sich Fabian heraus, als er feststellte, dass seine Bemerkung alles andere als gut ankam. „Du bist in letzter Zeit immer so gereizt und gehst wegen jedem Mucks in die Luft. Stimmt irgendwas nicht?" wollte er von seiner Mutter wissen. „Alles in Ordnung, ich brauch einfach Ferien, das ist alles" versuchte sie ihn zu beruhigen. Doch so wirklich glaubte Fabian nicht, dass mit seiner Mutter alles in Ordnung war. Sie wirkte ernster als sonst und war gedanklich immer mal wieder abwesend. „Komm, wir gehen noch kurz ans Meer und nehmen ein Bad. Danach duschen wir und ziehen uns was Schönes an. Du deinen neuen Pullover, ich mein neues Kleid", versuchte Vivienne abzulenken. Sie hatte absolut keine Lust darauf, ihrem Sohn zu erklären, was sie seit Wochen beschäftigte.

Zwei Stunden später trafen die beiden in der Hotelhalle ihre Freunde und nach dem Aperitif in der Bar ging es zum Speisesaal, wo sie vom Chef de Service persönlich begrüsst und zu ihrem Tisch begleitet wurden. Nach einem typisch kretischen Nachtessen mit viel Gemüse, gewürzten Joghurtsaucen und Fisch besuchten sie die hoteleigene Disco, um zu tanzen. Weit nach Mitternacht verabschiedeten sich die Vier voneinander und freuten sich auf das gemeinsame Frühstück am nächsten Morgen unter dem Feigenbaum. „Zuerst schlafen wir aber richtig aus und ich bestell das Frühstück erst auf 10 Uhr. Ist das okay für euch?" wollte Vivienne von ihren Freunden wissen. „Klar, 10 Uhr ist perfekt" meinte Noella.

Doch mit Ausschlafen wurde nichts, weil bereits um 7 Uhr das Telefon klingelte. Schlaftrunken und mit Blick auf die Uhr, nahm Vivienne den Hörer ab. „Ja?!" fragte sie ungehalten. Zu ihrem grossen Erstaunen war ihr Chef dran und erkundigte sich nach ihrem Befinden. ‚Er hat wohl nicht daran gedacht, dass Kreta in einer anderen Zeitzone liegt und wir hier erst 7 Uhr haben' überlegte Vivienne kurz. Obwohl, auch 8 Uhr war ihrer Meinung nach während Ferien zu früh, um angerufen zu werden. Dies sah Fabian genauso und wollte mit vorwurfsvollem Blick wissen, wer dran war. Vivienne gab ihm vorerst keine Antwort und wechselte ein paar Worte mit dem unerwarteten Anrufer. „Uns geht es gut, danke. Eigentlich wollten wir heute etwas ausschlafen, doch daraus wird wohl nichts mehr", konnte sie sich nicht verkneifen zu bemerken. „Ich bin nachher den ganzen Tag an Sitzungen und darum habe ich dich bereits zu früher Morgenstunde angerufen. Tut mir leid, wenn ich euch geweckt habe", entschuldigte sich Konrad Koch halbherzig. Er war ein wenig beleidigt, dass sich seine Angebetete nicht über den spontanen Anruf freute und was ihn besonders ärgerte, war die Tatsache, dass sie ihn immer noch siezte. Vivienne verabschiedete sich wieder und bedankte sich dann doch noch für den Anruf. Als sie den Telefonhörer auflegte, fragte Fabian aufgebracht: „Mami, warum ruft *der* dich denn an, steht er etwa auf dich?!" Fabian mochte den Chef seiner Mutter nicht besonders, obwohl er es ihm zu verdanken hatte, dass er bis zu Lehrbeginn an seinen freien Nachmittagen in einer der mechanischen Werkstätten der Firma Matter etwas Sackgeld verdienen durfte. Dafür war er Konrad Koch sehr dankbar. Doch sein distanziertes und oft mürrisches Wesen fand er alles andere als akzeptabel. Vivienne versuchte ihrem Sohn den Grund des Anrufs so plausibel als möglich zu erklären. „Herr Koch leidet sehr unter der Geschichte mit Charlottes Herzstillstand. Sie wird für den Rest ihres Lebens im Zustand eines acht Monate alten Kindes bleiben. Darum benötigt er etwas Zuwendung und Verständnis." „Bekommt er von seiner Frau keine Zuwendung?" wollte Fabian wissen. Er kannte Elena Koch und verstand nicht, warum deren Mann Zuwendung von seiner Mutter erwartete. „Ich weiss es nicht, Fabian." gab Vivienne kurzangebunden zur Antwort. „Versuchen wir noch ein Stündchen zu schlafen." Doch sie fand keinen Schlaf mehr und fragte sich, wie sie sich künftig ihrem verheirateten Chef gegenüber verhalten sollte. Sie mochte ihn und fühlte sich wohl in seiner Nähe. Doch sie kannte sich selbst nur zu gut, um zu wissen, dass sie einen Mann niemals mit einer anderen Frau teilen würde. Und noch viel weniger wollte sie, dass ein Mann wegen ihr seine Frau verlassen würde. ‚Weg mit den grüblerischen Gedanken, nun will ich meine Ferien geniessen und alles vergessen, was mich daran hindern könnte!' nahm sie sich vor. Doch so richtig gelang ihr das nicht und sie ertappte sich dabei, wie ihre Gedanken immer wieder zu Konrad Koch abschweiften.

Fünf Tage nach seinem überraschenden Anruf war der harmonische und unbeschwerte Urlaub vorbei. Am Abreisetag Ende Oktober feierte Noella ihren 40. Geburtstag, vier Tage bevor Konrad Koch seinen 50. Geburtstag feiern würde. Vivienne schenkte ihrer Freundin eine Brosche und überlegte sich auf dem Rückflug, ob sie ihrem Chef ebenfalls ein Geschenk zu seinem runden Geburtstag machen sollte. ‚Vielleicht zusammen mit Ulla? Das wäre unverfänglicher. Ich frag sie um ihre Meinung, sobald ich wieder bei der Arbeit bin,‘ nahm sie sich vor.

Am Morgen des ersten Arbeitstags konfrontierte Konrad Koch seine engste Mitarbeiterin mit seinem Liebesgeständnis. Vivienne ging nicht weiter darauf ein, weil in ihrem Büro ein Kandidat für ein Vorstellungsgespräch wartete. Sie war froh, dass sie auf diese Weise ihrem Chef aus dem Weg gehen konnte und ihm die Antwort auf sein Geständnis vorläufig schuldig blieb.

Abends wieder zuhause überlegte sie sich, ob es wohl echte Liebe war, die da zwischen ihnen keimte. ‚Von meiner Seite her eher nicht.‘ Statt Schmetterlinge im Bauch verspürte sie beim Gedanken an eine Liebesbeziehung mit Konrad Koch ein flaues Gefühl im Magen. Genau gesehen war Vivienne in ihrem Leben noch nie bis über beide Ohren verliebt gewesen. In den Partnerschaften mit Bruno oder Richard wuchs die Zuneigung mit der Zeit aus der Freundschaft heraus. So richtig verliebt zu sein, hatte sie sich als Jugendliche ganz anders vorgestellt und insgeheim hoffte sie, dass sie trotz ihrer bald 36 Jahren doch noch irgendwann dem Märchenprinzen begegnen würde, der sie wach küsste. Darunter verstand sie einen Mann, der sie auf Händen trug, mit dem sie durch dick und dünnen gehen konnte, der sie ohne Vorbehalte liebte, so wie sie ihn. ‚Beruflich gesehen, sind Konrad Koch und ich unbestritten ein sehr gutes Team und ergänzen uns perfekt. Er lässt mir genügend Spielraum und teilt mir ab und zu auch seine Wertschätzung mit. Doch leider steht ihm sein eigenbrötlerisches Wesen und sein Zynismus im Weg, was den Umgang mit ihm nicht eben leichtmacht. Und...er ist gebunden...!'

Am nächsten Morgen wachte Vivienne wie immer unter der Woche um 6 Uhr früh durch das Klingeln ihres Weckers auf. Um richtig wach zu werden, machte sie zuerst einige Gymnastikübungen und ging währenddessen gedanklich ihren Terminplan für den laufenden Tag durch. ‚Ich muss meinem Chef soweit als möglich aus dem Weg gehen und meine Energie voll und ganz auf meine Arbeit konzentrieren. Seine Lebensgeschichte und sein Schicksal müssen mir egal sein. Wenn er Hilfe benötigt, soll er sich diese bei seinem Arzt, Apotheker oder wo auch immer holen.'

Nach der Morgentoilette und einem kurzen Frühstück ging sie ins Geschäft, wo viel Arbeit auf sie wartete. Ihren Chef bekam sie kaum zu Gesicht, weil auch sein Tagesplan eng getaktet war.

Am späten Abend wieder zu Hause, nahm Vivienne vor dem Abendessen ihr übliches Bad, um sich vom stressigen Tag zu erholen. Sie blätterte währenddessen ein paar Seiten in der „Elle" durch, doch es gelang ihr nicht wirklich, sich auf die Zeitschrift mit den neuesten Modetrends zu konzentrieren. ‚Es kann nicht sein, dass ich ständig an Konrad Koch denke, obwohl ich das gar nicht will,' überlegte sie ärgerlich. Sie hörte, wie Fabian nach Hause kam und nach ihr rief. „Bin im Bad und komme gleich runter, um das Abendessen zu kochen!" rief sie ihm durch die Badezimmertüre zu. Zehn Minuten später stand Vivienne in der Küche und bereitete das Essen vor. „Mami, du wirkst so abwesend. Ist alles in Ordnung mit dir?" wollte Fabian wissen, während er den Tisch deckte. „Ja alles okay, mach dir keine Sorgen" versuchte sie ihren Sohn zu beruhigen. „Wie geht es dir, kommst du klar in der Schule?" versuchte sie abzulenken. „Alles bestens. Was machen wir am Wochenende? Gehen wir nach Zürich oder haben wir Besuch?" wollte er noch wissen. „Wir fahren nach Zürich zum Einkaufen und ja, abends haben wir Gäste", liess ihn seine Mutter wissen. „Das ist gut, weil du dann keine Zeit zum Grübeln hast, gell?" meinte Fabian etwas altklug. Nach dem Essen und Aufräumen der Küche, verabschiedete sich Vivienne ungewohnt früh zum Schlafen. „War heute ein anstrengender Tag. Statt fernzusehen, lese ich lieber noch ein paar Seiten in meinem Buch." Fabian wünschte seiner Mutter eine gute Nacht und ging in sein Zimmer, um Hausaufgaben zu machen. Doch er konnte sich nicht richtig darauf konzentrieren, weil er sich Sorgen um seine Mutter machte. Es passte ihm überhaupt nicht, wie sie sich von der Frohnatur zur regelrechten Grüblerin entwickelt hatte. Irgendetwas beschäftigte sie, doch er konnte nicht richtig einordnen, was: ‚Es hat sicher mit diesem Koch zu tun. Warum muss er sich ausgerechnet meine Mutter als Seelentrösterin aussuchen? Er soll Trost bei seiner Frau suchen, statt meine Mutter zu belasten.'

Vivienne fiel es, wie oft in letzter Zeit, schwer, sich auf ihr Buch zu konzentrieren. Ob sie wollte oder nicht, KK, wie sie ihn in ihrem intimsten Freundeskreis nannte, geisterte unablässig in ihrem Kopf herum. Sie legte das Buch zur Seite, löschte das Licht und versuchte zu schlafen. Vergeblich! Ihre Gedanken kreisten weiterhin um ihren Chef. Irgendwann schlief sie ein, doch der erste Gedanken nach dem Aufwachen war einmal mehr „Konrad Koch"!

Das Unabwendbare nimmt seinen Lauf

Zwei Tage später feierte Konrad seinen 50. Geburtstag und lud Vivienne und die Mitarbeiter der Personalabteilung zu einer privaten Feier zu sich nach Hause ein. Doch Vivienne lehnte die neuerliche Einladung ab, weil sie absolut keine Lust hatte, Elena Koch von Angesicht zu Angesicht zu begegnen. Einmal, weil ihr die Frau mit ihrem forschenden Blick und der Leidensmiene auf die Nerven ging, und zudem hatte sie sich vorgenommen, private Begegnungen mit ihrem Chef künftig zu vermeiden. Knurrend akzeptierte Konrad den Entscheid seiner Angebeteten, nahm sich jedoch vor, sie während des zweitägigen Arbeitsrechtsseminars in Bern, das sie in ein paar Tagen besuchen würden, zu einem gemeinsamen Nachtessen einzuladen. Als er Vivienne einen Tag vor der Abreise nach Bern seinen Vorschlag unterbreitete, nahm diese die Einladung nach einigem Zögern an. „Ja, ist vielleicht besser, wir sprechen uns mal in Ruhe aus, so kann es ja nicht weiter gehen."

Nach dem ersten Seminartag trafen sich die beiden in der Berner Altstadt zum Abendessen. Vivienne hatte kaum Hunger und versuchte Konrads Blicken so gut es ging auszuweichen. Dieser bestellte Wein und während sie sich mit ihren Gläsern zuprosteten, wurde es immer schwieriger seinem liebevollen Blick auszuweichen. Schweigend musterten sich die beiden. „Ist es nicht langsam an der Zeit, dass wir uns offiziell Du sagen, was meinst du, Vivienne?" fragte er sie mit seinem entwaffnenden und charmanten Lächeln, dem sie kaum widerstehen konnte. „Ich weiss nicht, ob das eine gute Idee ist" entgegnete sie. „Ich liebe dich Vivienne, seit unserem ersten Kuss und wahrscheinlich auch schon davor. Und daran wird sich nie wieder etwas ändern." Konrad griff nach ihrer Hand und streichelte sie zärtlich. Da war es endgültig um Vivienne geschehen. Endlich gestand sie sich ein, dass auch sie sich wider jede Vernunft in Konrad verliebt hatte. Seit Wochen versuchte sie ihre Gefühle im Zaum zu halten. Doch nun, weit weg aus ihrem gewohnten Lebensumfeld, wo es nur noch sie beide gab, gestand sie sich ihre verbotenen Gefühle endlich ein. Konrad rief dem Ober und bezahlte die Rechnung, bevor sie sich Richtung Hotel aufmachten, das nur ein paar Schritte entfernt lag. „Ist es dir recht, wenn ich an der Rezeption nach einem Doppelzimmer frage?" wollte Konrad wissen. „Ulla hat zwar zwei Einzelzimmer für uns gebucht…doch wir müssen es ihr ja nicht sagen, dass wir stattdessen in einem Doppelzimmer übernachten", meinte er augenzwinkernd. Vivienne nickte ihm mit ernster Miene zu. ,Es ist nicht richtig, was wir hier machen,' überlegte sie. ,Mal rein aus gesellschaftlicher Sicht gesehen. Doch Liebe kennt keine gesellschaftlichen Regeln, sie kommt wie es ihr passt.' So liess sich Vivienne von Konrad über die Türschwelle ihres Hotelzimmers tragen und nach der ersten unbeschreiblich schönen Nacht als Liebespaar entfachte sich zwischen den beiden eine Leidenschaft und ein Liebesfeuer, das Viviennes bisherige Vorstellungen von Liebe und Zusammengehörigkeit um ein Vielfaches übertraf. Alles, was sie je zum Thema Liebe gehört, gelesen oder selbst erlebt hatte, wurde in den Schatten gestellt. Es ging zwischen ihr und Konrad nicht nur um die banale sexuelle Vereinigung, sondern um das totale Verschmelzen zweier Seelen. Sie war er, er war sie! Sie bildeten eine Einheit und beide hofften inständig, dass dieser Zustand für immer so bleiben würde.

Am Abend nach Ende des zweiten Seminartages fuhren die beiden wieder Richtung Zürichsee zurück. Auf der zweistündigen Rückfahrt wurde kaum ein Wort gesprochen, jeder für sich war in seinen Gedanken versunken. „Es ist besser, grad in diesem Moment wieder einen Schlussstrich zu ziehen, denn unsere Liebe steht unter keinem guten Stern. Du bist verheiratet und musst schon wegen Charlotte an der Seite deiner Familie bleiben", durchbrach Vivienne die Stille. „Unsere Beziehung ist nicht aussichtslos!" wehrte Konrad ab. „Du hast mir die Türe zu einer völlig neuen Welt geöffnet. Noch nie habe ich so viel Liebe, Nähe und Zärtlichkeit erlebt, wie im Zusammensein mit dir. Ich mag meine Frau und sie war für mich bis anhin ein guter Kumpel. Doch durch Charlottes Herzstillstand wurde mir vor Augen geführt, dass unsere Ehe seit längerem Risse abbekommen hat und jeder sein Leben für sich lebt. Was Du nicht weisst: Ich wollte meine Frau bereits vor Jahren verlassen, doch ich blieb wegen der noch kleinen Kinder. Dass unsere Beziehung diese neuerliche Krise überstehen wird, bezweifle ich. Denn stattdass wir uns gegenseitig trösten, soll laut Elena jeder selbst damit klar kommen. Und nach letzter Nacht weiss ich nun für mich ganz genau, dass ich dich nie mehr missen möchte." „Auch ich habe mich immer nach der wahren, tiefen, verschmelzenden Liebe gesehnt", entgegnete Vivienne. „Doch meine Gefühle sind zwiespältig. Mein Herz sagt ja zu uns, doch mein Bauch schreit nein, weil wir in der jetzigen Situation kaum Zukunftschancen haben werden. Du bist der richtige Mann, aber zur falschen Zeit, Konrad! Darum bitte ich dich, lass uns das Ganze beenden, solange wir unbeschadet aus dieser Geschichte rauskommen. Wir wissen nun beide, dass es mehr zwischen Mann und Frau gibt, als einfach nur eine sexuelle Begegnung. Doch wir haben beide unsere Verpflichtungen, du gegenüber deiner Familie und ich gegenüber Fabian, solange er noch unter meinem Dach lebt. Und wie unser Arbeitgeber auf unsere Liebesbeziehung reagieren würde, möchte ich mir gar nicht erst ausmalen." „Wir müssen unsere Beziehung ja nicht an die grosse Glocke hängen, sondern treffen uns vorerst im Verborgenen", schlug Konrad vor. „Die Rolle der heimlichen Geliebten steht mir schlecht", gab Vivienne zu bedenken. „Und darum, Konrad, beenden wir das Ganze besser jetzt, auch wenn es unendlich schmerzt." Nachdem die beiden an Viviennes Wohnort angekommen waren, stieg sie wortlos aus dem Auto ihres Geliebten und winkte ihm kurz zu, bevor sie sich Richtung Haustüre aufmachte. Konrad schluchzte hemmungslos, während er nach Hause fuhr und fragte sich, wie er weiter leben sollte ohne Charlotte und nun auch noch ohne Vivienne, deren Gegenwart ihm über all die Monate Kraft gegeben hatte, weiter zu machen, wieder Licht am Horizont zu sehen. Sie war seine Retterin in der Not, doch genau hingesehen, verehrte er sie bereits vor Charlottes Herzstillstand. Sie war die Frau seiner Träume, er würde sie nie vergessen, nie wieder!

Fabian wartete bereits auf seine Mutter. „Und, wie war das Seminar in Bern? Hattest du noch etwas Zeit zum Shoppen?" „Nein, ich hatte dafür leider keine Zeit. Hast du schon was gegessen?" wollte sie wissen, ohne weiter auf seine Frage einzugehen. „Ja habe ich! Du hast ja für mich vorgekocht, das reichte bis heute Abend." „Umso besser, denn ich habe keinen Hunger. Sprechen wir morgen weiter, ich bin hundemüde und gehe bald schlafen." Dann verabschiedete sie sich von ihrem Sohn und ging nach oben ins Badezimmer, um sich ihr allabendliches Bad zu genehmigen. Während sie im warmen Wasser lag, dachte sie über die vergangene Nacht nach. Ein Zitat von Johann Wolfang von Goethe kam ihr in den Sinn: „Zwei Seelen wohnen, ach! in meiner Brust." Auf der einen Seite wurde ihr bewusst, dass die Liebesnacht mit Konrad unauslöschlich in ihrem Herzen bleiben würde. Auf der anderen Seite war sie auf ihr sicheres Einkommen angewiesen und wollte ihre Karriere nicht einfach so wegen Liebesgefühlen aufs Spiel setzen. Konrads Karriere würde durch die verbotene Liebe genauso auf dem Spiel stehen, käme diese ans Tageslicht. Vivienne fragte sich, ob ihrem Geliebten wohl bewusst war, wie viele Feinde er sich im Laufe seiner Karriere durch sein oft eigensinniges Verhalten gemacht hatte. Feinde, die nur darauf warteten, dass er einen Fehler beging, der ihn Kopf und Kragen kosten würde. Dies wollte Vivienne keinesfalls mitverantworten. Und wie Rudolf Matter auf ihre Liaison reagieren würde, wollte sie sich ebenfalls lieber nicht vorstellen.

Nach einer unruhigen Nacht fuhr sie am Samstagmorgen nach dem Frühstück zusammen mit Fabian zum Wochenendeinkauf nach Zürich. „Wie war denn nun eigentlich das Seminar in Bern?" wollte Fabian während der Autofahrt wissen. „Soweit okay. Und wie läuft es bei dir?" fragte seine Mutter zurück. „Auch okay…" Sonst sprach er gerne über seine Arbeit, doch in letzter Zeit hielt er sich zu diesem Thema auffallend zurück. „Stimmt etwas nicht?" bohrte sie nach. „Mein Chef benimmt sich oft wie der Oberdiktator. So habe ich mir die Zusammenarbeit mit ihm nicht vorgestellt. Zudem bekomme ich immer schmutzige und ölige Finger, wenn ich die Velos reinigen muss. Weisst du, Mami, mein Chef nützt mich richtiggehend für Hilfsarbeiten aus, die ich gar nicht machen möchte" klönte er seiner Mutter vor. „Oh je, das klingt nicht wirklich gut. Hätte ich mich doch durchgesetzt und darauf beharrt, dass du eine Ausbildung im Detailhandel machst" gab Vivienne forsch zur Antwort. „Du hast dich nun für diesen Beruf und diesen Lehrmeister entschieden, Fabian und das hältst du jetzt durch. Ich habe dich gewarnt, du wolltest nicht hören, nun lerne, mit den Konsequenzen zu leben." „Wenn Du meinst" antwortete Fabian wenig erfreut.

Nach einem ruhigen Wochenende ging Vivienne montags mit gemischten Gefühlen zur Arbeit und nahm sich vor, Konrad gegenüber eine geschäftsmässige Miene aufzusetzen. Zum Glück bekam sie ihn kaum zu Gesicht, weil er an einigen Sitzungen teilnehmen musste. Erst abends sah sie ihn kurz und verabschiedete sich jedoch hastig in den Feierabend, damit ja keine Zeit für ein persönliches Gespräch bleiben würde. Nach dem kurzen Nachhauseweg kochte sie Fabians Lieblingsspeise – Milchreis mit Apfelmus – und nach dem Essen schauten sie sich zusammen einen Film an. Mitten im Film klingelte das Telefon und Richard, der Tage zuvor in seine eigene Wohnung gezogen war, war dran. Eine Arbeitskollegin aus früheren Tagen, die wusste, dass Richard auf Wohnungssuche war, zog zu ihrem neuen Freund und benötigte auf die Schnelle einen Nachmieter. Da Lage, Preis und Ausstattung stimmten, hatte Richard die Gelegenheit beim Schopf gepackt und die Wohnung übernommen. „Darf ich noch auf einen

Sprung zu Kaffee und Schnaps vorbeikommen? Ich muss mal aus dem Geschäft raus und abschalten." „Kannst morgen zum Abendessen vorbeikommen, jetzt will ich meine Ruhe und bald ins Bett gehen" wimmelte sie ihn ab. „Ist alles in Ordnung mit Dir?" wollte er wissen. „Wie war eigentlich das Seminar in Bern? Ich hoffe doch, dass sich dein Chef von seiner besten Seite gezeigt hat?" Dies war mehr als Scherz gemeint und Vivienne gab gereizt zurück: „Ja, er hat sich von seiner allerbesten Seite gezeigt. Ich wünsche dir nun eine gute Nacht und bis morgen." Dann hängte sie sofort auf, um Richard keine Gelegenheit für weitere Fragen zu geben. Als sie später zu Bett ging, bekam sie einmal mehr kein Auge zu. Unablässig drehten sich ihre Gedanken um Konrad und die unvergessliche Nacht in Bern. ‚Wir haben eine Grenze überschritten, die nicht mehr rückgängig zu machen ist. Würden Richard und ich noch zusammenleben, hätte ich mich niemals auf dieses Abenteuer eingelassen. Durch die Trennung läuft nun alles aus dem Ruder,' überlegte sie etwas selbstmitleidig und vor allem selbstanklagend. ‚Wie konnte ich nur gegen meine Prinzipien so verstossen?' Verehrer gab es in ihrem Leben seit jeher einige, doch niemals hätte sie sich auf ein Abenteuer generell und schon gar nicht ohne Zukunftsaussichten eingelassen. Daran konnten auch teure Geschenke und Liebesschwüre nichts ändern.

Irgendwann fiel sie in einen unruhigen Schlaf und träumte von Konrad, der sie engumschlungen hielt und nie mehr loslassen wollte.

Wie abgemacht traf Richard anderentags zum Abendessen ein und merkte sofort, dass etwas nicht stimmte: „Was ist los Vivienne? Hast du schlecht geschlafen oder bekommst du gar die Grippe? Du siehst auf jeden Fall etwas mitgenommen aus." Lügen war nie ihr Ding gewesen, und so erzählte sie ihm alles über den Aufenthalt in der Bundeshauptstadt. „Bist du von allen guten Geistern verlassen?!? Jetzt bist du mich „Problemo" endlich los und nun lädst du dir noch etwas viel Schlimmeres auf?! Der Mann ist doch ein Eigenbrötler, ist belastet mit einem schweren Schicksalsschlag und zudem gebunden! Such dir eine neue Stelle und schick den Koch in die Wüste und zwar sofort!!" kanzelte er Vivienne unmiss-verständlich ab. Während ihrer ganzen Beziehung war Richard nie laut geworden und normalerweise die Ruhe in Person. Wenn er seinem Unmut Ausdruck verleihen wollte, schwieg er, oft tagelang, was Vivienne in Rage brachte, weil sie diese Unart nur zu gut aus ihrer Kindheit kannte. Ihre Mutter schwieg genauso tagelang, wenn Familienmitglieder sich nicht nach ihrem Wohlgefallen verhielten. Vivienne schaute Richard irritiert an und versuchte sich rauszureden. „Wenn jemand innerhalb einer Ehe jahrzehntelang emotional zu kurz kommt, ja dann wird man halt mit der Zeit komisch. Auch Frau Müller hat festgestellt, dass Konrad, seit wir mehr persönlichen Kontakt pflegen, viel offener und zugänglicher geworden ist." Richard musterte Vivienne so, als hätte sie nicht alle Tassen im Schrank. „Spinnst du?" konnte er sich nicht verkneifen, zu fragen. „Sonst bist du doch ganz klar im Kopf und nun erkenne ich dich kaum wieder. Mir ist der Ap-petit vergangen, sorry, aber ich muss an die frische Luft." Dann schnappte er sich seine Zigarettenpackung, um auf dem Sitzplatz zu rauchen. Fabian kam neugierig die Treppe runter und wollte wissen, was los war, weil er seinen Stiefva-ter noch nie so aufgebracht erlebt hatte. „Deine Mutter über-legt sich, eine Beziehung mit Konrad Koch einzugehen und

74

ich habe sie davor gewarnt!" erklärte Richard dem Teenager wenig einfühlsam. Dann verabschiedete er sich kopfschüttelnd und liess die beiden am gedeckten Tisch zurück. Vivienne versuchte gegenüber ihrem Sohn ein freundliches Gesicht aufzusetzen und schöpfte Braten und Kartoffelstock in seinen Teller. „Gell, Mami, der Koch hat in Kreta angerufen, weil er schon damals in dich verliebt war?" vermutete Fabian und sah dabei seine Mutter prüfend an. „Ja, das ist so, aber bitte, behalt das für dich, weil es kaum jemand verstehen würde", bat sie ihren Sohn eindringlich. „Ich verstehe es auch nicht, doch du brauchst keine Angst zu haben, ich erzähle es keinem", sicherte er ihr zu. „Hast du dir eigentlich schon mal überlegt, wie seine Frau reagiert, wenn er sie verlassen würde? Freude hätte sie sicher nicht und sie würde dir die Schuld am Scheitern ihrer Ehe geben. Darum Mami, lass es!" Vivienne war immer wieder erstaunt über Fabians Weitblick, trotz seines Teenager-Alters. Schweigend assen die beiden zu Ende und Vivienne gab ihrem Sohn zu verstehen, dass sie im Moment nicht mehr über Konrad sprechen wollte. Nachdem sie in der Küche aufgeräumt hatte, nahm sie ihr gewohntes abendliches Bad. Danach schaute sie allein einen dramatischen Liebesfilm mit Happy End und dachte dabei unentwegt an Konrad. ‚Da komm ich nicht mehr einfach so raus' überlegte sie, während sich das Liebespaar am Ende des Films leidenschaftlich küsste ‚weil eine ungewöhnliche und unerklärliche Verbindung zwischen uns besteht.' Dann ging sie zu Bett und machte sich vor dem Einschlafen ein paar Gedanken über Richards Warnung. ‚Was würden wohl meine Freunde und vor allem die Mitarbeiter der Firma sagen, wenn sie von unserem Verhältnis wüssten?' Ein unangenehmer Schauer durchlief ihren Körper und sie versuchte trotzdem zu schlafen. Doch ihre Gedanken kreisten weiter unentwegt um Konrad und sie fragte sich, ob er wohl grad seine Frau in seinen starken Armen halten und ihr schöne Worte ins Ohr flüstern würde, genauso, wie er dies mit ihr in Bern gemacht hatte. Bei diesem Gedanken erfasste sie eine Eifersuchtswelle und liess sie vor Zorn beben. Sie war vor allem zornig über sich selbst und schimpfte sich aus: ‚Wie konntest du nur all Deine Prinzipien über Bord werfen, Vivienne? Prinzipien, die für dich bis heute selbstverständlich waren? Nämlich niemals etwas mit einem verheirateten Mann anzufangen und schon gar nicht mit einem Vorgesetzten! Richard hat recht, ich muss diese Beziehung, die ja noch gar keine ist, ad acta legen!‘

Wieder im Geschäft, ordnete sie am folgenden Tag verschiedene Unterlagen, die sie für ein baldiges Mitarbeitergespräch benötigte. Das Telefon klingelte und zu ihrem grossen Entsetzen war Konrads Frau dran. ‚Das hat mir grad noch gefehlt, was die wohl von mir will?‘ überlegte sie kurz. ‚Ob sie etwas bemerkt hat und mich nun zur Rede stellt?‘ Zu Viviennes grosser Erleichterung machte Elena Koch zuerst unverbindlichen Smalltalk, bevor sie zum eigentlichen Thema kam. „Haben Sie eine Ahnung, wie es meinem Mann geht? Also, ob er die „Sache“ mit Charlotte irgendwie überwinden wird?" Mit allem hatte Vivienne gerechnet, niemals jedoch mit dieser Frage. Eine gefühlte Minute lang hielt sie den Hörer perplex in der Hand und überlegte, was sie antworten soll. „Sind Sie noch dran?" wollte Elena Koch erstaunt wissen. Als sich Vivienne wieder gefasst hatte, erwiderte sie: „Warum fragen Sie das ausgerechnet mich? Sie sind seine Frau und sollten doch am ehesten wissen, wie es ihm geht."

„Wir sprechen innerhalb der Familie nicht über Charlottes Schicksal, jeder muss selbst damit klarkommen", klärte sie Vivienne auf. „Wenn Sie merken sollten, Frau Zeller, dass mein Mann nicht darüber hinwegkommt, soll er das mir und unserem Sohn mitteilen." „Entschuldigen Sie, Frau Koch, ich hab' jetzt grad einen Termin und muss unser Gespräch beenden. Ich rate Ihnen, Ihren Mann persönlich auf sein Befinden anzusprechen", verabschiedete sie sich rasch, um das mehr als unangenehme Gespräch zu beenden. „Bitte erwähnen Sie diesen Anruf meinem Mann gegenüber auf keinen Fall" bat Elena Koch, bevor sie den Hörer auflegte.

Nach dem Anruf schaute Vivienne zum Fenster raus und beobachtete einige Möwen, die auf der benachbarten Wiese Würmer aus der Erde pickten. ‚Wenn die Möwen aufs Land kommen, bedeutet dies meist, dass das Wetter wechselt,' überlegte sie kurz. Dann liess sie das Gespräch mit Elena Koch nochmals Revue passieren. ‚Im Hause Koch werden Probleme und wenn sie noch so offensichtlich sind, rigoros unter den Teppich gekehrt,' überlegte sie und nahm sich vor, Konrad baldmöglichst darauf anzusprechen, auch wenn Frau Koch sie gebeten hatte, Stillschweigen über ihren Anruf zu halten. Vivienne wollte nun unbedingt wissen, was sich in der Ehe zwischen Elena und Konrad Koch, die gegen aussen einer Bilderbuchehe glich, tatsächlich abspielte. Bis sie jedoch eine Antwort erhalten würde, musste sie sich noch ein wenig gedulden, weil Konrad den ganzen Tag ausserhalb der Firma beschäftigt war.
Nach Arbeitsschluss begegnete sie ihm im Treppenhaus. „Wie geht es dir?" wollte er verliebt lächelnd wissen. „Ich denke die ganze Zeit nur an dich und unsere schönen Stun-

den in Bern." „Mir wäre es lieber, das alles wäre nie passiert!" gab Vivienne abweisend zur Antwort. „Warum denkst du nur so? Du merkst doch auch, dass zwischen uns etwas ganz Besonderes ist, das man nicht einfach so auslöschen kann", gab Konrad zu bedenken. „Kann ich dich in deinem Büro kurz sprechen? Ich habe heute nämlich einen seltsamen Telefonanruf von deiner Frau erhalten?" fragte Vivienne, ohne auf seine Bemerkung einzugehen. Zusammen gingen sie die Treppe hoch und in Konrads Büro. „Elena hat dich tatsächlich angerufen? Was wollte sie von dir?" fragte er erstaunt. „Sie wollte wissen, wie es dir geht und ob du meiner Meinung nach über den Schicksalsschlag mit Charlotte hinwegkommen würdest. Und, ich soll dir ja nichts von ihrem Anruf erzählen. Also behalte es für dich. Nun frage ich dich: Warum fragt deine Ehefrau ausgerechnet mich, wie es dir geht und nicht dich persönlich?, wollte Vivienne in inquisitorischem Ton wissen. Konrad zuckte mit den Schultern und schaute seine Angebetete lange an. „Wir haben bis heute tatsächlich kaum über Charlottes Herzstillstand und die Folgen gesprochen. Elena will das nicht und wenn ich mir erlaube, meinen Gefühlen auch mal unter Tränen freien Lauf zu lassen, wendet sie sich irritiert von mir ab. Auch unser Sohn Mike spricht nicht darüber, wie er mit dem Schicksal seiner Schwester umgeht. Auf jeden Fall nicht mit mir." Während Konrad Vivienne seine Familiensituation schilderte, kullerten ihm Tränen über die Wangen. Vivienne konnte nicht anders und nahm den trauernden Vater, der auch nach bald einem Jahr immer noch nicht fassen konnte, was seiner lebenshungrigen Tochter zugestossen war, in ihre Arme. „Oh je, das ist wirklich traurig, wenn man innerhalb seiner Familie nicht offen über seine Gefühle spricht und sich nicht gegenseitig tröstet",

78

flüsterte sie ihm zu. „Wenn der Schmerz zu gross wird, gehe ich jeweils mit unserem Hund Bingo in den Wald spazieren und lasse dort meinem Schmerz freien Lauf", gestand er schluchzend. „Du gehst in den Wald, damit du weinen kannst und dich keiner sieht?!" fragte sie fassungslos nach. „Ja", bestätigte er.

Konrad löste sich aus Viviennes Armen, um seine Tränen mit einem Taschentuch abzuwischen. Dann setzte er sich auf seinen Bürosessel und gestand seiner Geliebten, dass es innerhalb seiner Ehe kaum zu körperlicher Nähe kam, weil seine Frau dies nicht wollte. „Darum, Vivienne, solltest du kein schlechtes Gewissen gegenüber Elena haben. Du nimmst ihr nichts weg! Wir führen seit jeher eine kumpelhafte Beziehung. Als Hausfrau, Mutter unserer Kinder und Reisebegleiterin habe ich meine Frau bis anhin sehr geschätzt, doch von der grossen Liebe kann keine Rede sein." „Ihr Männer macht es euch schon einfach" stellte Vivienne empört fest. Konrad schaute sie fragend an. „Du erklärst mir, ich nehme deiner Frau nichts weg. Richard meinte kürzlich, weil innerhalb unserer Beziehung Eiszeit zum Thema Sex herrsche, könne ich mir ja einen Liebhaber suchen. Somit soll eine Drittperson Mängel kompensieren, damit „Mann" auf die üblichen Bequemlichkeiten eines Familienlebens nicht verzichten muss. Aber nicht mit mir! Für solche Spielchen stehe ich nicht zur Verfügung. Probleme sind da, um gelöst zu werden! Und wenn es keine Lösung gibt, dann trennt man sich eben!" erklärte Vivienne wütend ihren Standpunkt und hätte am liebsten laut geschrien. Konrad stand auf und um seine Geliebte zu beruhigen, drückte er sie fest an sich. Doch Vivienne war der Sinn nach körperlicher Nähe vergangen und sie riss sich aus seiner Umarmung los. „Wenn unsere Beziehung je eine

Chance haben soll, Konrad, dann müssen klare Verhältnisse her. Ich lass mir nicht den Stempel einer Maitresse aufdrücken. Wie dies in der Gesellschaft ankommt, sieht man ja an verschiedenen aktuellen Beispielen. Du musst nur mal nach England schauen, was da mit der Geliebten von Prinz Charles passiert. Ich könnte Dir noch andere Beispiele aufzählen, die sogar in seriösen Zeitungen diskutiert werden. Ich denke da an den Finanzminister in Bayern oder an einen der bekanntesten Schweizer Schokoladenfabrikanten in Zürich. Beiden wird nachgesagt, dass sie ihre Frau verlassen werden, weil sie sich anderweitig verliebt hätten. Für die betroffenen Ehefrauen und auch die Medien ist die Schuldige rasch gefunden. Und zu diesen Geliebten, die als Alleinschuldige gebrandmarkt werden, obwohl sie dies niemals sind und es eben doch sind, weil sie nicht Nein sagen konnten, als sie vom untreuen Ehemann umgarnt wurden, will ich niemals gehören! Ich will keine zweite Camilla sein, die jeden Tag aufs Neue an den öffentlichen Pranger gestellt wird. Dass die Heirat zwischen Prinz Charles und seiner jungen Frau Anfangs der 80er Jahre kein Liebesmärchen war, sondern mehr oder weniger vom höfischen Protokoll vordiktiert wurde, interessiert kein Mensch. Die Hintergründe oder wahren Gründe des Dramas sind Nebensache. Was zählt ist nur eines: Die betrogene Ehefrau ist das Opfer, das es zu bedauern gilt! Glaub ja nicht, Konrad, dass innerhalb der Firma Matter oder an unserem Wohnort, auch nur eine Person Verständnis für uns als Liebespaar aufbringen würde!" Konrad unterbrach ihren Redeschwall mit ärgerlichem Blick. „Lass es gut sein, Vivienne, so schlimm wird es nicht kommen. Gib uns jetzt etwas Zeit und dann sehen wir weiter. Einverstanden?" Vivienne schüttelte den Kopf, drehte sich um und verliess wortlos Konrads Büro, um nach Hause zu gehen, wo Fabian sie bereits ungeduldig erwartete. „Mami, wo warst du solange? Wir wollten doch heute Pizza essen gehen." „Oh, das habe ich total vergessen, Fabian. Jetzt ist es zu spät und ich koch uns rasch was Kleines. Wir holen das morgen nach, einverstanden?" Ihr Sohn nickte und wollte wissen, was der Grund der Verspätung war. „Ich hatte noch ein Gespräch mit meinem Chef, das länger als geplant dauerte." Mehr wollte sie dazu nicht sagen.

In den drauffolgenden Tagen ging Vivienne wie immer zur Arbeit, und doch war es nicht wie immer. Seit Tagen plagte sie innerlich eine Vision, die sie davor warnte, die Beziehung mit Konrad weiterzuführen. Es war nicht das erste Mal, dass sie dieses Gefühl des Vorausahnens überkam. Zum Beispiel bevor ihr Vater völlig unerwartet an einem Hirnschlag verstarb, träumte sie zwei Tage zuvor, wie sie weinend an seinem offenen Grab stand. Nun träumte sie seit Tagen jede Nacht von Konrad und seiner Frau. Es war immer dieselbe Szene: Die beiden sassen friedlich beim Frühstück und lächelten sich verliebt zu. Diese Szene gab Vivienne das Gefühl, dass zwischen den beiden eine engere Verbindung bestand, als Konrad dies wahrhaben wollte. ‚Er liebt seine Frau und sein Familienleben mehr, als ihm bewusst ist. Darum muss ich mich schleunigst wieder von ihm lösen. Ich will wieder normal weiterleben können, ohne ständig an ihn zu denken'.
Frühmorgens gleich nach Arbeitsbeginn marschierte Vivienne in Konrads Büro und teilte ihm ihren Entscheid mit. Niemals hätte Konrad erwartet, dass Vivienne bereits nach so kurzer Zeit kalte Füsse bekommen würde und begann einmal mehr zu weinen: „Überleg dir diesen Entscheid bitte noch einmal. Ich brauche dich und ich spüre, du brauchst mich

genauso. Wir benötigen einfach noch etwas Zeit und ich garantiere dir, dass du für mich keine Affäre bist und ich mit dir mein weiteres Leben verbringen möchte. Aber bitte, lass mir Zeit." Wortlos verliess Vivienne Konrads Büro, um in ihres zu gehen, wo Ulla bereits mit einem Stapel Akten zur Unterschrift auf sie wartete.

‚Mal ich tatsächlich den Teufel an die Wand und es gibt doch noch eine Chance für uns als Liebespaar?' fragte sie sich abends auf dem Nachhauseweg. Tatsächlich bereute sie ihren Entscheid bereits wieder, weil ihr bewusst wurde, wie sehr sie Konrads Nähe vermisste. „Du hast recht, wir sollten uns eine Chance geben" schrieb Vivienne auf eine Karte, die sie Konrad am anderen Morgen verschlossen in einem Couvert aufs Pult legte.

Ab jenem Moment trafen sich die beiden heimlich während ihrer Freizeit und nahmen sich Zeit, um persönliche Gespräche über ihre Lebensphilosophie, über ihre Wünsche und Sehnsüchte zu führen. Dabei lernten sie sich immer besser kennen und irgendeinmal wollte Konrad von seiner Geliebten wissen, wie sie sich ihr gemeinsames Leben vorstellen würde. „Es wird nicht einfach, unser Umfeld davon zu überzeugen, dass wir beide zusammengehören" sinnierte Vivienne nachdenklich. „Eigentlich ist es Wahnsinn, wenn wir uns jetzt eine gemeinsame Zukunft ausmalen, im Wissen, welchen Schmerz wir vor allem deiner Familie zufügen." „Ja, es wird nicht einfach werden, das bin ich mir bewusst" gab Konrad Vivienne Recht. „Nur, muss ich jetzt mein ganzes Leben lang bei einer Frau ausharren, die ich nicht wirklich liebe, die ich bereits vor Jahren verlassen wollte? Vor fünfundzwanzig Jahren ging ich die Ehe mit Elena sehr blauäugig ein. Ich lernte sie als Aupair im Emmental kennen und verliebte mich in sie. Zuerst lief alles rund und wir sahen uns nicht allzu oft, weil ich mit meinem Studium an der Universität in Bern beschäftigt war. Da ihre Aufenthaltsbewilligung ablief, hätte sie wieder nach Deutschland zurückkehren müssen. Vor allem, um dies zu verhindern, heirateten wir früher als vorgesehen. Schon bald nach der Heirat stellte ich fest, dass die Eheschliessung ein Fehler war." „Warum?" wollte Vivienne wissen. „Elena war mir einfach zu spröde und hielt mich gezielt auf Distanz. Natürlich gab es Zeiten, wo wir uns sehr nahestanden, doch sobald die Kinder da waren, veränderte sich unsere Beziehung. Wir begegneten uns mit Respekt, waren füreinander da, doch mehr als geschwisterliche Liebe war nicht zu erwarten. Wir waren bei der Heirat einfach noch zu jung, um die Konsequenzen einer Ehe zu erfassen. Auf jeden Fall was mich betrifft. Nachdem Elena mir mitteilte, dass sie so sei, wie sie eben sei und sich dies auch nie ändern würde, gab ich resigniert auf und fortan lebte jeder sein Leben auf seine Weise. Manchmal gingen wir zusammen aus, unternahmen schöne Reisen und spielten dabei das perfekte Ehepaar. Elena verstand es hervorragend, die Rolle der perfekten Ehefrau zu spielen. Waren wir unter Leuten, hatte ich regelmässig das Gefühl, Protagonist einer gut inszenierten Show zu sein. Wieder zu Hause ging es im selben unpersönlichen Trott weiter. Ob Elena damit glücklich war? Ich weiss es nicht. Ich auf jeden Fall war es nicht." Nach diesem Geständnis wurde Vivienne klar, warum Konrad immer mit solch einer Sauermiene durchs Leben ging und sich dadurch bei seinen Mitmenschen keine Bonuspunkte holte. Bis vor kurzem auch nicht bei ihr. Konrad wiederholte seine Frage: „Muss ich also mein Leben lang in dieser Ehe verharren, nur damit andere glücklich und zufrieden sind und ich den gesellschaftlichen Ansprüchen genüge?" „Nein, sicher nicht! Ich auf jeden Fall würde nie in einer unbefriedigenden Beziehung ausharren. Vor allem dann nicht, wenn ich vorgängig alles versucht habe, um sie am Laufen zu halten. Doch durch Charlottes Herzstillstand bist du an deine Familie gebunden, wie noch nie" gab Vivienne zu bedenken. „Ja, das stimmt" gab ihr Konrad Recht. „Trotzdem, es muss eine Lösung geben, damit es zu einer einvernehmlichen Trennung kommt und ich trotzdem für meine Tochter da sein kann." Er hielt inne und überlegte eine Weile. Dann meinte er: „Nebst Charlottes Schicksal belastet mich noch etwas ganz anderes. Ich frage mich nämlich die ganze Zeit, ob wir beide es mit unseren unterschiedlichen familiären Vorgeschichten und dem Altersunterschied schaffen werden, eine tragbare Beziehung zu führen." „Liebe überwindet jede Hürde, sei sie noch so hoch" war Viviennes Überzeugung. „Dein Wort in Gottes Ohr" schloss Konrad wenig überzeugt das Gespräch ab.

Ein paar Tage später sass Vivienne abends nach der Arbeit im Wohnzimmer und las die Zeitung. Fabian setzte sich zu seiner Mutter und musterte sie. „Geht es dir gut, Mami?" wollte er wissen. „Glücklicherweise schaust du in letzter Zeit wieder etwas zufriedener drein. Wie geht es eigentlich mit Konrad?" Vivienne schaute hinter der Zeitung hervor. „Willst du jetzt wirklich wissen, wie es mir geht oder willst du einfach wissen, wie es mit Konrad und mir weitergeht?" Dann legte sie die Zeitung beiseite. „Beides" gab er zu. „Konrad und ich haben uns entschlossen, unsere Liebesbeziehung weiterzuführen und wenn der richtige Zeitpunkt gekommen ist, wird er sich von seiner Frau trennen. Im Moment ist dies schlecht möglich, wie du dir denken kannst." Fabian war alles andere als begeistert über das Geständnis seiner Mutter. „Mami, er nützt dich doch nur aus, weil es ihm jetzt gerade schlecht geht. Du hast etwas Besseres verdient!" „Das muss dich für den Moment nicht interessieren, Fabian. Das ist meine Sache! Ich bitte dich einfach, das Ganze für dich zu behalten" erwiderte sie ungehalten. „Bin ich etwa eine Klatschbase?" antwortete Fabian empört. „Aber einfach, dass du es weisst, ich finde es voll daneben, was zwischen Euch beiden läuft. Er mag mich nicht, ich mag ihn nicht. Ich gönn dir das Glück mit einem neuen Mann von Herzen, aber muss es denn wirklich ausgerechnet dieser verheiratete Koch sein?" Neuerdings besuchte Konrad Vivienne regelmässig in ihrem Zuhause, was Fabian als störendenden Eingriff in seine Privatsphäre empfand. Auch Vivienne fand dies nicht optimal. Konrad konnte sein Privatleben weiterhin schützen, als sei nichts gewesen und belastete mit seinen Besuchen gleichzeitig ihres. Sie hätte sich gewünscht, ihr Geliebter würde sich endlich von seiner Frau trennen und eine eigene Wohnung nehmen. Dann wären die Fronten geklärt und die Heimlichtuerei auch gegenüber den Nachbarn nicht mehr nötig. Vivienne plagten nach Konrads Besuchen immer wieder Ängste, dass irgendein Wunderfitz bemerken könnte, was zwischen ihr und ihrem Chef lief. Nicht auszudenken, wenn einer auf die Idee käme, Elena Koch einen Hinweis über die häufigen Besuche zu geben.

Irdisches und Ausserirdisches

Einige Wochen später fühlte sich Vivienne zunehmend mit dem aufgezwungenen Doppelleben überfordert und wollte endlich Klarheit. Doch durch ihr Drängen nahm sie der Liebesgeschichte so etwas wie ihre Unschuld und den beiden wurde bei genauerem Hinsehen bewusst, was es bedeuten würde, offiziell zu ihren Gefühlen zu stehen. Konrad ging, wie es nicht anders zu erwarten war, mit Viviennes Druck schlecht um. Vor allem, weil er sich elf Monaten nach Charlottes Herzstillstand und der zu spät erfolgten Reanimation immer noch in einer Wut- und Trauer-Phase befand. Ihm fehlte ganz einfach die Kraft, sich zusätzliche Probleme aufzuhalsen, die eine Trennung von seiner Familie unweigerlich mit sich bringen würde. ‚Genau betrachtet, hätte Konrad wahrscheinlich auch Mühe, eine solch folgenreiche Entscheidung zu fällen, wenn die Geschichte mit Charlotte nicht gewesen wäre' kam Vivienne zur Überzeugung, nachdem ihr Geliebter sie zum wiederholten Mal fragte: „Was, wenn ich in zwanzig Jahren ein alter Mann bin, und du mich dann nicht mehr willst? Du hast mit deinen 36 Jahren dein Leben noch vor und ich bald hinter mir." „Das hättest du dir früher überlegen müssen, Konrad! Irgendwie werde ich das Gefühl nicht los, dass ich tatsächlich nur so eine Art Trostpflaster für dich bin, damit du Charlottes Unglück besser erträgst. Wenn die Wunde geheilt ist, Pflaster weg oder besser, Vivienne weg! Ich glaube, das Problem liegt nicht bei mir, sondern bei dir. Du bist dir nicht mehr sicher, ob du die Konsequenzen aus unserer Beziehung tragen möchtest!" gab sie zu bedenken.

„Doch, ich weiss, dass du die richtige Frau bist und wir gut zusammen funktionieren würden. Doch was ich völlig unterschätzt habe, ist die Tatsache, dass ich deinen Sohn Fabian überhaupt nicht mag und da er noch minderjährig ist, müssten wir alle zusammenleben. Das kann ich mir schlicht nicht vorstellen." Vivienne war über die aus ihrer Sicht faule Ausrede baff und verkniff sich zu erwidern, dass die Abneigung auf Gegenseitigkeit beruhte. ‚Warum, bitteschön, kann es in meinem Leben nicht einfach mal ganz geordnet laufen? Warum holen mich immer wieder solch komplizierte Beziehungsmuster ein, die so verwirrend und schmerzhaft sind? Warum nicht einfach verlieben, ohne schlechtes Gewissen zusammenleben, später heiraten, Kinder kriegen und in seliger Verbundenheit bis ans Ende aller Tage leben? Andere schaffen das doch auch?' überlegte sie sich nach der unerfreulichen Diskussion. Mal fühlte sie sich in Konrads Gegenwart wie im siebten Himmel und dann wieder wie in der tiefsten Hölle.

Das Telefon läutete und schreckte sie aus ihren trüben Gedanken hoch. Reto war am anderen Ende der Leitung, um sie daran zu erinnern, dass in einer Woche endlich das englische Medium Rita Walker in die Schweiz kommen würde. „Unser Termin ist auf 10 Uhr angesetzt. Die Anfahrtszeit in die Ostschweiz dauert etwa eineinhalb Stunden. Ich hole dich also bereits um 8 Uhr bei dir zu Hause ab. Ist das für dich okay, Vivienne?" fragte Reto aufgeregt. „Ja ist okay, Reto, und danke, dass du mich daran erinnert hast" entgegnete Vivienne. „Geht es dir nicht gut?" wollte er wissen. „Du klingst so niedergeschlagen." „Ich erzähl dir alles auf der Fahrt nach St. Gallen, im Moment will ich einfach meine Ruhe haben" liess sie ihren Therapeuten wissen, verabschiedete sich und legte den Hörer auf.

Eine Woche später, an einem verregneten Freitag, holte Reto Vivienne zur verabredeten Zeit ab und auf der Hinfahrt erzählte sie ihm, wie dramatisch sich ihr Leben in den letzten drei Monaten verändert hatte. „Weisst du, Reto, mein Leben war nie wirklich perfekt, aber irgendwie doch im Lot. Nun scheint alles ausser Rand und Band zu geraten und ich weiss nicht, wie ich damit umgehen soll." „Erzähl dem Medium von all deinen Sorgen und vielleicht bekommst du ja aus der geistigen Welt einen brauchbaren Rat" empfahl Reto seiner Freundin. Nach anderthalb Stunden trafen die beiden in einem Wohnquartier oberhalb von St. Gallen ein. Reto machte vor einem Einfamilienhaus halt, das dem Hexenhaus aus Grimm's „Hänsel und Gretel" glich. ‚Es fehlen einfach die Lebkuchen an der Fassade' überlegte Vivienne, als sie das in die Jahre gekommene dunkle Holzhaus mit steilem Giebeldach betrachtete. „Hoffentlich ist das Medium keine alte Hexe, die uns in den heissen Ofen stösst" meinte sie mit Blick auf Reto, der lachend versicherte: „Keine Panik, hier kommen alle wieder lebend raus." Dann klingelte er an der Haustüre, die kurz darauf von einer älteren, einfach gekleideten Frau geöffnet wurde. Nach der eher unpersönlichen Begrüssung stellte sie sich als die Besitzerin des Hauses vor und bat die beiden, in der dunklen und ungemütlichen Küche auf wackligen Stühlen Platz zu nehmen. „Rita ist im Gespräch, Ihr müsst Euch gedulden" erklärte sie, während sie für die beiden Wasser in vorgängig bereitgestellte Gläser einschenkte. Wenige Minuten später ging die Küchentüre auf und Reto wurde in den angrenzenden Raum gebeten. Vivienne war froh, dass Reto zuerst dran war. So konnte er ihr nach seiner Sitzung signalisieren, ob es sich bei dem Medium nicht doch um eine alte Hexe handelte und sie würde somit noch Zeit haben, das Weite zu suchen. Die Besitzerin des Hauses hantierte irgendetwas in der Küche herum und zeigte sich nicht sonderlich gesprächig. Sie erklärte Vivienne lediglich, dass sie Mitglied der Parapsychologischen Gesellschaft sei und ihr Haus regelmässig für mediale Sitzungen zur Verfügung stelle. Vivienne hatte keine Ahnung, was eine Parapsychologische Gesellschaft war und da ihr grad nicht nach Smalltalk war, unterliess sie es, nachzufragen.

Eine Stunde später kam Reto endlich wieder in die Küche zurück und strahlte übers ganze Gesicht. „Die Frau ist der Hammer! Du kannst dir nicht vorstellen, was sie mir alles erzählt hat. Vor allem mein Grossvater hat sich gemeldet und mir viele gute Tipps gegeben." ‚Sein Grossvater hat sich gemeldet, oh Gott, was soll ich nur davon halten?' „Keine Angst", meinte Reto aufmunternd, als er ihre abwehrende Haltung bemerkte „bei dir meldet sich vielleicht jemand ganz anderer." Sie hatte keine Zeit, sich weiter darüber Gedanken zu machen, wer sich wohl bei ihr melden würde, denn nun wurde sie durch die Übersetzerin in den angrenzenden Raum gebeten, der mit alten Möbeln bestückt war. In einem der uralten Polsterstühle sass eine nette Dame mittleren Alters. Hätte Vivienne nicht gewusst, dass es sich bei ihr um das Medium handelte, hätte sie angenommen, Rita sei eine gewöhnliche Hausfrau von nebenan. Das Medium stand auf, begrüsste ihre Kundin herzlich auf Englisch und bat sie, ihr gegenüber auf dem quietschenden Sofa Platz zu nehmen. Vivienne machte sich nun darauf gefasst, dass bald irgendwelche Geister auftauchen würden, um mit ihr zu sprechen. Plötzlich wurde ihr elend und sie fragte sich: ‚Willst du das wirklich? Wäre es nicht besser, jetzt aufzustehen und ganz rasch aus diesem komischen Haus zu verschwinden?' Zu spät! Rita atmete ein paar Mal tief ein und aus, schloss die Augen... Sie wartete einen Moment, öffnete die Augen wieder und begann zu sprechen. Die Dolmetscherin, die neben Vivienne auf dem Sofa Platz genommen hatte, übersetzte dabei laufend Ritas Botschaften. „Schön, dass du da bist, Vivienne. Nun nehme ich mit der geistigen Welt Kontakt auf. Wollen mal sehen, wer sich meldet." Rita schloss erneut ihre Augen und konzentrierte sich. Nachdem sie die Augen wieder geöffnet hatte, erzählte sie, was sie vor ihrem geistigen Auge sah: „Eine alte Frau meldet sich und stellt sich als deine Grossmutter vor." „Mütterliche oder väterliche Seite?" wollte Vivienne wissen und war gespannt, was ihre Grossmutter zu sagen hatte, egal welche. Unterdessen war ihr bewusst, dass nur das Medium die Geister wahrnam, und sie sich vor keinen Gespenstern zu fürchten hatte. „Väterlicherseits und sie lässt dich wissen, dass sie sich sehr freut, auf diesem Wege mit dir in Kontakt zu treten. Sie weiss, dass du es in deinem Leben nicht immer einfach hattest. Dass die Familiensituation während deiner Kindheit sehr belastend für dich war und sich bis heute kaum verändert hat." Vivienne war verblüfft, weil ihr das englische Medium Dinge aus ihrem Leben erzählte, die nur nahen Vertrauten bekannt waren. Nach einer Viertelstunde langweilten Vivienne jedoch Ritas mediale Botschaften über Dinge aus ihrem Leben, die sie bereits wusste. Sie war nicht hier um Bekanntes, sondern um Ratschläge für ihre aktuelle Situation zu hören.

Plötzlich horchte Rita auf und sah Vivienne an: „Jetzt nähert sich ein Mann mittleren Alters. Er trägt eine Brille und hat eine Aktenmappe bei sich. Er sieht elegant aus und ist sehr intelligent. Er ist nicht besonders gross und hat leicht gewellte Haare. Kennst du diesen Mann?" „Es könnte mein Vater sein" vermutete Vivienne. „Das ist richtig" bestätigte Rita. „Er nickt mir zu und stellt sich als dein Vater vor. Er freut sich sehr, dass er mit dir so Kontakt aufnehmen kann und ich soll dir sagen, dass ihm alles wahnsinnig leidtue. Er ist sich bewusst, dass er euch Kindern mit seinem Verhalten das Leben zerstört hat und dies schmerzt ihn sehr. Ich soll dich wissen lassen, dass er dich sehr liebt und immer bei dir ist, um dir zu helfen." Vivienne erklärte Rita kurz, dass ihr Vater unerwartet verstarb, ohne dass sie sich hatten versöhnen können. Mit ihrer Mutter pflegte sie keinen Kontakt, weil diese dies so wollte. „Dein Vater meint, dass er sich über das problematische Verhalten deiner Mutter bewusst sei und er versuche, ihr aus der geistigen Welt immer wieder Impulse zum Umdenken zu schicken. Weiter soll ich dir mitteilen, dass es nicht an dir liege, dass die Familiensituation dermassen eskaliert sei und deswegen Schuldgefühle nicht angebracht sind." Vivienne fühlte sich wie erschlagen ob all den Informationen, die sie nicht richtig einzuordnen wusste. Auf der einen Seite hatte sie grosse Zweifel, ob es tatsächlich möglich war, Botschaften aus der geistigen Welt über ein Medium zu empfangen. Auf der anderen Seite erzählte ihr Rita Dinge, die sie sich keinesfalls ausgedacht haben konnte. „Was sagt mein Vater zu meiner Beziehung mit Konrad?" wollte sie von Rita wissen. Das Medium atmete tief durch und schloss kurz die Augen. Dann öffnete sie sie wieder. „Dein Vater macht sich grosse Sorgen, weil er nicht der richtige Partner für dich sei." „Woher will er das wissen?" hakte Vivienne erstaunt nach. „Einfach, weil es nicht passe. Er lässt dich aber wissen, dass, wenn du dich trotzdem für Konrad entscheiden würdest, er und weitere gute Geister an deiner Seite stehen werden, um dich zu unterstützen." Dann war die Stunde um. Rita verabschiedete sich von den Verstorbenen und danach auch von Vivienne.

Wieder zurück in der Küche schaute Reto seine Begleiterin erwartungsvoll an „Und, hat sich dein Vater gemeldet?" „Ja, hat er. Ich erzähle dir alles auf dem Heimweg." Sie wollte so rasch als möglich raus aus diesem ungastlichen Haus.

„Wie ist es möglich, dass eine wildfremde Frau aus England in der Lage ist, intimste Familiendetails aus der geistigen Welt zu erfahren und weiter zu geben?" fragte sie Reto während der Heimfahrt. „Keine Ahnung, so sind halt die englischen Medien. Die können dies meist seit ihrer Geburt" gab er lapidar zur Antwort.

Wieder zu Hause angekommen, setzte sich Vivienne ins Wohnzimmer und liess sich das Gespräch mit Rita nochmals in Ruhe durch den Kopf gehen. Da sie sich im Geschäft für den ganzen Tag abgemeldet hatte, genehmigte sie sich ein Nickerchen auf dem Sofa und gegen Abend sah sie wieder klarer. Vor allem war sie sehr dankbar über die Versöhnung mit ihrem Vater, was zu seinen Lebzeiten leider unmöglich gewesen war. Erst durch das mediale Gespräch war sie nun in der Lage, ihm zu verzeihen. Die Haltung ihrem Vater gegenüber war nicht mehr ablehnend und zornig, sondern verständnisvoller. Sie war Reto dankbar, dass er sie zu diesem ungewöhnlichen *Reading* mitgenommen hatte. Was Vivienne jedoch hinten und vorne nicht passte, war, dass sich ihr Vater negativ über ihre Liebesbeziehung äusserte. ‚Wie kann mein

Vater beurteilen, ob Konrad zu mir passt oder nicht? Er lebt ja jetzt in einer anderen Welt.'

Nach einem erholsamen Wochenende erzählte sie Konrad am Montag kurz über die aussergewöhnliche Begegnung mit dem Medium und sie war erstaunt, dass er über die Parapsychologische Gesellschaft Bescheid wusste. „Ich war mal an einem Vortag über Medialität am Parapsychologischen Institut in Basel. War recht spannend, aber in meiner beruflichen Position ist es wohl besser, ich beschäftige mich nicht mit solchen Themen. Da kommt man rasch in Verruf, ein Esoteriker zu sein." „Was ist ein Esoteriker und vor allem, was ist die Parapsychologische Gesellschaft?" wollte Vivienne neugierig wissen. „Unter Esoterik versteht man Geheimwissen und unter Parapsychologie ‚Jenseits des normalen Wachbewusstseins'. Die Parapsychologen beschäftigen sich mit aussersinnlichen, wissenschaftlich nicht beweisbaren Phänomenen. Darum werden sie von normalen Wissenschaftlern belächelt und zum Teil als Scharlatane abgetan. Doch was ich jetzt gerne noch wissen möchte: Hat das Medium etwas über unsere Beziehung erwähnt?" fragte Konrad nach und sah dabei Vivienne prüfend an. „Nein, hat es nicht" log sie, denn hätte sie Konrad die Wahrheit erzählt, wäre dies für ihn wohl ein zusätzlicher Grund gewesen, an der Weiterführung ihrer Beziehung zu zweifeln. Auch sie plagten immer mehr Zweifel, ob sie tatsächlich lebenslänglich füreinander bestimmt waren. Vor allem der Gedanke, dass Konrad seine Familie wegen ihr verlassen würde, bereitete ihr grosses Unbehagen. Doch unterdessen war es zu spät, um einfach so einen Schlussstrich zu ziehen.

Weihnachten nahte und auf den Jahreswechsel hin jährte sich Charlottes Herzstillstand zum ersten Mal. Konrad war, wie nicht anders zu erwarten, in einer schlechten Verfassung und so drängte ihn Vivienne vorab nicht mehr, sich von seiner Familie zu trennen. Zudem bedingte sich Konrad Zeit bis zum Frühling aus, um Elena über seine Trennungsabsichten reinen Wein einzuschenken. Obwohl Vivienne fest an ihre Liebe und trotz ihrer immer wieder aufkeimenden Zweifel an eine gemeinsame Zukunft glauben wollte, graute ihr bei dem Gedanken, was nach ihrem Outing alles auf sie zukommen könnte. „Was, wenn deine Frau dich nicht frei gibt?" wollte sie von Konrad wissen „Da brauchst du dich nicht zu sorgen", versuchte er sie zu beruhigen. „Durch die Trennung erhält Elena mit ihren 47 Jahren die Gelegenheit, sich einen Mann zu suchen, der besser zu ihr passt." Wirklich beruhigen konnte Konrads Sicht der Dinge Vivienne jedoch nicht. Denn da war noch die kranke Charlotte und ob Elena Koch tatsächlich ohne ihren Mann diese Herausforderung meistern wollte, bezweifelte sie stark. Einmal mehr überkam sie ein schales Gefühl, denn tief in ihrem Innern wusste sie: ‚Eine Trennung ist nur möglich, wenn beide Seiten dies wollen. Und zudem: Möchte ich mir den Makel aufladen, Konrads Trennungsgrund zu sein?' Sie kam zum Schluss: ‚Nein, nein und nochmals nein!'

Grad nach solchen Gesprächen fragte sie sich ernsthaft: ‚Warum mache ich nur weiter? Warum fehlt mir die Kraft, mich von Konrad zu lösen? Warum bin ich so abhängig und fühle mich ohne ihn nur noch als halber Mensch?' Sie fand keine schlüssige Antwort, obwohl sie innerlich genau spürte, dass es mit ihrem inneren, verletzten Kind zu tun haben musste, das sich nach Zuwendung und Liebe sehnte, die in ihrem Elternhaus seit frühester Kindheit fehlte. Dies war ihr während ihrer beiden früheren Beziehungen kaum bewusst gewesen. Doch in der besonderen Liebesbeziehung zu Konrad meldeten sich nun all ihre unterdrückten Sehnsüchte und Verletzungen zurück.

Als Vivienne Reto während der nächsten Massagebehandlung ihr Leid klagte und um Rat bat, schlug er vor: „Bestell über Astrointelligenz ein Beziehungshoroskop, dann siehst du klarer." Vivienne fand die Idee gut und bat Konrad, bevor sie die Bestellung abschickte, um seine Geburtszeit und den Geburtsort. Wider Erwarten willigte er sofort ein und händigte ihr eine Kopie seines Geburtsscheins aus. Vier Tage später lag die Analyse in ihrem Briefkasten. Nach Durchsicht der ersten Seiten war sie einmal mehr erstaunt, wie treffend ihre Situation durch die Astro-Analyse beschrieben wurde.

„Sie und ihr Partner entfachen jeder beim anderen eine machtvolle erotische Intensität. Sie sind fasziniert von der emotionalen Tiefe und Leidenschaftlichkeit dieser Liebesbeziehung."

‚Stimmt ganz genau' stellte sie fest und las weiter:

„Sie haben es an sich, bei Ihrem Partner Gefühle des Entgegenkommens und der Grosszügigkeit zu inspirieren, während er Ihre Persönlichkeit belebt und Ihre Erwartungen an das Leben erweitert."

Vivienne kam aus dem Staunen nicht mehr heraus und fragte sich, wie es möglich war, dass dieses Horoskop ausdrückte, was ihr selbst mit Worten kaum möglich war.

„Unter der Oberfläche Ihrer Zuneigung zu Ihrem Partner verbergen sich Dinge, die mit Macht und rohen Gefühlen zu tun haben. Obwohl es unwahrscheinlich ist, dass dies in den frühen Phasen der Beziehung auftauchen wird."

‚Was damit wohl gemeint ist?' fragte sie sich erstaunt. Diese Aussage konnte sie nicht einordnen.

„Das Hauptgewicht Ihrer Beziehung zu Konrad liegt auf beidseitigem Vorwärtskommen oder, anders ausgedrückt, auf der potenziellen Erweiterung Ihres Lebens. Die Richtung hin zu einer grösseren und besseren Zukunft liegt beiden Seiten am Herzen. Trotz der explosiven und überlebensgrossen Eigenart Ihrer Beziehung zu Konrad müssen Sie beide vielleicht auch grosse Geduld und Ausdauer entwickeln. Denn in der Beziehung gibt es gewisse Einschränkungen oder Behinderungen."

‚Wie wahr! Doch Geduld und Ausdauer gehören nun mal nicht zu meinen grossen Stärken'. Ihr Motto war eher: ‚Ich will alles heute, und zwar sofort!' Ein Charakterzug, der in dieser Situation alles andere als förderlich war.

„Ihre Selbstmotivation und Effektivität im Leben erfahren durch die kreative Energie der Beziehung wahrscheinlich eine enorme Verstärkung. Die lebensspendende Kraft dieser Verbindung inspiriert Sie zu grösserem Mut."

‚Jeanne d'Arc lässt grüssen und Geschichtskenner wissen ja, wo diese mutige Frau gelandet ist' überlegte sich Vivienne nachdenklich.

„Die Liebe und die körperliche Zuneigung in dieser Beziehung haben eine machtvolle positive Wirkung auf die Gefühle Ihres Partners und bieten ihm Sicherheit, Zufriedenheit und persönliches Glück. Wahrscheinlich fühlt er sich geborgen, wie nie zuvor in seinem Leben."

Weiter war zu lesen, dass diese aussergewöhnliche Liebesbeziehung für beide Seiten eine besonders heilende Komponente haben würde, an der es sich zu arbeiten lohne. ‚Das klingt ja alles hoffnungsvoll, dachte sich Vivienne. ‚Nur, Konrad ist verheiratet und bis unsere Beziehung Früchte tragen wird, wenn sie das überhaupt je tun wird, liegt noch eine lange Durststrecke vor uns.'

Konrad war ebenfalls verblüfft, als Vivienne ihm anderentags das Beziehungshoroskop überreichte. „Es stimmt sozusagen alles, was dasteht", stellte er kopfschüttelnd fest und wollte nun für sich auch eine Persönlichkeitsanalyse bestellen. Tage später hielt er die Analyse in seinen Händen und las sie in Ruhe durch. Danach bat er Vivienne, den Bericht ebenfalls durchzulesen. Diese liess sich nicht zweimal bitten. Ihr Eindruck wurde durch das Geschriebene bestätig: Konrad, so wie sie ihn im Berufsleben erlebte, war nicht der wahre Konrad. Wohl stand im Horoskop, dass er je nach Situation als Eigenbrötler mit ausgeprägtem Ego und Führungseigenschaften auftreten konnte. Doch da war noch eine andere Seite, die er gegen aussen mehr oder weniger verbarg. Zum Beispiel seinen emotionalen Tiefgang, sein sanftes, hilfsbereites, verletzliches, sensibles und charismatisches Wesen. Charaktereigenschaften, denen Vivienne in privaten Momenten kaum widerstehen konnte. Im Geschäftsleben hingegen waren Sensibilität und Verletzlichkeit kaum gefragt. Da wurde grad in seinem Fall als Personaldirektor ein hohes Mass an Durchsetzungsvermögen und emotionaler Distanz erwartet. Ihr wurde bewusst, dass Konrad jeden Tag dazu gezwungen wurde eine Rolle zu spielen, die nicht seinem wahren Wesen entsprach.

Es kommt anders als geplant

Durch Konrads Unvorsichtigkeit wurde das bis anhin heimliche Liebesverhältnis nicht wie geplant im Frühling publik, sondern bereits Ende Januar. An einem Geschäftsanlass streichelte er kurz ihre Hand und wurde dabei von einer Mitarbeiterin aus dem Lohnbüro beobachtet. Vivienne blieb am nächsten Morgen nichts anderes übrig, als die Chefs aus den verschiedenen Geschäftsbereichen in ihr Büro zu bestellen und sie über die besondere Beziehung zu ihrem Chef aufzuklären. Sie wollte auf diese Weise die Gerüchteküche zum Vornherein im Keim ersticken. Die Anwesenden hatten mit vielem gerechnet, niemals jedoch mit diesem Outing. Es herrschte betretenes Schweigen und einige warfen Vivienne ungläubige Blicke zu. Sie bat ihre Kollegen vorerst Stillschweigen zu bewahren, da Konrad seine familiäre Situation noch zu klären hätte. „Eigentlich ist das doch eure Privatsache und geht uns gar nichts an" meinte einer. Die anderen pflichteten ihm bei und verabschiedeten sich wieder. Einer der Kollegen kam nochmals zurück und wollte allein mit der Personalchefin sprechen. „Haben Sie sich das gut überlegt, Frau Zeller? Passen Sie überhaupt zusammen?" „Ja, ich habe mir das gut überlegt" gab Vivienne knapp zur Antwort.
Einer der Betriebsleiter bat einen Tag später ebenfalls um ein Vieraugengespräch. „Frau Zeller, Sie müssen das ja selbst wissen mit dem Koch, doch so verklemmt wie der wirkt, ist da sexuell sicher nicht allzu viel zu erwarten. Doch bedenken Sie, *das* muss auch stimmen." „Machen Sie sich keine Sorgen. Wenn etwas stimmt, dann *das!*" konnte Vivienne ihn beruhi-

gen, was der Betriebsleiter mit einem „Dann ist ja alles gut",
quittierte. Einer der Direktoren, der heimlich ein Auge auf
Vivienne geworfen hatte, konnte sich einen bissigen Kommentar ebenfalls nicht verkneifen. „Der Koch hat seine tragische Familiensituation ausgenutzt, um Sie rumzukriegen. Es
ist eine Frechheit, wenn ein Chef mit Untergebenen eine Affäre beginnt und deren Mitleid ausnützt. Denn warum sonst,
Frau Zeller, haben Sie sich auf diesen Mann eingelassen? Natürlich aus Mitleid! Darum ist dies für mich nichts anderes als
eine Affäre mit absehbarem Verfallsdatum!" Vivienne reagierte ungehalten auf diese Unterstellung und versicherte
vehement, dass man sie nicht einfach so rumkriege. Doch der
Direktor liess dies nicht gelten: „Machen Sie sich nichts vor,
der Mann passt doch gar nicht zu Ihnen. Ich habe es Ihnen
schon mal gesagt: Der Koch geniesst jetzt noch eine Schonfrist
wegen der Geschichte mit seiner Tochter. Doch bald ist diese
abgelaufen."

Konrad seinerseits informierte Rudolf Matter und dieser reagierte überraschend verständnisvoll. Es kam Konrad so vor,
als hätte sein Chef bereits Kenntnisse von der Liebesgeschichte. ‚Vielleicht hat ihm Frau Klemmer einen Wink gegeben?'
überlegte er, verzichtete dann aber darauf, nachzufragen.
Rudolf Matter bat Konrad lediglich, so rasch als möglich in-
nerfamiliäre Klarheit zu schaffen.

Nach dem Gespräch mit dem Firmenleiter stand Konrad die
grösste Herausforderung seines Lebens bevor, weil er seiner
Frau eröffnen musste, dass er sich nach bald fünfundzwanzig
Ehejahren von ihr trennen wollte. Vivienne graute davor,
doch Konrad versuchte das Ganze herunter zu spielen: „So

schlimm wird es nicht werden. Schliesslich steht Elena finanziell auf eigenen Beinen, weil sie, seit wir verheiratet sind, ihr eigenes Geld verdient. Da werden wir schon eine Lösung finden." Doch Konrad irrte sich gewaltig und war nicht darauf gefasst, was ihn nach Eröffnung seiner Trennungsabsichten erwartete: Eine völlig aufgebrachte, schreiende und hysterische Ehefrau, die ihn und seine Geliebte als die grössten Schweine aller Zeiten ins Pfefferland wünschte.

Vivienne erwartete Konrad am anderen Tag mit gemischten Gefühlen wieder bei der Arbeit. „Und, wie verlief das Gespräch mit Elena?" wollte sie während einer freien Minute von ihm wissen. „Frag besser nicht nach, es war grauenhaft und ich bin jetzt noch erschüttert, was sie mir alles an den Kopf geworfen hat. Es kommt mir so vor, als hätte sich die Schleuse eines Abfallwagens geöffnet und alles, was sich im Laufe unserer Ehe angestaut hat, wurde über mich geleert. Du hattest recht, Vivienne, im Verlauf unserer Ehe wurde zu viel unter den Teppich gekehrt, statt Probleme offen auszusprechen. Aus Elenas Sicht bin ich nun der alleinige Verursacher unserer Eheprobleme, sie die Heilige im Glorienschein. Sie hätte immer wieder grosszügig über alles hinweggesehen, was sie an mir störte. Ich habe darauf verzichtet ihr klar zu machen, dass ich genauso über einiges hinweggesehen habe, zum Beispiel über ihre Kaufsucht. Doch als ich ihr versuchte meine Sicht und meine ungestillten Bedürfnisse zu erklären, wurde ich regelrecht runter geschrien. Nach dem gestrigen Abend bereue ich es einmal mehr zutiefst, dass ich mich nicht bereits vor Jahren von ihr getrennt habe. Doch der Kinder wegen blieb ich!" „Und nun?" wollte Vivienne wissen. „Ich weiss es nicht" antwortete Konrad, gab Vivienne einen Kuss und wandte sich seiner Arbeit zu. Nachdem Vivienne sein

Büro wieder verlassen hatte, wäre sie am liebsten nach Hause gegangen, so elend war ihr. Doch sie blieb, obwohl sie sich während des ganzen Tages kaum vermochte auf ihre Arbeit zu konzentrieren ‚Niemals wird es zwischen Konrad und E-lena zu einer friedlichen Trennung kommen' war sie sich nun sicher.

Nach Feierabend erwartete Fabian seine Mutter bereits zu Hause und hoffte, dass sie etwas Leckeres zu Abend kochen würde. Er liebte die gemeinsamen Feierabende bei einem guten Essen und anregenden Gesprächen. Zudem schätzte er seine Mutter als gute Rategeberin und manchmal liess er eine seiner neuesten Musik-CDs laufen und sie tanzten gemeinsam im Wohnzimmer. Fabian schätzte an seiner Mutter sehr, dass sie trotz ihres verantwortungsvollen Jobs Bodenhaftung behielt und ausgelassen feiern und fröhlich sein konnte. Doch seit sie sich auf das Verhältnis mit ihrem Chef eingelassen hatte, hatte sich dies zu seinem Leidwesen geändert.
Vivienne wäre an diesem Abend für einmal froh gewesen, allein zu sein, um all ihre Gedanken zum Ehedrama Koch zu sortieren. Fabian sah seiner Mutter sofort an, dass etwas nicht stimmte. „Gab es Ärger in der Firma oder hat dich dein Chef genervt?" wollte er wissen. „Ja, wir haben tatsächlich ein Problem oder besser, ich habe eines." Dann erzählte sie dem Teenager kurz, was sich zugetragen hatte. „Es kann sein, dass Konrad bald mal bei uns einzieht." Fabians Begeisterung hielt sich, wie nicht anders zu erwarten, in engen Grenzen. Der Gedanke, Tag für Tag mit Konrad Koch unter einem Dach zu leben, machte ihm Angst. Darum nahm er sich vor, sollte Konrad tatsächlich einziehen: ‚Der hat mir gar nichts zu sa-

gen, auf jeden Fall solange nicht, bis er geschieden ist und meine Mutter heiratet.'

Auch Richard zeigte sich über die neue Situation wenig erfreut, nachdem ihn Vivienne telefonisch darüber in Kenntnis gesetzt hatte. Vor allem hatte er Mühe, dass künftig die gemeinsamen sonntäglichen Abendessen, an die er sich mittlerweile gewöhnt hatte, der Vergangenheit angehören würden. „Du musst selbst wissen, was du tust. Meine Meinung kennst du ja", war sein Kommentar. Dann wünschte er ihr einen schönen Abend und legte den Hörer auf. Vivienne ging in die Küche, um endlich das Abendessen zu kochen. Kaum sass sie mit Fabian am Esstisch, läutete das Telefon. Konrad war dran und teilte seiner Geliebten mit, dass er anderentags, am Samstag gegen Abend, bei ihr einziehen würde. „Ich halte das Theater hier nicht mehr aus. Elena macht auf leidgeprüfte Mutter und Ehefrau, was mich derart anwidert, weil sie für Charlotte nicht immer die Supermutter war, als die sie sich nun darstellt. Was ich in den letzten Monaten durchgemacht habe, interessiert sie überhaupt nicht. Es geht ihr nur um sich selbst und ihre Interessen und natürlich auch darum, dass sie wie bis anhin mein Geld zum Fenster rausschmeissen kann. Da mach ich nicht mehr mit!" begründete Konrad seinen Entscheid. Er war ausser sich und verstand nicht, dass immer nur er an irgendwelchen Problemen schuld sein soll. Dies war seit Bestehen ihrer Ehe so: Sie das Opfer, er der Täter! Mit Vivienne lief dies ganz anders, auch wenn er sich zuerst an ihre schonungslose Offenheit gewöhnen musste. Doch bei ihr wusste er vom ersten Moment an ganz genau, woran er war.

Eigentlich wäre Vivienne nach Konrads Trennungsankündigung am Ziel ihrer Träume angekommen. Ihr Traumprinz – oder so ähnlich – würde endlich bei ihr einziehen, doch nicht hoch zu Ross, sondern mit dem Fahrrad und vielen Problemen im Gepäck. Statt Freude machte sich Panik breit und ihre innerste Stimme schrie beim Gedanken, dass Konrad nun bald Tisch und Bett mir ihr teilen würde, „Nein, Nein, Nein!!!!" Oder war es gar die Stimme ihres Vaters, der sie aus der geistigen Welt warnen wollte? Fast kam es ihr so vor. Sie beschloss, ihre Panikgefühle zu ignorieren und schaffte nach dem Abendessen im Badezimmer- und Kleiderschrank Platz für Konrads Kleider und Toilettenartikel. Nach einer unruhigen Nacht setzte sie sich am nächsten Morgen ins Auto und fuhr zum Einkaufen. „Konrad wird gegen Abend bei uns eintreffen. Ich gehe nun ein paar Lebensmittel einkaufen" teilte sie ihrem Sohn mit, bevor sie das Haus verliess. „Wie Du meinst" antwortete Fabian schnippisch und drehte ihr den Rücken zu.

Auf der Rückfahrt vom Einkaufszentrum überkam Vivienne plötzlich eine eigenartige Vorahnung. Ihr Magen krampfte sich zusammen und eine unerklärliche Angst stieg in ihr hoch. Von einer Sekunde auf die andere wurde ihr bewusst, dass ein Zusammenzuleben mit Konrad nicht das Richtige war. Und sie spürte, dass er genauso empfand und er nicht wie abgemacht am Abend vor ihrer Türe stehen, sondern bei seiner Frau bleiben würde. Glasklar sah sie die Situation vor ihrem inneren Auge und als sie Minuten später zu Hause in die Garage fuhr, erwartete Fabian sie bereits. „Der Koch hat angerufen und mitgeteilt, dass er hier nicht einziehen wird, weil seine Frau mit Selbstmord droht." Richard war grad bei Fabian zu Besuch und bekam den Telefonanruf mit. „Dass dieser Koch die Frechheit besitzt, dich auf diese Weise abzuservieren, ist das Allerletzte. Das, Vivienne, hast du nicht nötig!" Dann verliess er kopfschüttelnd und mit grimmiger Miene das Haus.

Einerseits war Vivienne über Konrads Rückzieher erleichtert, andererseits fühlte sie sich gedemütigt und kam sich richtiggehend verarscht vor. Über Monate hinweg schwor ihr Konrad seine tiefe, einmalige Liebe und dass er nichts lieber täte, als für immer mit ihr zusammenzuleben. Wie eine grosse Seifenblase zerplatzten nun alle gemeinsamen Zukunftsträume, die genau betrachtet bereits von Anfang an einer Illusion unterlagen. ‚Welcher Teufel hat mich nur geritten, dass ich so gegen meine Prinzipien verstossen habe?', fragte sich Vivienne einmal mehr, während sie weinend das Abendessen zubereitete.

Am Montag bei der Arbeit versuchte Konrad seinen Rückzieher zu rechtfertigen. „Vivienne, ich habe unterschätzt, wie sehr Elena unter Charlottes Situation leidet. Nun verliert sie auch noch mich und das ist einfach zu viel. Während ich meine Koffer packte, drohte sie, sich umzubringen. Daraufhin hat mir mein Sohn gedroht, dass, wenn sich seine Mutter wegen mir etwas antue, er mir dies nie verzeihen würde. Glaub mir, Vivienne, ich liebe dich nach wie vor, das wird sich nie ändern. Wir gehören zusammen, für immer und ewig. Aber ich kann Elena und Mike jetzt unmöglich im Stich lassen. Darum gib mir Zeit!"

Vivienne zeigte nach einigem Hin und Her Verständnis für die schwierige Situation ihres Geliebten. Trotzdem stand sie nun ihrer Meinung nach als dumme Gans da, die auf das älteste Spiel der Welt mit einem verheirateten Partner hereingefallen war: „Ich trenne mich, ich trenne mich nicht, ich trenne mich, ich kann mich unmöglich trennen." Sie schloss ihre Bürotür und heulte selbstmitleidig vor sich hin. Das erste Mal in ihrem Leben sah sie keinen Ausweg und fühlte sich am Boden zerstört. Sie hätte an Konrads Stelle garantiert anders reagiert und sich nie und nimmer erpressen lassen. Dies war nicht einfach so daher gesagt, sondern gelebte Erfahrung. Als sie sich vor mittlerweile dreizehn Jahren von Bruno trennte, versuchte ihr Ex-Mann sie genauso zu erpressen, wie jetzt Elena ihren Mann. Niemals wäre Vivienne jedoch von ihrem damaligen Entscheid abgewichen und trug die unangenehmen Konsequenzen der wüsten Scheidungsschlacht mit hoch erhobenem Haupt. Nicht eine Sekunde hatte sie sich während jener tränenreichen Zeit überlegt, je wieder zu dem ungeliebten Mann zurückzukehren. Doch Konrad war anders gestrickt, dies wurde ihr nun schmerzlich bewusst. Ihm konnte man ein schlechtes Gewissen einreden, ihn konnte man mit fiesen Methoden manipulieren. Und zwar nicht nur im Privatleben, dies lief auch im Geschäftsleben ähnlich, wie Vivienne bereits vor Charlottes Herzstillstand immer wieder beobachtet hatte. Oft kam es ihr vor, als wäre Konrad eine Marionette, deren Fäden vor allem Rudolf Matter sehr gut zu führen wusste. Doch ihr Mitgefühl und Verständnis nützten ihr herzlich wenig. Mit unterdessen 36 Jahren litt Vivienne das erste Mal in ihrem Leben an echtem Liebeskummer. Von Tag zu Tag fühlte sie sich schlechter, brachte kaum mehr einen Bissen runter und war nur noch ein Schatten ihrer selbst. Trotz ihrer Wut, die sie Konrad gegenüber verspürte, vermisste sie seine Nähe, seine Zärtlichkeiten, seinen unwider-

stehlichen Geruch, seine Stimme, einfach alles aufs Schmerz-
lichste. Wenn man sie in diesem Moment gefragt hätte, welches der schlimmste Schmerz für einen Menschen sei, hätte
sie ohne Zögern erwidert: „Liebesschmerz!" ‚Als Papa starb
oder meine Grosseltern war dies ein ganz schlimmer
Schmerz. Doch von einem geliebten Menschen und erst noch
von seinem Seelenverwandten verlassen zu werden im Wissen, dass er sich nie von seiner Familie trennen wird...dieser
Schmerz ist unerträglich.'
Vivienne nahm sich vor, Konrad künftig soweit wie möglich
aus dem Weg zu gehen und verrichtete ihre Arbeit wie jeden
Tag mit Fleiss und Engagement. Wie nicht anders zu erwarten war, sprach Konrad sie bald auf ihr distanziertes Verhalten an. Für ihn blieb Vivienne trotz allem seine Lebensliebe
und darum bat er sie einmal mehr, ihm die notwendige Zeit
einzuräumen, um sich von seiner Familie zu trennen.
Doch Viviennes ungestümes Temperament, das lieber alles
heute statt morgen haben wollte, machte da nicht mit. „Wie
stellst du dir das vor? Alle wissen durch deine Unvorsichtigkeit von unserem Verhältnis und nun lebst du weiterhin bei
Mama im warmen Nest und ich stehe da wie die Schlampe,
die ihren Chef verführt hat?!" keifte sie Konrad wütend an,
als er sich versuchte in ihrem Büro zu rechtfertigen.

Einige Wochen später wagte Konrad einen weiteren Anlauf
und verliess seine Familie tatsächlich. Dies, weil sich die
Spannungen zwischen ihm und seiner Frau ins Unerträgliche
zuspitzten und er nicht mehr gewillt war, in der Rolle des
Bösewichts zu verharren. Subtil gab ihm Elena zu verstehen,
dass sie im Gegensatz zu ihm innerhalb ihrer Ehe immer alles

richtiggemacht hätte. Er hingegen sei triebgesteuert, wie eben die meisten Männer.

Konrad war über die Vorwürfe seiner Frau empört. Auch wenn er Elenas Wut und Verzweiflung verstand: Es gab Grenzen, die man nicht überschreiten sollte.

Und so stand Konrad, nachdem er sich mit Vivienne wieder versöhnt hatte, mit Sack und Pack vor der Türe und zog bei ihr ein. Sie begrüsste ihn mit „Fühle dich wie zu Hause!" Doch diesen Willkommensgruss bereute sie bereits kurze Zeit später wieder. Während Konrad seine Koffer auspackte, zog sich Vivienne ins Badezimmer zurück, um ihr allabendliches Bad zu geniessen. Ihr Geliebter packte in der Zwischenzeit nicht nur seine Kleider aus, sondern nutzte die Gelegenheit, um sämtliche Bilder im Wohnzimmer ungefragt umzuhängen. In der Küche räumte er im Schrank die Gläser neu ein und im Gewürzschrank die Gewürze. Nach dem Bad stellte Vivienne rasch alle die Veränderungen fest und nachdem sie im Kühlschrank die hausgemachte Marmelade seiner Schwiegermutter entdeckte, brannten ihr alle Sicherungen durch. „Was fällt Dir eigentlich ein!!!" schrie sie ihn an, „Dich hier auf diese Weise breit zu machen?! Du kannst deine Umorganisationswünsche vorab mit mir besprechen und dann finden wir eine gemeinsame Lösung. Du bist hier nicht der Chef, sondern hier herrscht gleichberechtigte Partnerschaft!"

„Ich bin es gewohnt, dass man meine Wünsche respektiert, ohne dass ich gross darüber diskutieren muss!" giftete Konrad zurück. „Zudem bin ich mir gewohnt, dass man zu mir raufschaut und mich nicht auf Gartenzwerggrösse zurechtstutzt. Sicher lasse ich mir von dir nicht sagen, was ich zu tun habe. Und schon gar nicht in diesem Ton." Konrad lag noch auf der Zunge, zu ergänzen: „Von dir, meiner Mitarbeiterin."

Doch dies unterliess er wohlweislich, weil ihm bewusst wurde, dass ein solcher Vergleich im Privatleben nichts zu suchen hatte. Trotzdem wurde ihm in diesem Moment vor Augen geführt, dass er Viviennes selbstbewusstes Auftreten im Geschäft sehr schätzte, jedoch im Privatleben nun ein Problem damit hatte. Plötzlich fühlte er sich mit der starken Frau an seiner Seite unsicher. „Mein Lieber, ich bin gewohnt auf Augenhöhe zu kommunizieren und es gab bisher nur eine Person in meinem Leben, zu der ich „raufgeschaut habe", wie du das nennst! Das war mein Vater. Du bist weit davon entfernt, ihm je den Rang ablaufen zu können!" Beide bebten vor Wut und bereuten zutiefst, sich je aufeinander eingelassen zu haben.

Liebe kennt keine Grenzen, Hass genauso wenig!

Drei Tage später rief Konrad reumütig seine Frau an und bat um Absolution. „Kann ich wieder bei dir einziehen? War wohl kein guter Entscheid, dich zu verlassen." Elena zeigte sich über Konrads Einsicht hoch erfreut, weil sie nach seinem Auszug am Boden zerstört war und tatsächlich ernsthaft darüber nachdachte, sich umzubringen. Der Gedanke, dass sie ihr untreuer Ehegatte einfach während der grössten Krise ihres Lebens verlassen hatte und sie nun dem gesellschaftlichen Gespött ausgesetzt sein würde, weil er sie gegen eine fünfzehn Jahre Jüngere eintauschte, war für die stolze Frau unerträglich. Sie liebte ihren Mann auf ihre Weise, auch wenn sie ihn immer wieder mal ins Pfefferland wünschte. Doch er ermöglichte ihr ein schönes und bequemes Leben und durch seine berufliche Position war auch sie „jemand." Ohne ihn würde kein Hahn nach ihr krähen; undenkbar für sie. Zudem stieg bei dem Gedanken, künftig ohne ihren Mann, der alle administrativen Belange rund um die Familie erledigte, funktionieren zu müssen, Panik in ihr hoch. Er war ihr Halt, er war das Familienoberhaupt, das die Richtung vorgab. Er war ihr Fels in der Brandung, mit dem sie gegen aussen punkten konnte. So freute sie sich nach seinem Anruf über alle Massen, dass er bereits nach so kurzer Zeit genug von seiner Geliebten hatte und reumütig wieder bei ihr einzog.

Doch Konrad zog es nicht aus Sehnsucht nach Elena oder Mike zurück in seine gewohnte Umgebung, sondern weil er dort der unhinterfragte Herr im Hause war. Obwohl dies nicht wirklich stimmte...denn Elena verteidigte ihr Hausfrauenreich ähnlich wie Vivienne. Doch dies wollte er sich jetzt nicht mehr bieten lassen. So spielte er vorerst den reumütigen Ehemann und nahm sich vor, bei Gelegenheit Elenas Küchenbastion zu entern, die sie seit Beginn ihrer Ehe mit allen Mitteln verteidigte. Gerne hätte er wieder einmal einen Kuchen oder Zopf gebacken, wie früher in der Backstube seiner Eltern. Oder gelernt richtig zu kochen und sich auch sonst vermehrt im Haushalt eingebracht. Doch Elena war gefangen in ihrem Rollenbild und teilte ihm bereits zu Beginn ihrer Ehe mit, dass sie in der Küche kein Mitspracherecht dulde. „Das ist mein Reich und wird es immer bleiben!" Für sie war die Rollenverteilung klar: Ihr Mann bringt möglichst viel Geld nach Hause und sie hielt den Haushalt in Schuss. Und das Geld, das sie verdiente, gehörte selbstverständlich ihr allein, weil eben der Mann der Ernährer war und somit für alle Kosten aufkam.

Bereits einige Stunden später stellte Konrad fest, dass alle Argumente, die er sich als Grund für seine Rückkehr zurechtgelegt hatte, in seinem Kopf wohl Anklang fanden, jedoch nicht in seinem Herzen. Vor allem bereute er seinen Entscheid, nachdem ihm plötzlich Verhaltensweisen an seiner Frau auffielen, die er bis anhin ignoriert hatte oder derer er sich gar nie bewusst gewesen war. Durch die Beziehung zu Vivienne erweiterte sich sein psychisches Blickfeld und er nahm seine Umgebung auf völlig neue Weise wahr. Trotzdem: Viviennes offenes und direktes Wesen zerrte zu oft an seinem Ego, als dass er einfach hätte darüber hinwegsehen können. Und doch vermisste er nun ihre Zuwendung, ihre Herzlichkeit und ihre Liebe. Im Koch'schen Haushalt ging es rational und distanziert zu. Zärtlichkeiten gehörten kaum zur

Tagesordnung. Offene und ehrliche Gespräche, die er mittlerweile zu schätzen gelernt hatte, wurden in Elenas Umfeld im Keim erstickt. Dies war schon immer so gewesen und würde auch so bleiben, da machte er sich überhaupt keine Illusionen. Vielleicht wäre Elena mittlerweile zu gewissen Zugeständnissen bereit, doch nicht aus innerer Überzeugung, sondern einzig, um ihren Ehegatten nicht der Rivalin zu überlassen.

Während seiner Überlegungen kam ihm die einst fröhliche und unkomplizierte Charlotte in den Sinn, die er nach wie vor schmerzlich vermisste. Nie wieder würde er seine Tochter lachen hören, nie wieder würde sie ihm über ihre Erlebnisse erzählen, nie wieder würde sie ihm Gebäck ins Büro bringen, nie wieder würden sie gemeinsam ein Konzert besuchen... Charlotte, so wie er sie 22 Jahre lang gekannt hatte, gab es nicht mehr. Geblieben war ein Häufchen Elend, das für den Rest seines Lebens auf Intensivpflege angewiesen sein würde. Jeden Tag besuchte er sie im Pflegeheim, um jeden Tag aufs Neue feststellen zu müssen, dass er kaum je auf eine Besserung ihres Gesundheitszustandes hoffen durfte. Bei jeder ungewohnten Berührung schrie sie auf und keiner wusste, ob sie unter Schmerzen litt oder ob sie aus Schreck schrie. Als er Vivienne einmal über die Schreie erzählte, versuchte sie ihm zu erklären, dass sich ihre Seele wahrscheinlich noch nicht im kranken Körper zurechtgefunden hätte und sie darum schrie. Doch dies war für ihn Humbug. Er wollte seine Charlotte wieder zurück, so wie sie einst war! Doch dies war unmöglich...und in diesem Wissen begann der vom Schicksal hart geprüfte Vater zu weinen. Zu unerträglich war der Schmerz über den Verlust seiner Tochter.

Lediglich zwei Wochen hielt es Konrad bei seiner Familie aus, obwohl sich Elena alle Mühe gab, um ihren Ehemann zu umgarnen. Doch es war zu spät. Konrad fühlte sich von ihren einfach durchschaubaren Annährungsversuche, die einzig dazu dienten, ihn wieder an seine Familie zu binden, angewidert. Es ging ihr weder um die grossen Gefühle oder gar um Liebe. Es ging lediglich um die materielle Sicherheit und den Sieg über die Geliebte. Doch Konrad hatte unterdessen den Nektar der wahren Liebe gekostet und das erste Mal in seinem Leben spürte er innerlich ein Gefühl von Freiheit, losgelöst von alten Dogmen, Zwängen und Erwartungen, die man an ihn stellte. Seit frühester Jugend versuchte er sich den Wünschen seines Beziehungsumfelds anzupassen, um ja keinen Ärger und unnötigen Streit zu provozieren. Er verabscheute Konflikte seit jeher und ging diesen aus dem Weg. Unterdessen lernte er durch Vivienne, dass ausgetragene Konflikte nicht lebensbedrohlich, sondern innerhalb einer gut funktionierenden Partnerschaft, egal ob privat oder im Geschäft, notwendig sind, um einen gemeinsamen Nenner zu finden. Doch weder Elena noch Mike zeigten Interesse und Verständnis für Konrads Wandlungsprozess. Vor allem Elena wollte, dass alles so blieb, wie bisher und liess dies ihren Ehemann unmissverständlich wissen. „Es wird nie wieder sein, wie es einmal war, weil Charlotte nie wieder so sein wird, wie sie einmal war" erklärte Konrad seiner störrischen Ehefrau. Vergeblich! Deshalb entschloss er sich wieder auf sein Herz zu hören und bat Vivienne, ihm zu verzeihen und ihrer Liebe eine weitere Chance zu geben. Vivienne war hin und her gerissen ob Konrads Bitte. Auf der einen Seite liebte sie ihn immer noch so, wie sie bis anhin nie einen anderen Menschen geliebt hatte. Auf der anderen Seite war sie verletzt ob seiner Wankelmütigkeit und wollte sich keinem weiteren Trennungsdrama aussetzen. Sie wollte Klarheit, sie wollte Sicherheit und sie wollte Verbindlichkeit im Zusammenleben mit Konrad. „Kannst Du mir das alles garantieren?" wollte sie von ihm wissen. „Gibt es für sowas eine Garantie?" fragte er zurück. „Nein" musste sie einsehen und liess ihn trotzdem ein weiteres Mal in ihr Leben.

Elena reagierte nach Konrads neuerlichem Auszug auf eine Weise, mit der weder Konrad noch Vivienne gerechnet hätten. Statt in Ruhe abzuwarten, spielte sie die arme, verlassene Ehefrau mit unheilbar krankem Kind und zog alle Register, die ihr zur Verfügung standen, um den untreuen Ehemann wieder an Haus, Herd und letztendlich an sich zu zwingen. Sie rief alle ihre Freunde und Verwandten an, die ihr dabei behilflich sein sollten, ihren untreuen Ehemann wieder zur Vernunft zu bringen. Die Reaktionen auf den Hilferuf waren unterschiedlich. Die einen sicherten Unterstützung zu, die anderen wehrten ab, weil dies eine private Angelegenheit zwischen Ehepartnern sei. Es gab solche, die Verständnis für Konrad aufbrachten und es gab jene, die ihn wegen seiner Untreue verurteilten. Vor allem auch, weil sie nicht verstanden, warum man seine Frau grad in solch einem Moment allein liess. Jemand getraute sich dann aber Elena zu Bedenken zu geben, dass vielleicht schon länger etwas in ihrer Ehe nicht gestimmt hätte, denn einfach so verlasse kein Ehepartner seine Familie.
„Stimmt das Fundament nicht, hält ein Haus keinem Erdbeben stand" getraute sich auch einer der Abteilungsleiter der Firma Matter zu sagen, als Elena ihn per Zufall beim Einkaufen traf und ihn bat, ihr doch behilflich zu sein, dass ihr Mann

wieder zu ihr zurückkehren würde. „Bei uns stimmt das Fundament" liess ihn Elena Koch empört wissen. „An der Trennung hat nur eine Schuld, nämlich diese Zeller und ich werde dafür sorgen, dass die aus der Firma Matter rausge- worfen wird, das können sie mir glauben!" Der Abteilungs- leiter unterrichtete später Vivienne über das unerfreuliche Gespräch und gab gleich noch seinen Kommentar dazu ab: "Ich weiss nicht, was die Frau von mir will, Frau Zeller. Ich kenn die doch gar nicht richtig und trotzdem hat sie mich kürzlich auf der Strasse angesprochen. Seien Sie auf der Hut, die führt Böses gegen Sie im Schilde."
Weiter kam Vivienne zu Ohren, dass Elena Koch nicht nur Mitarbeiter aus der Firma versuchte, auf ihre Seite zu brin- gen, sondern vor allem die Ehefrauen der anderen Direkto- ren. Diese bedauerten Elena Koch nur zu gerne, weil den meisten die junge Personalchefin seit längerem ein Dorn im Auge war. Für die Damen war sofort klar, dass die Verführe- rin das Unternehmen verlassen müsste. Doch da bissen sie auf Granit, denn den meisten Herren in der Teppichetage war klar, dass die Affäre nicht durch Viviennes angedichtete Ver- führungskünste ihren Anfang nahm, sondern als Verzweif- lungshandlung des Personaldirektors gewertet werden muss- te. Sie kannten ihre Personalchefin und deren grosses Herz nur zu gut.

Konrad hielt dem Druck einiger Unterstützer seiner Ehefrau nicht lange stand und drei Wochen später verliess er Vivi- enne wieder. Während er seine Koffer packte, tobte seine Ge- liebte was das Zeug hielt und schwor sich, den unsteten Kerl nie, nie, nie wieder in ihr Leben zu lassen. Während der Ar- beit liess Vivienne ihren Chef von nun an links liegen und vermied jeglichen Kontakt, ausser es liess sich aus geschäftlichen Gründen nicht vermeiden. Die Freizeit verbrachte sie mit ihren Freunden und versuchte, sich von ihrem Liebesschmerz so gut es ging abzulenken. Äusserlich liess sich Vivienne nicht viel anmerken, doch wer tief in ihre Augen blickte, dem entging nicht, dass diese nicht mehr wie üblich strahlten. Die junge Frau war nicht nur tief verletzt ob Konrads Wankelmütigkeit, sondern erlebte das erste Mal, wie es sich anfühlte, emotional ausgeliefert zu sein. Obwohl sie sicher war, dass er sie immer noch liebte, wie sie ihn auch und er sie vermisste, genauso, wie sie ihn, sah sie kaum Hoffnung, dass es je zu einem Happyend kommen würde. Woche für Woche verlor sie immer mehr an Gewicht und oft erschauderte sie über ihr eigenes Spiegelbild. Statt der strahlend jungen Frau blickte ihr eine bleiche und traurige Gestalt entgegen. „Alles wegen diesem Koch" meinte Fabian wütend, der ebenfalls unter dem Liebeskummer seiner Mutter litt. „Da fragen mich wildfremde Leute, was zwischen dir und Konrad läuft, Mami. Warum wollen die das wissen?" „Was gibst du jeweils zur Antwort?" fragte Vivienne nach. „Fragen Sie meine Mutter selbst oder noch besser, fragen Sie den Koch." „Gute Antwort, Fabian. Es tut mir leid, dass nun auch du in den Liebeswirrwarr hineingezogen wirst. Sobald man eine einflussreiche Stelle bekleidet, egal ob in der Wirtschaft oder Politik, meinen alle, man müsse sich zwingend an gesellschaftliche Regeln halten. Doch Liebe kennt keine Regeln", erklärte Vivienne ihrem Sohn. „Ich glaube nicht, dass ich einmal heiraten oder mich verlieben werde, das ist mir viel zu anstrengend" liess er seine Mutter augenrollend wissen.

Nicht nur Liebe kannte keine Regeln, sondern auch Hass. Dies stellte Vivienne fest, nachdem Elena Koch ihren Job als Stellenvermittlerin verlor und bald darauf als Verkäuferin in einem der ortsansässigen Kaufhäuser arbeitete. Auch dort erzählte sie allen, die es wissen wollten oder auch nicht, dass sie neben ihrem Verkaufsjob ihre kranke Tochter pflegen und ihr Mann sie zum Dank dafür betrügen würde. „Während ich unsere Tochter pflege, vergnügt er sich mit seiner Sekretärin." liess sie denn auch einen Mitarbeiter der Firma Matter wissen. Sie nannte ihre Nebenbuhlerin mit Absicht nur noch „Sekretärin", um ihr gegen aussen nicht zu viel Gewicht zu geben. Vivienne fand die zur Schau gestellte Opferhaltung ihrer Nebenbuhlerin abstossend, denn auch Konrad versuchte jede freie Minute mit seiner Tochter zu verbringen, ohne jedoch öffentlich damit zu prahlen. Zudem ging es ihm nach jedem dieser Besuche hundeelend und er musste mit seiner Trauer allein klarkommen.

Einen Monat nach seiner zweiten Rückkehr zu Elena bat Konrad Vivienne um ein weiteres persönliches Gespräch. „Entgegen jeglicher Vernunft, komme ich nicht von dir los und wünsche mir nur eines, wieder mit dir zusammenzuleben. Ich halte die distanzierte Atmosphäre im Zusammenleben mit Elena und Mike kaum aus. Und wenn ich mich dagegen wehre, lässt man mich schweigend ins Leere laufen."

Vivienne beschloss ihrer Liebe eine erneute Chance zu geben. Fabian quittierte den für ihn nicht nachvollziehbaren Entscheid seiner Mutter mit grimmigem Blick und heftigem Kopfschütteln. „Mami, ich bin absolut dagegen, dass der nochmals bei uns einzieht. Er behandelt mich wie ein kleines

Bubi und will überall reinreden!" „Gib Konrad Zeit, wir werden das schon hinkriegen. Bis anhin war er in seiner Familie das Oberhaupt und hier muss er nun lernen, dass es anders läuft. Mit über 50 Jahren kann man nicht einfach so rasch umdenken. Das ist ein Prozess. Zudem kannst auch du dich ihm gegenüber etwas kooperativer verhalten, gell, Fabian?" versuchte Vivienne ihren Geliebten in Schutz zu nehmen. „Ja, ja, ich versuch's" versprach ihr Sohn wenig überzeugend.

Elena Koch fühlte sich durch das wankelmütige Verhalten ihres Ehemanns zutiefst gedemütigt und hintergangen. Wohl sandte er auf seine Weise eindeutige Signale aus, die sie hätten hellhörig machen müssen. Nach der Arbeit besuchte Konrad meist Charlotte im Pflegeheim, ging wie früher mit dem Hund Gassi, ass mit seiner Familie wie üblich zu Mittag und Abend. Und doch überkam Elena und Mike immer mehr das Gefühl, mit einem Fremden zusammenzuleben. Vor allem auch, weil er sich von seinen altbackenen Freizeitkleidern inklusive Unterwäsche und Pyjama trennte, sich einen moderneren Look zulegte und seit Neuestem auch Herrenparfum benutzte. Nicht nur eine Parfumflasche stand im Badezimmerschrank, sondern deren drei mit verschiedenen Duftnoten. „Hat das dir deine Zeller beigebracht?" wollte Elena in ärgerlichem Ton von Konrad wissen. „Nein, da bin ich selbst draufgekommen und es macht mir Spass, mal was Neues auszuprobieren und mich schicker zu kleiden", meinte er grinsend.

Nun, nachdem Konrad sie wieder verlassen hatte, sann Elena Koch gegenüber ihrer Rivalin auf Rache. Hätte diese Zeller Konrad von Anfang an abgewiesen, wäre er gar nie auf die

Idee gekommen, seine Familie zu verlassen. Dass er sich nach dem Schicksalsschlag um Charlotte grämte und Trost suchte, konnte sie noch verstehen. Doch dass er sich unsterblich verliebte, das war für sie und Mike alles andere als nachvollziehbar. Während sie ihren trüben Gedanken nachhing, läutete das Telefon und ihre beste Freundin meldete sich. „Wie geht es dir, Elena? Wollen wir uns wiedermal zum Kaffee treffen?" Elena konnte ihre Tränen nicht zurückhalten und schluchzte. „Konrad hat mich wieder verlassen!" liess sie ihre Freundin wissen. „Oje, das darfst du dir nicht gefallen lassen! Was gedenkst du zu unternehmen? Lässt du dich jetzt scheiden?" wollte Rosemarie wissen. „Niemals! Ich werde um Konrad kämpfen und will ihn zurück!" Was wie eine Kampfansage tönte, war auch eine. Elena wusste seit jeher genau, was sie wollte und was nicht und sie erreichte bis anhin alles in ihrem Leben, was sie sich vorgenommen hatte. Mal früher, mal später. „Ich werde es dieser Zeller zeigen und dafür sorgen, dass sie aus der Firma Matter rausgeschmissen wird!"

Tatsächlich setzte die betrogene Ehefrau ihre Kampfankündigung in die Tat um und versuchte Vivienne überall dort schlecht zu machen, wo sich grad eine passende Gelegenheit bot und übernahm dabei die Rolle einer wahren Teufelin. Egal ob beim Friseur, am Bankschalter, bei der Fussnagelpflege, in Kleidergeschäften, beim Antiquitätenhändler, im Pflegeheim von Charlotte, in der Bibliothek, bei ihrem neuen Arbeitgeber: Elena Koch wusste sich als Opfer in Szene zu setzen, ohne sich auch nur einmal Gedanken darüber zu machen, wie es im Innersten ihres Ehemannes aussah und welche Folgen ihr Geschwätz und ihre Verleumdungen vor allem für ihn haben würden.

Nachdem Viviennes Freunde sie wieder einmal über eine der Enthüllungs- und Verleumdungsgeschichten aus Elena Kochs Mund informierten, kam ihr die Bemerkung eines ihrer früheren Chefs in den Sinn: „Wer mit Schlamm nach anderen wirft, endet irgendwann unter einer Schlammlawine." Natürlich fragte sich Vivienne oft, wie sie an Elena Kochs Stelle als betrogene Ehefrau reagiert hätte. ,Sicherlich würde ich nicht bei jedem über mein gescheitertes Eheleben jammern und schon gar nicht gegenüber wildfremden Leuten,' kam sie zum Schluss. ,Doch der Rivalin würde ich garantiert auch nicht das Beste wünschen, sondern vor Eifersucht beben,' musste sie sich eingestehen. ,Nun bin ich jedoch in der Rolle der bösen Ehebrecherin und auf diese Rolle war ich nicht vorbereitet.'

Fabian war fassungslos, was sich innerhalb der Wohngemeinschaft mit seiner Mutter abspielte und liess seiner Wut über Konrads Wankelmütigkeit freien Lauf. „Mami, warum lässt du dir das alles gefallen? Das bist doch nicht du! Der macht mit dir, was er will! Er kommt, stellt unser Leben total auf den Kopf und dann er geht wieder zu seiner Frau zurück und am Schluss darf er dann doch wieder bei dir einziehen. Das ist doch nicht normal!" Vivienne musste ihrem Sohn Recht geben, denn das, was sich zwischen Konrad und ihr abspielte, war tatsächlich alles andere als normal. Als Fabian eines Tages auf dem Weg zur Arbeit Elena Koch vertieft im Gespräch mit einer anderen Frau begegnete, zeigte er ihr ungeniert den Stinkefinger, was diese zu ignorieren versuchte. Keinesfalls wollte sie riskieren, dass ihr Fabian eine öffentliche Szene machte, die ihrer Opferrolle nicht zuträglich wäre. Sie war sich wohl bewusst, dass ihr Mann Vivienne Zeller über alles liebte und ihr regelrecht verfallen war. Doch dies musste ihr egal sein. Für sie stand im Fokus, dass sie an ihrem bisherigen Lebensstandard festhalten wollte und zwar um jeden Preis. Schliesslich war Konrads Erfolg auch ihr Erfolg. Ohne ihre Rückendeckung hätte er seine Karriereziele kaum erreicht. „Ich werde mit allen mir zur Verfügung stehenden Mitteln weiterkämpfen, um Konrad wieder zur Vernunft zu bringen!" liess sie alle wissen, die es wissen wollten oder auch nicht.

Leidensgrenze erreicht

Konrad wurden durch das unnachgiebige Verhalten seiner Ehefrau allmählich seine psychischen und physischen Grenzen aufgezeigt. Er litt nicht nur unter Depressionen, sondern auch unter unerträglichen Rückenschmerzen. Oft schmerzten ihn zudem seine Knie und es fiel ihm schwer, einen Schritt vor den anderen zu setzen. Sein Hausarzt schrieb ihn, nachdem Konrad nicht mehr selbständig aufstehen konnte, bis auf weiteres krank. Ob diesem für ihn ungewohnten körperlichen und seelischen Leiden, das er insgeheim auch als Strafe für seine Eheflucht wertete, geriet er zunehmend in Panik und wusste sich nicht anders zu helfen, als zu Elena zurückzukehren. „Ich bin ein Wrack, Vivienne. Was willst du mit so einem wie mir? Es geht nicht mehr lange und du gibst mir sowieso den Laufpass, darum gehe ich lieber vorher. Vielleicht geht es mir besser, sobald ich wieder mit meiner Familie zusammenlebe. Denn so hat alles wieder seine Ordnung", begründete er Vivienne seinen neuerlichen Auszug. Die schnöde Verlassene kochte vor Wut und versuchte ihrem Geliebten trotzdem Mut zu machen. „Solange du mit Charlottes Schicksal haderst und nicht den Mumm hast, zu deinen wahren Gefühlen zu stehen, blockierst du deinen Körper! Deine Seele fühlt sich gefangen und zeigt dir auf, dass sie mit deinem Verhalten nicht einverstanden ist. Zu glauben, es gehe dir bei deiner Familie rasch wieder besser, ist eine Illusion, Konrad!" Doch alle Versuche, den trauernden Vater aus seiner Wut und Angst zu befreien, fruchteten nichts. ‚In solch einer Situation sollte man keine schwerwiegenden Lebensveränderungen vornehmen,' wurde sich Vivienne resigniert bewusst, nachdem sich die Türe hinter Konrad einmal mehr geschlossen hatte.

Nachdem Rudolf Matter zugetragen wurde, dass sein Personaldirektor wieder bei seiner Frau lebte, kündigte er ihm trotz der Krankschreibung. Diesen überraschenden Entscheid fällte er nicht allein, sondern nach Rücksprache mit seinen Geschäftsleitungsmitgliedern und einem externen Berater. Die meisten der fünf Direktoren waren der Meinung, dass die Personalchefin in der Firma verbleiben solle, auch wenn sich ihre Ehefrauen zu Hause das Gegenteilt wünschten. Vivienne nahm die Solidaritätsbekundung zur Kenntnis und entschied sich trotzdem, so rasch als möglich zu kündigen. ‚Wenn ich meinem Impuls vor über einem Jahr gefolgt wäre und mich nach einer neuen Stelle umgesehen hätte, wäre mir garantiert einiges erspart geblieben,‘ überlegte sie sich, während sie die Nummer eines Stellenvermittlungsbüros wählte. Mit dem Besitzer jener Agentur war sie seit längerem befreundet und er versprach ihr, sich nach einer passenden Kaderstelle umzusehen. „Zaubern kann ich nicht, gell Vivienne, aber ich gebe mein Bestes", liess er seine Kollegin wissen, nachdem sie ihm ihre Wünsche bekannt gegeben hatte. „Danke René, ich bin überzeugt, dass du dein Bestes gibst, wie immer", verabschiedete sich Vivienne und legte den Telefonhörer auf, um ihn gleich wieder abzunehmen und ihren früheren Arbeitskollegen Ferdinand Kunz anzurufen. Ferdinand liess sich die letzten Jahre zum Individual Psychologischen Berater umschulen und seit kurzem war er stolzer Besitzer einer Beratungspraxis. „Was verschafft mir die Ehre?" wollte Ferdinand am anderen Ende der Leitung erstaunt wissen und Vivienne bat ihn um einen baldigen Beratungstermin. „Ich benötige dringend ein paar Ratschläge von einem Typen mit gesundem Menschenverstand." „Aha, ja dann komm doch am besten morgen Abend nach der Arbeit vorbei und wir sehen weiter. Passt dir 18 Uhr?" wollte er wissen. „Perfekt, also bis morgen Abend." verabschiedete sich Vivienne und hängte auf. Sie konnte es kaum erwarten, endlich einmal offen mit einer Vertrauensperson über ihr unterdessen mehr als chaotisches Leben zu sprechen. Bei Ferdinand war sie sich sicher, dass er ihr nicht nach dem Mund redete, sondern mit einer schonungslosen Situationsanalyse zu rechnen war.

Am nächsten Abend fand sich Vivienne um Punkt 18 Uhr in der Beratungs-Praxis ein und bestaunte zuerst den schön eingerichteten Arbeitsraum. „Das sieht ja alles pikfein aus und die Stühle sind sehr gemütlich. Da will man ja gar nicht mehr gehen", neckte sie ihren Freund. „Doch, doch, du willst dann schon wieder gehen", witzelte er zurück. „Spätestens, wenn die Beratungsstunde um ist. Du hast also genau eine Stunde Zeit, hier zu sitzen. Zuerst erzählst du mir aber, um was es geht. Ich bin gespannt." Ferdinand stammte aus dem Zürcher Oberland und wäre mit seinen dunkelbraunen Augen und gewelltem schwarzen Haar glatt als Italiener durchgegangen. Doch von seinem Naturell her war der gross gewachsene Fünfzigjährige durch und durch Schweizer, einer mit ungewöhnlich bissigem Humor. Dieser Humor liess Vivienne, als sie noch zusammen in derselben Firma arbeiteten, immer wieder in schallendes Gelächter ausbrechen. Ferdinand schaffte es regelmässig, trübe Tage oder stressige Momente mit seinen treffenden und oft auch frechen Sprüchen aufzuheitern. „Also, um was geht es?" wollte er nun in bestimmtem Ton wissen, nachdem er gegenüber seiner Klientin mit einem Schreibblock in der Hand Platz genommen hatte. Vivienne erzählte ihm kurz über ihre unglückselige Liebesgeschichte und vertraute ihm einiges über die unschönen Trennungs-Episoden an. „Konrad benimmt sich oft wie ein kleines Kind", gab sie ihren Eindruck weiter. Ferdinand liess das Gehörte zuerst einmal auf sich wirken, machte sich laufend Notizen, beobachtete Vivienne aus den Augenwinkeln und unterbrach sie irgendwann mit der Bemerkung: „Konrad kommt zu dir ins Lego-Land, spielt alle Spielchen, die er zu Hause nicht darf und wenn es ihm nicht mehr passt, nicht mehr alle nach seiner Pfeife tanzen, quengelt er, schreit nach Mami und geht zurück in sein gewohntes Umfeld, das ihm weniger bedrohlich erscheint. Denn deine und auch die Kritik und Schelte durch andere, empfindet er oder besser sein verletztes inneres Kind als eine persönliche Bedrohung, mit der er nicht umzugehen weiss", erklärte der Psychologe. „Ja genau, so fühlte es sich an!" stimmte Vivienne ihrem Freund zu. „Nur, wie ist es möglich, dass ein erwachsener Mensch sich so kindlich und zugleich zerstörerisch verhält?" wollte sie von Ferdinand wissen. „Weil er emotional irgendwo zwischen vier und sechs stehen geblieben ist. In diesem Alter lernt man mit Konflikten umzugehen, sich zu behaupten. Meist passiert dieser Entwicklungsschritt im Kindergarten. Mir scheint jedoch, dass man Konrad während jener wichtigen Kindheitsphase zu wenig Raum für eine gesunde Eigenentwicklung ermöglicht hat. Nur, Vivienne, es geht mir jetzt nicht um Konrad, sondern um dich. Darum stelle ich dir die entscheidende Frage in dieser Geschichte: Warum lässt du dies alles mit dir geschehen? Warum schickst du ihn nicht einfach für immer weg und vergisst ihn? Ich kenne dich nun schon einige Jahre und weiss, dass du normalerweise sehr konsequent bist. Warum nicht mit Konrad? Hast du dich schon einmal gefragt, welche tiefen Verletzungen dein inneres Kind plagen?" Darauf wusste Vivienne keine wirklich plausible Erklärung. „Die Metapher mit dem „Lego-Land" hat was", musste sie dann aber zugeben. „Und Konrad besuchte als Kind nie einen Kindergarten, er wurde mit sieben einfach eingeschult." „Siehst du? Zwischen fünf und sechs lernt man das erste Mal im Leben, sich innerhalb einer Gruppe einzugliedern und zu behaupten. Man lernt sich selbst als Persönlichkeit kennen und zwar auf spielerische Weise. Es scheint, als hole dies Konrad nun unbewusst nach und du bist im übertragenen Sinne die Kindergärtnerin, die Grenzen setzt. Mir kommt es so vor, als würde er sich erst jetzt mit über fünfzig Jahren das erste Mal so richtig spüren und kennenlernen. Und das macht seinem verletzten inneren Kind Angst. Trotzdem, du musst herausfinden, warum du dich überhaupt auf sowas eingelassen hast", schloss Ferdinand das Gespräch nach über einer Stunde ab.

Am anderen Tag in der Mittagspause ging Vivienne zur wöchentlichen Massage und erzählte Reto vom Gespräch mit Ferdinand. „Für mich sieht es so aus, als wäre die Geschichte zwischen dir und Konrad eine karmische." Vivienne schaute Reto fragend an. „Also du musst dir das so vorstellen, als wärt ihr energetisch und somit unsichtbar aneinandergefesselt. Diese Fesseln gilt es zuerst zu lösen, um wieder voneinander loszukommen. So wie ich das sehe, hat dies alles mit einem früheren Leben zu tun." „Reto, ich glaube nicht an Karma und Wiedergeburt und dergleichen. Also verschone mich damit!" liess sie ihren Therapeuten unwirsch wissen. Doch dieser liess nicht locker „Weisst du, Vivienne, du bist eine interessante Frau und du gefällst mir. Nur würde ich nie um dich werben, wenn ich wüsste, dass du gebunden bist. Sonst lade ich mir schlechtes Karma auf." „Wieso lädst du dir schlechtes Karma auf, wenn du um mich werben würdest?" wollte Vivienne kopfschüttelnd wissen. „Spanne ich jemand anderem die Frau aus, dann kommt es auf mich zurück." „Danke für den tröstlichen Hinweis, dann kommt es also auch auf mich zurück, wenn ich Elena Koch den Mann ausspanne!?!" Auf diese Frage wusste Reto auf die Schnelle keine befriedigende Antwort und überlegte zuerst ein paar Sekunden, bevor er meinte: „Eher auf Konrad, weil er dies ja alles in Gang gesetzt hat." „So einfach sehe ich dies nicht, denn ich hätte im entscheidenden Moment klar Nein sagen müssen. Darum habe ich genauso viel Schuld auf mich geladen, wie Konrad." Reto zuckte mit den Achseln und versuchte seine Freundin zu beruhigen: „Du musst das mit dem Karma nicht so wortwörtlich nehmen, ist einfach eine andere Sicht der Dinge." Vivienne überlegte eine Weile, während Reto ihr den Rücken massierte. „Ich kann es drehen und wenden wie ich will", schaute sie ihn von der Seite an. „Tatsächlich habe ich mir da eine Schuld aufgeladen. Konrad war von Anfang an gebunden. Und so wie ich das sehe, wird sich daran auch nichts ändern. "Man kann sein Glück nicht auf dem Unglück eines anderen aufbauen" meinte kürzlich eine der Lohnbüromitarbeiterinnen und ich musste ihr hundertprozentig zustimmen."

Trotz dieser Erkenntnis kreisten Viviennes Gedanken Tag für Tag, Nacht für Nacht unablässig um Konrad. Immer wieder überkam sie eine unglaubliche Sehnsucht nach seinem Duft, nach seiner Art, sie zu lieben, psychisch und physisch. Sie litt unter heftigstem Liebeskummer und genau hingesehen war sie nur noch ein Schatten ihrer selbst. Sie ass kaum, verzichtete auf ihr wöchentliches Glas Champagner und trank auch sonst keinen Alkohol. Wenn andere ihren Kummer im Alkohol ertränkten, war dies bei ihr genau umgekehrt: Totale Abstinenz von allem, was auch nur halbwegs Spass machte. Sie hatte die Zügel ihres Lebens, die sie immer fest in ihren Händen hielt, an Konrad abgegeben. Auch wenn er nicht anwesend war, war er zu jeder Tag- und Nachtzeit in ihrem Herzen präsent.

Ulla war über den Zerfall ihrer Chefin entsetzt. Ausgerechnet Vivienne, die sich für alle Hilfesuchenden stark machte, die immer auf jedes Problem einen brauchbaren Rat wusste, mutierte zum heulenden Elend und wusste sich selbst nicht zu helfen. Für Ulla war Vivienne nicht der Prototyp einer normalen Frau, also was sie unter normal verstand. Vivienne verfügte über einen sechsten Sinn und spürte Dinge, die andere nicht wahrnahmen. Sie konnte sich durchsetzen, gegenüber wem auch immer und blieb dabei stets fair. Sie war zudem ehrlich und mochte keine hinterlistigen Spielchen. Manchmal wurde es aber auch ganz schön anstrengend mit ihr. Zum Beispiel, wenn sie ungeduldig wurde und Autorität markierte. Dann funkelten ihre Augen wie die einer Katze, kurz bevor sie ihre Krallen ausfuhr. ‚Ausgerechnet diese sonst so starke Vivienne lässt sich nun durch diese unglückliche Liebesgeschichte schachmatt setzen?' überlegte Ulla, während sie ihrer am Pult sitzenden und weinenden Chefin einmal mehr Papiertaschentücher in die Hand drückte. Unterdessen bereute sie zutiefst, Vivienne zu dem verhängnisvollen Abendessen zusammen mit Kochs genötigt zu haben.

Nach Bekanntwerden der Liebesbeziehung weihte Vivienne sie über die Geschichte mit dem ersten Kuss ein und darum empfand sich Ulla nun am ganzen Schlamassel mitschuldig. „Dich trifft sicher keine Schuld, Ulla. Es ist alles nur meine Schuld. Ich hätte auf meine inneren Warnsignale hören müssen. Aus irgendeinem Grund entschloss ich mich dagegen", widersprach ihr Vivienne schluchzend, nachdem sich die geschätzte Assistentin und Vertraute bei ihr entschuldigen wollte.

Am Wochenende holte Viviennes Bruder Daniel seinen Neffen für den Besuch im Schützenverein ab und traute seinen Augen kaum, als ihm seine Schwester die Türe öffnete. „Was ist denn mit Dir passiert? Ist daran der wankelmütige Koch schuld?" Daniel lernte Konrad bei einem gemeinsamen Nachtessen kennen und grundsätzlich gefiel ihm der neue Mann an der Seite seiner Schwester. Mal rein menschlich gesehen. Doch dass er noch verheiratet war, passte ihm überhaupt nicht. Vivienne nickte auf Daniels Frage und Tränen liefen ihr über die Wangen. „Wenn er nicht will und nicht zu dir stehen kann, dann lass ihn ziehen. Du hast es nicht nötig um einen Mann zu kämpfen." Natürlich wusste Vivienne, dass ihr Bruder Recht hatte. Doch Konrad klebte wie Teer an ihrem Herzen. Sie nahm sich vor, Ferdinand für ein weiteres Beratungsgespräch in seiner Praxis aufzusuchen und machte einen Termin ab.

„Du musst von ihm loskommen, es kann nicht sein, dass dich, ausgerechnet dich, ein Mann dergestalt demütigt, Vivienne!" rügte der Psychologe seine Freundin ein paar Tage später. „Dies sind seine Verhaltensmuster. Er wird sich nie ändern, ausser er lässt sich auf eine längere Therapie ein. Doch ich bezweifle, dass er etwas an seinem Verhalten ändern will. Jetzt ist er der Star, der König zwischen zwei Frauen, die um ihn kämpfen. Dies macht ihn sicher und stark. Wenn die eine nicht macht, was er will, dann geht er eben wieder zur anderen. Dies kann ewig so weitergehen. Darum beende die Beziehung, sofort! Am Schluss liegst du am Boden, nicht er, denn deine Kräfte sind nicht unendlich, sondern bald mal aufgebraucht, wenn du so weitermachst!" Vivienne gab ihrem Freund Recht, doch sobald sie wieder zu Hause war, schlug sie Ferdinands Warnung in den Wind und glaubte weiter an die unzerstörbare Liebe zwischen ihr und Konrad, von dem sie seit der Kündigung am Buss- und Bettag nichts mehr gehört hatte. Ausgerechnet an jenem besonderen Sonntag im September bestellte der Firmenchef Konrad in die Firma, mit der Begründung, dass keiner der Mitarbeiter von der Kündigung Wind bekommen sollte. Vielleicht wählte Rudolf Matter diesen Tag aber auch mit Absicht, um Konrad aufzuzeigen, dass es tatsächlich an der Zeit war, Busse zu tun. Damit demütigte er seinen Personaldirektor zutiefst und Vivienne war sicher, dass Konrad ihm dies nie, niemals verzeihen würde!

Nach endlosen Tagen des Schweigens, rief Konrad Vivienne an. Dieses Mal nicht aus Sehnsucht, sondern um seiner unbeschreiblichen Wut Ausdruck zu verleihen. „Der Matter hat meinen desolaten Zustand ausgenützt und nachdem ich längst am Boden lag, stiess er mir seinen Dolch mit voller Wucht in den Rücken." Vivienne versuchte Konrad zu beruhigen: „Ich such mir jetzt einen neuen Job und ziehe hier weg, weit weg. Ich liebe dich immer noch Konrad, doch du hast den Widerstand deiner Frau und deiner Familie auf deine Trennungsabsichten völlig falsch eingeschätzt und nun darf ich das mitausbaden. Wir hätten uns vor unserem Outing zuerst um neue Jobs und einen neuen Wohnort bemühen müssen. Nun lief alles aus dem Ruder." „Da hast du Recht", bestätigte Konrad. Plötzlich begann er zu weinen und legte schluchzend den Telefonhörer auf.

Je länger sich Vivienne Gedanken über ihre geplante berufliche Neuorientierung und Umzug in eine andere Gegend machte, desto mehr begann sie innerlich vor Wut zu kochen. ‚Fabian und ich müssen hier das Feld räumen, damit Konrad beziehungsweise seine Ehefrau als Siegende zurückbleiben. Wir müssen nochmals von vorne beginnen und die beiden können weiter schön in ihrem vertrauten Nest bleiben.' Niemals traute sie Konrad zu, aus der Region wegzuziehen, vor allem, weil er dann Charlotte nicht mehr jeden Tag im Wohnheim besuchen könnte.

Vivienne ging jeden Tag weiter zur Arbeit und versuchte gegen aussen ihre Rolle perfekt zu spielen. Doch zu Hause streifte sie diese Rolle wie einen zu schwer gewordenen Mantel wieder ab und wirkte bleich, müde, resigniert und furchtbar verletzt. ‚So muss es Fabians Vater ergangen sein, als ich ihn verliess,' überlegte Vivienne, als sie eines Abends im warmen Wasser ihrer Badewanne lag. ‚Genauso muss er sich gefühlt haben, als ich ihm unmissverständlich klarmachte, dass ich die aufgezwungene Ehe nicht weiterführen werde. Für ihn brach damals eine Welt zusammen, weil es für ihn aus seiner Sicht nur eine Frau gab, die er über alles liebte. Doch dies war von Anfang an eine Seifenblase gewesen,' überlegte Vivienne. ‚Mit meinen 18 Jahren wurde ich in eine

Ehe genötigt, deren Folgen ich noch gar nicht abschätzen konnte. Nun durchlebe ich denselben Trennungsschmerz, wie damals Bruno. „Karma", würde Reto sicher sagen. Muss ich diesen Schmerz nun als Strafe für mein damaliges Verhalten durchleben?' Sie überlegte eine Weile und kam dann zum Schluss: ‚Nein, die Trennung von Bruno war richtig, denn wäre ich geblieben, wäre ich zu Grunde gegangen.'

Für Konrads Sohn Mike waren sein Vater und Vivienne die egoistischsten Menschen, die man sich nur vorstellen konnte. „Du weisst überhaupt nicht, was wirkliche Liebe ist!" liess Konrad seinen Sohn wissen, als dieser seinem Vater seine ganze Verachtung zeigte und erklärte, dass er künftig nicht mehr an ihm hochschauen werde, wie er dies bis vor kurzem getan hätte. „Was du Mami angetan hast, ist nicht entschuldbar, weil sie das so nicht verdient hat!" warf er zudem seinem Vater an den Kopf. Konrad versuchte seine Situation näher zu erklären. „Vivienne hat mir Türen geöffnet, von denen ich nicht einmal wusste, dass es sie gibt. In ihrer Gegenwart tauche ich in eine Welt ein, von der du keine Ahnung hast." Doch alles Erklären und Rechtfertigen nützte nichts, Mike fühlte sich mit dem Verhalten seines Vaters komplett überfordert. Oft hatte er das Gefühl, einen Fremden vor sich zu haben und irgendwann musste er einsehen, dass es den Vater aus früheren Tagen nicht mehr gab. „Mein Vater hat sich total verändert und daran bist du schuld!" liess er Vivienne denn auch während einer Zufallsbegegnung auf der Strasse wissen. Diese entgegnete ihm: „Und du mit deinen 21 Jahren weisst natürlich ganz genau, wie sich dein Vater zu verhalten hat? Er ist nicht euer Gefangener, merk dir das! Er hat das

Recht, sich weiterzuentwickeln. Auch wenn dir das nicht passt, du Grünschnabel, du!"

Mike verstand nicht, warum sein Vater ausgerechnet an der aufgetakelten Personalchefin so den Narren gefressen hatte und dafür den Familienfrieden aufs Spiel setzte. Zudem vermisste er seine geliebte Schwester mehr, als er gegen aussen jemals zugegeben hätte. Dass nun sein Vater verrücktspielte und sich nicht zwischen der heimischen Welt, die zwar nicht mehr dieselbe war, wie noch zwei Jahren zuvor, und der neuen, die ihm durch diese Zeller eröffnet wurde, entschliessen konnte, belastete ihn enorm. Zudem drohte seine Mutter immer wieder mit Selbstmord und Mike liess seinen Vater wissen, dass er ihm dies nie, nie, nie verzeihen würde. „Und nur, damit du es weisst, es gibt auch solche in der Firma Matter, die froh wären, wenn deine Vivienne die Firma verlassen müsste. Sie ist nicht bei allen so beliebt, wie du meinst." „Das sind sicher diejenigen, denen sie mal den Spiegel über ihre ungenügende Leistung vorgehalten hat. Ja, das kann ich mir sehr gut vorstellen, dass die froh sind, wenn sie das Feld räumt!" gab Konrad in giftigem Ton zurück. Konrad liess sich nicht auf ein weiteres Streitgespräch mit seinem Sohn ein, weil er der Meinung war, dass ihn die Ehekrise seiner Eltern auf keine Weise etwas angehen würde. Der junge Mann wusste zu wenig aus der Vergangenheit, um sich ein objektives Bild über die Beziehung seiner Eltern machen zu können. Er hörte immer nur eine Seite, nämlich die seiner Mutter, die ihrem Ehemann und Vivienne den schwarzen Peter zuschob. „Ist ja nicht grad schmeichelhaft, dass ich als willenloser Typ hingestellt werde, der sich von einer Jüngeren umgarnen lässt", meinte Konrad eines Abends zu seiner Frau, als sie wieder gegen die Nebenbuhlerin wetterte. Doch sein Votum nützte nichts, denn es musste einfach jemand anderes Schuld an der Ehekrise sein, um vom eigenen Unvermögen abzulenken.

„Wollen wir es nochmals miteinander versuchen, ich will jetzt wirklich einen Trennungsstrich ziehen", versprach Konrad hoch und heilig, nachdem er Vivienne von Neuem bat, wieder bei ihr einziehen zu können. „Heisst das, dass du dich nun offiziell von deiner Familie trennen wirst?" wollte sie in inquisitorischem Ton wissen, während Konrad sein Gepäck im Korridor abstellte. Als Antwort nahm er sie in seine Arme und drückte sie fest an sich. Als Fabian feststellte, dass seine Mutter Konrad nochmals eine Chance geben wollte, schüttelte er ungläubig den Kopf. „Mami, das ist nicht zu glauben und mal schauen, wie lange er dieses Mal bleibt."

Zwei Alphatiere auf Reisen

Nach über einem Monat harmonischen Zusammenlebens plante Vivienne mit Konrads Zustimmung den ersten gemeinsamen Urlaub. Ihr Partner war zwar immer noch krankgeschrieben, doch der Arzt war der Meinung, dass seinem schicksalsgebeutelten Patienten Zerstreuung und Distanz vom gewohnten Lebensumfeld guttun würden. „Was hältst du von Ferien in der Normandie?" wollte Vivienne wissen. „Gute Idee, dort war ich noch nie. Wir könnten unter anderem das Gezeitenkraftwerk in Saint-Malo besuchen, das interessiert mich schon lange", schlug Konrad vor. „Aber Saint-Malo ist in der Bretagne", gab Vivienne zu bedenken. „Ist doch egal, wir planen die Reiseroute so, dass wir zuerst nach Lyon fahren und dort übernachten. Anderentags fahren wir ins Loiretal, sehen uns einige Schlösser an, bleiben dort für eine Nacht, fahren am nächsten Tag weiter nach Saint-Malo und von dort dann in die Normandie." „Tönt etwas stressig" meinte Vivienne wenig begeistert. Darauf gab Konrad keine Antwort und zuckte nur mit den Schultern. Etwas später wollte er wissen: „Und, bist du dabei?" „Ja okay. Aber du fährst und wir nehmen mein Auto. Keinesfalls fahren wir den weiten Weg mit deiner kleinen Büchse!" gab Vivienne gleich mal den Tarif durch. „Mein Auto ist keine kleine Büchse, aber du hast Recht, deine Amiprotzkiste ist für die lange Reise um einiges komfortabler", scherzte Konrad.

Was die beiden für die Ferienplanung völlig ausser Acht liessen, waren ihre unterschiedlichen Übernachtungsgewohnheiten. Konrad nächtigte nie in teuren Hotels, Vivienne hingegen gönnte sich gerne den Luxus eines Vier- oder gar Fünfsternehotels, wenn ihre Reisekasse entsprechend gefüllt war. Nun war sie voll und Viviennes innigster Wunsch war es, die ersten gemeinsamen Ferien in möglichst elegantem Ambiente zu geniessen. Für die Übernachtung in Lyon drückte ihr einer ihrer Geschäftskollegen den Prospekt eines Fünfsternehotels in die Hände, nachdem sie ihm beiläufig über ihre Ferienpläne erzählt hatte. „Ich war mal mit meinem Freund in dieser noblen Herberge, die wirklich keine Wünsche offenlässt" liess Robert Vivienne verheissungsvoll wissen. „Ausser, dass der Portier beim Parkieren unseres Autos die Seitentüre vergass zu schliessen und diese sich während der Fahrt in die Tiefgarage öffnete…wir mussten danach eine neue Türe einbauen lassen." „Das ist ein Scherz, oder?" wollte Vivienne wissen. „Keineswegs, also wenn du dort eincheckst, Autotüren nicht vergessen zu schliessen", zwinkerte ihr Freund Vivienne zu, die sich vor Lachen kaum halten konnte. Ohne Konrad vorgängig zu informieren, buchte sie ein schönes Zimmer im Nobelhotel. „Für die erste Übernachtung bist du eingeladen. Lass dich überraschen", meinte sie lediglich. „Mal sehen", war seine unverbindliche Reaktion.

Kurze Zeit später war es soweit und die beiden starteten ihren ersten gemeinsamen Urlaub. „Nimmst du immer so viel Gepäck mit auf Reisen?" wollte Konrad wissen, nachdem er die drei Koffer seiner Geliebten im überdimensionalen Kofferraum verstaut hatte. „Man weiss ja nie, was alles auf einen zukommt", erklärte Vivienne. „Und Du, hast du immer nur ein Köfferchen dabei, wenn du auf Reisen gehst?" fragte sie mit skeptischem Blick auf sein bescheidenes Gepäck zurück.

„Ja klar, für was soll ich den halben Haushalt mitschleppen?"
meinte er augenrollend.

Nach vierstündiger Autofahrt erreichten sie Lyon und Vivienne erklärte Konrad die Route mit Hilfe eines Stadtplans.
Tatsächlich erreichten sie das Fünfsternehotel problemlos
und Vivienne rief erfreut: „Das ging ja flott, siehst du Konrad,
da vorne ist unser Hotel! Da bleiben wir für eine Nacht." Vor
dem prächtigen weissen Jugendstilhaus stand ein rotlivrierter
Portier, mit schwarzem Zylinder und weissen Handschuhen,
um die Gäste aus aller Welt willkommen zu heissen. Nachdem Konrad den Portier erblickt hatte, stockte ihm fast der
Atem. „Hier komm ich unter keinen Umständen rein!! Nie
und nimmer übernachte ich in einem Hotel mit versnobten
Lackaffen!" „Das ist nicht dein Ernst?" wollte Vivienne empört wissen. „Mein voller Ernst! Niemals werde ich hier
übernachten!" Dann gab Konrad Vollgas und brauste am erstaunten Portier vorbei. Vivienne kam sich wie kalt geduscht
vor und konnte nicht fassen, was soeben passiert war. Konrad kurvte wütend durch Lyons Strassen, ohne zu wissen in
welchem Stadtteil er sich befand. ‚Hauptsache weg von allem, was auch nur nach vornehmer Bude roch!' ging es ihm
wütend durch den Kopf. So hatte Vivienne ihren Partner
noch nie erlebt und wäre am liebsten wieder zurück in die
Schweiz gefahren. „Was nun?" wollte sie wissen, nachdem
Konrad ziellos weiterfuhr. „Wir fahren nun ins Stadtzentrum,
dort gibt es sicher passendere Hotels." Konrad orientierte
sich nun an den Strassenschildern, die ihn ins Zentrum führten. Was er Vivienne gegenüber vor der Abreise verschwieg,
war die Tatsache, dass er ebenfalls ein Hotelzimmer gebucht
hatte, denn seiner Meinung nach war dies Männersache. Aus

der Ehe mit Elena war er sich zudem gewohnt, Reiserouten und -unterkünfte nach seinem Gutdünken selbst zu bestimmen und da sich Elena nie darüber beschwerte, nahm er an, dies sei eben tatsächlich Männersache. Doch bei Vivienne lief es bis anhin genau umgekehrt: Sie war diejenige, die den Urlaub von A bis Z plante und durchorganisierte.

„Wir parkieren nun das Auto in der Nähe der Altstadt und dann zeig ich dir das Hotel, in dem ich ein Zimmer reserviert habe", liess er die verdatterte Vivienne wissen. Nachdem das Auto in einer der engen Gassen am Strassenrand parkiert war, schlenderten die beiden ein paar Schritte durch die Altstadt und plötzlich ging Konrad zielstrebig auf ein Hotel zu, dessen Eingangstüre lediglich mit zwei Sternen versehen war. Vivienne war über den unpersönlichen Altbau, der eher einer Absteige als einem Hotel glich entsetzt. Konrad bestand darauf, dass sie wenigstens mal einen Blick auf das reservierte Zimmer werfen sollte. Während der Hotelier den beiden ein zirka zwölf Quadratmeter grosses Zimmer zeigte, in dessen Mitte ein Bett mit rotem, abgewetztem Metallgestell auf einem nach Kunststoff riechenden grauen Bodenbelag stand, schaute sie Konrad empört an. „Das ist nicht dein Ernst?!?" „Doch, hier bleiben wir für eine Nacht!" erklärte Konrad der aufgebrachten Vivienne. „Tut mir leid, doch in dieser Absteige werde ich keinesfalls übernachten!!" liess sie ihn energisch wissen. Dann drehte sie sich um und marschierte wieder auf die Strasse zurück. Der Hotelier und Konrad schauten sich kopfschüttelnd an und wechselten ein paar Worte auf Französisch. ‚Das habe ich davon, dass ich mich in eine Anwaltstochter aus vornehmen Kreisen verliebt habe!' überlegte Konrad wütend. ‚Madame fühlt sich nur in Nobelbuden wohl, die ich so verabscheue.' Vivienne ihrerseits dachte:

‚Wie kommt ein bestens ausgebildeter und gutverdienender Akademiker dazu, sich dermassen kindisch gegen alles zu stellen, was nur im Entferntesten nach Luxus riecht? Das geht über meinen Verstand.‘

Die Kriegsbeile waren ausgegraben und nur mit Mühe bewegte Vivienne ihren Reisegefährten dazu, in einem passablen Mittelklassehotel zu übernachten. Die Stimmung war dahin und als Vivienne nach der stressigen Reise darauf bestand, sich vor dem Abendessen noch ein wenig aufs Ohr zu legen, rastete Konrad vollends aus. Normalerweise hätte Vivienne so einen Mann aus dem Hotelzimmer geworfen, doch ihr fehlte die Kraft und den Mut, ihren ehemaligen Chef einfach in Lyon stehen zu lassen und wieder nach Hause zu fahren. Zudem war die Unterkunft in der Normandie bereits gebucht und bezahlt. Nachdem sich Vivienne im Hotelzimmer hingelegt hatte, verliess Konrad mit dem Stadtplan in der Hand demonstrativ das Zimmer, um allein auf Besichtigungstour zu gehen.
Vor dem Abendessen war er wieder zurück und die Stimmung beruhigte sich etwas. Doch innerlich kochte Vivienne immer noch vor Wut, weil sie nicht wie geplant im um einiges komfortableren Hotel nächtigen durfte. Zudem fehlte ihr ein richtiges Badezimmer mit Badewanne, doch dafür zeigte Konrad gar kein Verständnis. „Madame muss jetzt halt mal auf ihr allabendliches Bad verzichten und stattdessen duschen. Davon geht die Welt nicht unter, oder täusche ich mich?" Vivienne riskierte keinen weiteren Streit und schwieg. Ihr Bauchgefühl sagte ihr, dass sie hier und jetzt die Beziehung zu Konrad einmal mehr abbrechen müsste, denn da prallten Welten aufeinander, die sich kaum finden würden.

Was auf der Seelenebene stimmte, war auf der weltlichen kaum vereinbar. Wie angeworfen plagten sie nun Durchfallattacken und sie sah sich gezwungen, in einer nahen Apotheke ein Medikament zu kaufen, das ihr Nervensystem wieder beruhigte.

Am folgenden Morgen nach dem Frühstück, ging es weiter Richtung Loiretal. Die Stimmung war versöhnlicher und die beiden freuten sich auf die vielen Schlösser, die sie besichtigen würden. Nach fünfstündiger Fahrt gelangten sie an ihr Tagesziel und Vivienne erklärte Konrad als Beifahrerin und ausgerüstet mit einem detaillierten Lageplan den Weg zu ihrem Hotel in Tours, wo sie ebenfalls im Voraus ein Zimmer gebucht hatte. „Meine Freundin Monique war mal in dem Hotel und hat mir den Tipp gegeben", liess sie Konrad wissen, während er von der Landstrasse in Richtung Hotelpark abbog. „Du bist diese Nacht mein Gast und ich hoffe doch sehr, du nimmst die Einladung heute an." Konrad nickte nur und nachdem er das schlossähnliche Gebäude, umgeben von uralten, schattenspendenden Bäumen erblickte, fand er fürs erste Gefallen an der wilden Romantik, die das Grundstück ausstrahlte. Die anfängliche Begeisterung hielt sich jedoch nicht lange, denn als der Portier den beiden ihr Zimmer zeigte und Konrad den Preis an der Zimmertüre per Zufall erblickte, platzte er fast vor Wut. „Bist du wahnsinnig, ein so teures Zimmer zu buchen? Und dann kommt noch das Essen hinzu, das hier sicher auch nicht gratis ist!" Vivienne, die sich auf einen romantischen Abend in stilvollem Ambiente gefreut hatte, war alles andere als begeistert über Konrads abschätzige Haltung. Ihr Zimmer im Dachstock liess keine Wünsche offen und wäre die perfekte Liebeslaube gewesen.

‚Ich hasse ihn!!! Doch vor allem hasse ich mich, weil ich nicht mehr von ihm loskomme!!!' tobte sie innerlich und versuchte gegen aussen Haltung zu bewahren. ‚Dieses Mal gebe ich nicht klein bei!' nahm sie sich vor. Um auf Reisen gut zu schlafen, benötigte sie ein angenehmes Ambiente und kein Feldbett, wie im Militär. Mit Schaudern erinnerte sie sich an das rote Eisenbett in Lyon zurück, das ihr Konrad als taugliche Schlafstätte aufzwingen wollte. Für ihn stand für Hotelübernachtungen in erster Linie der Preis im Vordergrund und er war nicht bereit, Geld für etwas auszugeben, das in seinen Augen nach Verschwendung roch. Was Vivienne nicht wusste: Diese Haltung wurde ihm bereits als Kind durch die Neutäufer Gemeinschaft im Emmental übermittelt. Bis anhin wagte er es kaum, sich aus dieser Doktrin zu befreien. Und dies trotz des Austritts seiner Eltern aus der Sekte, als er noch ein Primarschüler war. Von jenem Zeitpunkt an wurde er zwar protestantisch erzogen, doch die Schatten der Neutäufer holten ihn immer wieder dann ein, wenn es um unnötige Geldausgaben ging. Nie wäre es ihm in den Sinn gekommen, seine Kleider ausserhalb des Ausverkaufs zu kaufen, ganz im Gegensatz zu Elena, die als Direktorengattin vornehmlich teure Markenkleider trug. Nun glaubte er die verschwenderische Elena los zu sein und stellte bestürzt fest, dass auch Vivienne einen gewissen Hang zum Luxus hatte. ‚Obwohl, ein klein wenig Luxus konnte auch sein Gutes haben,' gestand sich Konrad dann doch ein. ‚In meinem Alter wird es vielleicht Zeit, sich auch mal was zu gönnen, ohne gleich ein schlechtes Gewissen zu haben.' So liess er sich doch noch auf die Übernachtung im „Nobelschuppen" ein.

Nachdem sich die beiden etwas erfrischt und umgezogen hatten, gingen sie zum Abendessen ins hoteleigene Restaurant. Nach dem exzellenten Diner meinte Konrad: „Ich habe in meinem ganzen Leben noch nie so gut gegessen. Das war wirklich erstklassig! Bis jetzt habe ich kein vergleichbares Restaurant kennen gelernt." Am anderen Morgen besichtigten sie wie geplant einige der Loire-Schlösser und fuhren weiter Richtung Saint-Malo, um das Gezeitenkraftwerk zu besuchen.

Der Rest der Ferien verlief ohne grössere Eskalationen. Genau betrachtet war die Harmonie gegen aussen jedoch eher trügerisch und ähnelte einem Waffenstillstand. Während der zehnstündigen Heimfahrt am Ende des Urlaubs überkam Vivienne einmal mehr ihr flaues Bauchgefühl und sie wusste: ‚Wenn wir zu Hause sind, wird mich Konrad wieder verlassen.' Kaum zurück in der Schweiz, teilte Konrad seiner Geliebten tatsächlich mit, dass Elena und alle anderen Recht hätten und sie beiden einfach nicht zusammenpassen würden. ‚Spiele ich hier die Hauptrolle in einem Psychodrama?' fragte sich Vivienne weinend, nachdem sich die Haustüre hinter Konrad zum wiederholten Mal geschlossen hatte. Sie ging ins Wohnzimmer und kramte das astrologische Partnerschaftshoroskop aus der Schublade hervor und las dieses nochmals eingehend durch.

‚Jedes Mal, wenn wir uns wieder trennen, lerne ich etwas über mich dazu,' wurde ihr bewusst, während sie die Analyse durchblätterte und einzelne Passagen mehrmals las. ‚Es kommt mir so vor, als müsste ich diesen schmerzhaften Entwicklungsprozess aushalten, um mehr über mich und mein Leben zu erfahren. Und dies nicht ganz freiwillig. Wer führt

hier wohl Regie?' Doch auf diese Frage fand sie keine befriedigende Antwort.

Astrologische Deutereien

Kaum wieder zu seiner Familie zurückgekehrt, vermisste Konrad Vivienne schmerzlich. Jedes Mal, wenn er sich entschloss, seine Geliebte zu verlassen, fühlte er sich durch eine unerklärliche innere Kraft getrieben. Es kam ihm so vor, als würde er magnetisch wieder Richtung Elena gezogen und kaum war er bei ihr, liess die magnetische Kraft nach und baff stand er wieder dort, wo er nüchtern betrachtet nie mehr hinwollte und sich auch nicht mehr dazugehörig fühlte. Konrad überkam das Gefühl, als trage er eine unsichtbare Zwangsjacke, die nicht einfach so abzustreifen war und die ihn hinderte, sein wahres Leben zu leben. Was sein wahres Leben war, wusste er zwar nicht, doch sicher war es nicht mehr das Leben, das er sich bis vor Charlottes Herzstillstand gewohnt war. Finanziell war er seiner Familie gegenüber nach wie vor verpflichtet, das war ihm wohl bewusst. Doch war er gegenüber Elena und Mike auch verpflichtet, auf die Liebe seines Lebens zu verzichten? Auch wenn es immer wieder zu unsinnigen Auseinandersetzungen zwischen ihm und Vivienne kam, liebte er sie so, wie er noch nie einen anderen Menschen geliebt hatte. Konrad packte seine Koffer aus und verstaute seine Habseligkeiten im Schrank. Er fühlte sich krank und ausgelaugt und die Trauer um Charlottes Schicksal übermannte ihn aufs Neue. Er brauchte, um den schweren Schicksalsschlag zu verarbeiten, Ruhe und Zurückgezogenheit. Doch Vivienne beharrte auf klaren Verhältnissen und dazu fehlte ihm einfach die Kraft. ‚Darum ist es besser, ich versuche hier in meinem gewohnten Umfeld wieder klar

Schiff zu machen, um mir bewusst zu werden, wie es vor allem beruflich weiter gehen soll.'

Bereits nach ein paar Tagen stellte Konrad ernüchternd fest, dass es ein Klar-Schiff-Machen innerhalb seiner Familie kaum mehr geben würde, weil das Schiff längst am Sinken war. Sein altes Leben war vorbei und der sichere Hafen, egal ob beruflich oder privat, existierte nicht mehr. Genauso wie ihn die unsichtbare Kraft Tage zuvor zu seiner Familie drängte, drängte sie ihn Tage später wieder zu Vivienne zurück. Viviennes lebhafte und fröhliche Art, ihre Unbekümmertheit und doch Ernsthaftigkeit, wenn es um zwischenmenschliche Themen ging, fehlte ihm einmal mehr. Doch es gab auch die andere Seite an seiner Geliebten, die ihn immer wieder zur Weissglut brachte. ,Dieses emanzipierte Getue und der Unabhängigkeitsdrang geht mir sowas auf den Sack!' gestand er sich ein.

„Wann denken Sie, dass ich wieder in der Lage sein werde, zu arbeiten?" wollte Konrad Tage später beim Arzttermin von seinem Hausarzt wissen. „Das wird noch ein Weilchen dauern" meinte der erfahrene Mediziner. „Zuerst müssen Sie ihre private Situation klären, weil es sich nicht gut macht, wenn ein in Scheidung lebender Personaldirektor auf Stellensuche geht. Die Unternehmen wollen grad solch sensible Positionen mit Personen besetzen, die ihr Leben im Griff haben. Egal, ob sie geschieden sind oder nicht, das ist zweitrangig. Wichtig ist, dass Sie wissen, wo Sie hingehören und in klaren Verhältnissen leben. Oder hätten Sie selbst einen Managementjob mit einem Kandidaten besetzt, der grad in Scheidung lebt?" Dies war nicht die Antwort, die Konrad hören wollte. „Nein, hätte ich nicht. Ja und dies ist mit ein Grund, warum ich mich zum heutigen Zeitpunkt nicht zu meiner neuen Partnerin bekennen will. Zudem möchte ich mich von meiner Frau in Frieden trennen, doch sie gibt mich um keinen Preis frei. Ich stecke in der Sackgasse und komm nicht mehr raus." „Tatsächlich keine einfache Geschichte", erwiderte der Arzt nachdenklich. „Darum bin ich überzeugt, dass Ihre Beschwerden vor allem psychosomatischer Natur sind. Diese werden verschwinden, sobald Sie Ihr Leben wieder im Griff haben. Da bin ich mir fast sicher. Ich würde Ihnen zur seelischen Unterstützung empfehlen, eine Psychologin aufzusuchen, die sich auch mit Astrologie auskennt. Meine Bekannte arbeitet nach den Lehren des weltweit bekannten Schweizer Psychiaters Carl Gustav Jung, der während seiner Praxistätigkeit oft astrologische Gutachten erstellen liess. So erhielt er zusätzlich wertvolle Erkenntnisse über seine Patienten. Frau Lampert arbeitet ebenfalls mit dieser Methode und hat sich als psychologische Astrologin einen guten Namen gemacht. Ich spreche da aus eigener Erfahrung, weil sie mir während einer Krise half, wieder klarer zu sehen. In Ihrem Fall kann ich somit sagen: Wenn es nichts nützt, so wird es nicht schaden", verabschiedete der Hausarzt seinen Patienten und drückte ihm Frau Lamparts Visitenkarte in die Hand. Noch am selben Abend telefonierte Konrad mit der Psychologin und vereinbarte einen Termin.

Ein paar Tage später traf Konrad Frau Lampart in ihrem Ferienhaus im Toggenburg in der Nähe des Säntis und liess sich eine astrologische Beratung geben. Mit vielem hätte Konrad gerechnet, jedoch niemals mit der Vorhersage, dass Vivienne Konrad aufs Alter hin wieder verlassen würde. „Ihre Geliebte wird Sie verlassen, wenn Sie auf die 70 Jahre zugehen. Zudem passen Sie astrologisch gesehen nicht zusammen, obwohl, auch mit Ihrer Frau passen sie nicht wirklich zusammen. Aber da wissen Sie wenigstens, was Sie haben und darum rate ich Ihnen, dort zu bleiben, wo Sie sind." Nach dem Gespräch fühlte sich Konrad wie erschlagen und überlegte sich ernsthaft, ob es nicht an der Zeit wäre, sich doch noch umzubringen.

Vivienne war entsetzt, als Konrad ihr telefonisch vom Gespräch mit der Astrologin erzählte. „Was fällt der Tante ein, dir solch einen Mist aufzutischen? Hast du was dagegen, wenn ich sie ebenfalls aufsuchen würde?" wollte Vivienne wissen. „Nein, ich habe nichts dagegen. Zudem bist du ein freier Mensch und kannst tun und lassen, was du willst.." So vereinbarte Vivienne ebenfalls einen Termin und lernte Frau Lampart ein paar Tage später persönlich kennen. Nach dem üblichen Begrüssungssmalltalk wollte sie von der dunkelhaarigen, eher klein gewachsenen, attraktiven Mittfünfzigerin wissen, wie sie zur niederschmetternden Prognose im Fall von Konrad und ihr als Paar gekommen sei. Diese Frage wollte die Astrologin nicht beantworten, weil sie der Meinung war, dass sie mit ihrer neuen Kundin nicht über deren Partner sprechen sollte, sondern ausschliesslich über sie. Mit gemischten Gefühlen liess sich Vivienne durch die quirlige und sehr überzeugend wirkende Frau die astrologische Beratung geben. Während des Gesprächs erklärte ihr Frau Lampart, dass so, wie sie die Situation einschätzte, die Beziehung unter keinem guten Stern stand. „Wenn Ihr Partner über 60 Jahre alt ist oder spätestens, wenn er 70 ist, werden Sie ihm den Laufpass geben. Mit ungefähr 45 Jahren, also in sieben

Jahren, werden Sie in der Lage sein, zu erkennen, dass diese Beziehung ausser Ärger und Verdruss gar nichts bringt."

„Können Sie mir erklären, warum im astrologischen Partnerschaftsgutachten der Astrointelligenz von Liz Green etwas ganz anderes steht?" konfrontierte Vivienne die Beraterin. Darauf wusste Frau Lampart keine überzeugende Antwort „Jeder deutet astrologische Konstellationen anders. In meinem Fall darf ich mit ruhigem Gewissen sagen, dass ich in all den Jahren mit meinen Analysen treffsicher war. Seien Sie auf jeden Fall auf der Hut, Frau Zeller und lassen Sie sich nicht über den Tisch ziehen. Sie sind eine sehr gutmütige, wenn auch manchmal etwas naive Persönlichkeit, die einfach nur an das Gute glauben will. Leute wie Sie bieten sich zum Ausnützen richtiggehend an." Vivienne bezahlte 350 Franken für das Gespräch samt astrologischer Grafik und musste der Astrologin innerlich recht geben: ‚Stimmt, oft bin ich zu naiv und zu vertrauensselig, wie gerade eben jetzt. Wie komm ich sonst dazu, 350 Franken von meinem sauer verdienten Geld einer Astrologin hinterher zu werfen? Sie warnt mich davor, mich nicht auszunützen zu lassen, doch genau dies macht sie mit ihren verzweifelten Kunden!' Nach dem unerfreulichen Gespräch las Vivienne wieder zu Hause angekommen, nochmals einige Abschnitte der Astrointelligenz-Analyse durch.

„Trotz der explosiven und überlebensgrossen Eigenart Ihrer Beziehung zu Konrad, müssen Sie beide vielleicht auch grosse Geduld und Ausdauer entwickeln. Denn in der Beziehung gibt es gewisse Einschränkungen oder Behinderungen."

Sie überflog die 80 Seiten und fand nirgends einen Hinweis, dass sie Konrad aufs Alter hin verlassen würde. Im Gegenteil: Schwarz auf weiß wurde erklärt, welch heilendes Potential sich in dieser Liebesbeziehung im Laufe der Jahre entwickeln würde, sofern sie bereit waren, all die Einschränkungen in Kauf zu nehmen, um diese gemeinsam zu überwinden. „Man kann sein Glück nicht auf dem Unglück eines anderen aufbauen...", warum kommt mir ausgerechnet jetzt diese Lebensweisheit der Lohnbüromitarbeiterin wieder in den Sinn? Grundsätzlich hatte die Mitarbeiterin damit Recht. Doch dies würde bedeuten, dass ich Konrad für alle Zeiten vergessen müsste...und das ist einfacher gesagt als getan'. Bei dem Gedanken wurde Vivienne ganz elend und sie legte die Analyse wieder zur Seite, um das Abendessen für sich und Fabian vorzubereiten. Währenddessen klingelte das Telefon. Sie nahm den Hörer ab und war erstaunt, dass sich am anderen Ende der Leitung der Berufsberater ihres Wohnortes meldete. „Frau Zeller, Ihr Sohn möchte den Ausbildungsplatz wechseln. Fabian hat mir anvertraut, dass Sie darauf bestehen, dass er seine Lehre als Velomechaniker abschliessen muss, egal wie schwierig die Zusammenarbeit mit seinem derzeitigen Lehrlingschef ist." Vivienne suchte Wochen zuvor das Gespräch mit Nicki Nickel und kam zum Schluss, dass auch Fabian lernen musste, sich anzupassen. Es konnte nicht immer alles nach seinem Kopf gehen und was man angefangen hatte, musste zu Ende geführt werden. Dies teilte sie auch dem Berufsberater mit. „Frau Zeller, Ihr Sohn traf diese Berufswahl, weil er der Meinung war, dies sei das Richtige für ihn. Nun hat er festgestellt, dass dies nicht zutrifft. Er ist in einem Alter, in dem er problemlos nochmals einen Neustart wagen kann. Er möchte gerne Modeberater werden, weil ihm

dies eher entspricht und was auch diverse Tests im Berufs-
zentrum bestätigt haben. Darum bitte ich Sie, Ihrem Sohn bei
seiner Entscheidung nicht im Wege zu stehen", versuchte der
Berufsberater Vivienne umzustimmen. „Wenn Sie meinen, ja,
dann soll er halt die Lehrstelle wechseln. Aber erst, wenn er
eine neue gefunden hat", willigte Vivienne schlussendlich
ein. Fabian strahlte übers ganze Gesicht, als sie ihm ihren
Entscheid während des Abendessens mitteilte. „Mami, ich
habe bereits eine neue Lehrstelle gefunden und zwar in der
Filiale einer Modehauskette. Ich könnte in einem Monat an-
fangen und Nicki Nickel würde den Lehrvertrag problemlos
auflösen. Er ist froh, wenn er mich wieder loswird." Vivienne
war erstaunt, was da alles hinter ihrem Rücken ablief und
nahm sich vor, künftig mehr Zeit mit Fabian zu verbringen.
Sie war jedoch dankbar, dass er trotz ihres anspruchsvollen
Jobs und ihrer Beziehungswirren seinen Weg auch ohne ihr
Zutun fand und sich vor allem zu wehren wusste.

In derselben Nacht fand sie wie so oft keinen Schlaf, weil sie
an Konrad dachte. ‚Warum kann ich ihn nicht einfach vergessen, wie dies jede einigermassen vernünftige Frau in meiner
Situation tun würde?' Sie wusste keine Antwort darauf.

Seit den Ferien in der Normandie lebte Konrad bereits wieder
drei Wochen bei seiner Familie. Am selben Abend, als er bei
Elena einzog, beharrte er auf eine Aussprache. Dabei warf er
seiner Gattin so einiges an den Kopf, was ihn im Verlauf ihrer
langjährigen Ehe immer wieder nervte. Elena Koch gelobte
Besserung und gab sich alle Mühe, um ihren Mann nicht nur
psychisch, sondern auch physisch zu erfreuen. Ihre Freundin
Rosemarie gab ihr dafür reichlich Tipps aus eigener Erfah-

rung. Konrad war mehr als überrascht über Elenas unerwartete Annährungsversuche. ‚Was fällt ihr ein, sich jetzt als die grosse Liebhaberin zu präsentieren, nachdem sie mich über all die Jahrzehnte regelmässig abblitzen liess? Denkt sie wirklich, ich bin so einfach gestrickt und funktioniere nur über meine männlichen Triebe? Egal wieviel Mühe sich Elena nun gibt, meine Gefühle für sie sind mehr oder weniger erloschen.'

Nachdem Elena realisierte, dass sie ihren Mann nie wieder so zurückbekommen würde, wie er bis vor Charlottes Herzstillstand war, kochte einmal mehr Wut gegenüber der Rivalin hoch, der sie nichts Gutes wünschte. ‚Diese Zeller ist an allem Schuld, sie hat mir meinen Mann weggenommen! Verhext hat sie ihn mit ihrem Charme und ihren Verführungskünsten. Warum lässt sie ihn auch immer wieder bei sich einziehen? Würde sie ihm endgültig den Laufpass geben, wäre der Spuk längst vorbei.' Auch der gemeinsame Sohn Mike wünschte sich, dass Vivienne Zeller seinen Vater endlich ein für alle Mal abservieren würde, damit sich seine Eltern wieder dauerhaft versöhnen würden. Doch dies schien aussichtslos, weil sein Vater plötzlich auf die Idee kam, sich neu zu erfinden. Wie sehr sein Vater unter Charlottes Schicksal litt und wie ihn depressive Schübe bis hin zu Selbstmordgedanken plagten, interessierte weder ihn, noch seine Mutter Elena.

Konrad verzehrte sich entgegen jeglicher Vernunft vor Sehnsucht nach seiner Angebeteten und klebte immer wieder heimlich Herzen an ihr Auto, das sie in der Nähe der Firma Matter parkierte. Oder er rief sie an und hängte auf, bevor sie den Hörer abnehmen konnte. Er wollte auf diese Weise signalisieren, dass er an sie dachte und hoffte, sie würde dies umgekehrt ebenfalls machen. Der Gedanke, Vivienne könnte sich irgendwann für einen anderen Mann begeistern, brachte ihn fast um den Verstand. ‚Ob ich je wieder glücklich sein werde? Ich fühle mich wie ein wandelnder Trauerkoloss und werde dies für die nächste Zeit auch bleiben, wenn nicht gar für immer,‘ versuchte Konrad seine Situation realistisch zu analysieren. ‚Auf jeden Fall hat Vivienne etwas Besseres verdient als einen wankelmütigen Liebhaber.‘

Während Konrad sich in seinem Elend wälzte, meldete sich bei Vivienne ihr Geschäftsfreund René und teilte ihr mit, dass in seiner Stellenagentur ein interessantes Angebot vorläge. „Es handelt sich um eine Stelle als Personalleiterin in einem Industriekonzern und du wärst für 1200 Mitarbeiter zuständig. Natürlich nicht allein, sondern du hättest ein eingespieltes Team an deiner Seite. Einziger Nachteil: Du müsstest nach Bern ziehen. Soll ich deine Unterlagen dem zuständigen Personaldirektor zustellen?“ Vivienne willigte sofort ein und bedankte sich bei ihrem Freund.

Bereits eine Woche später wurde sie zu einem Vorstellungsgespräch eingeladen und nach einem weiteren Gespräch, einem psychologischen Test und dem Einholen von Referenzen, erhielt sie überraschend schnell die Zusage für die Stelle. Zufälligerweise lief ihr am selben Abend beim Einkaufen Konrad über den Weg und nach einer unterkühlten Begrüssung erzählte sie ihm von ihren Kündigungsabsichten. „Wann trittst du die neue Stelle an?“ wollte Konrad wissen, während er Vivienne eingehend musterte. Der Anblick gefiel ihm ganz und gar nicht. Statt der bis anhin strahlenden und selbstbewussten Erscheinung, stand eine traurige und resignierte Vivienne vor ihm. „Erst in einem Jahr. Doch gut zu wissen, dass ich hier in absehbarer Zeit wegkomme", beantwortete sie seine Frage schnippisch. „Ich komme mit!" brach es aus Konrad heraus. „Ach ja? Du wolltest doch unbedingt wieder zu Mami zurück", spöttelte Vivienne giftig. „Du kannst nur nach Bern mitkommen, wenn du endlich die Scheidung einreichst oder noch besser, wenn du geschieden bist", liess sie ihn wissen, bevor sie sich umdrehte und grusslos das Weite suchte.

Tatsächlich reichte Konrad ein paar Tage später die Scheidung ein und zog wieder bei Vivienne und Fabian ein. Er versprach ihr hoch und heilig, bei seinem Entscheid zu bleiben und die Scheidung nun durchzuziehen.
Durch den Friedensrichter wurde Konrad belehrt, dass bevor eine Scheidung ausgesprochen wird, eine zweijährige Trennungszeit Pflicht sei, sofern sich seine Ehefrau nicht früher von ihm scheiden lassen wolle. Elena Koch akzeptierte das Scheidungsbegehren erwartungsgemäss nicht. „Niemals gebe ich dich für diese Zeller frei!" erklärte sie ihrem untreuen Ehegatten im Beisein des Friedensrichters. „Jahre lang habe ich dir den Rücken freigehalten und war deinen beiden Kindern eine gute Mutter! Ich möchte die Stunden nicht zählen, die ich allein verbringen musste, weil Du wieder irgendwo geschäftlich unterwegs warst. Ich habe alle deine Launen und Eigenheiten klaglos ertragen und grosszügig über vieles hinweggesehen, mit dem ich nicht einverstanden war! Und nun werde ich entsorgt, wie ein altes Kleidungsstück!" Doch Konrad mochte auf all diese Vorhaltungen nicht eingehen. Er hätte einiges erwidern können und ihr im Gegenzug aufzählen können, welche Vorteile sie bis anhin durch die Ehe mit ihm

153

genossen hatte, die auch schon mal zu seinem Nachteil waren. Vor allem wurde ihm bewusst, dass es in seiner Ehe über all die Jahre hinweg trotz seines fürstlichen Gehalts kaum möglich gewesen war, etwas auf die hohe Kante zu legen. Das Geld kam rein, das Geld ging raus. Elenas Verschwendungssucht brachte ihn innerlich oft zur Weissglut und wenn er darum bat, sorgsamer mit seinem sauerverdienten Geld umzugehen, erntete er ungezügelte Wutanfälle und den Vorwurf, dass er ihr nichts gönnen würde. Seit ihrer Eheschliessung arbeitete Elena halbtags, verdiente ihr eigenes Geld und war nicht gewillt, nur einen Rappen an den ehelichen Haushalt beizusteuern, geschweige denn für die Steuern. Dem Frieden zuliebe liess sie Konrad all die Jahre gewähren, denn seit jeher ging er Konflikten lieber aus dem Weg. Mit Vivienne war dies nicht möglich, denn diese forderte ihn heraus und wollte alles ausdiskutiert haben. Doch mit der Zeit musste er einsehen, dass man Konflikte nicht ständig unter den Teppich kehren konnte. Mit über 50 Jahren lernte er nun, was es hiess, eine echte Partnerschaft zu führen und Kompromisse auszuhandeln. Vivienne gehörte zur jüngeren Generation, die auf der erst kürzlich gesetzlich verankerten Gleichberechtigung von Mann und Frau vehement bestand. Elena tickte zwar ähnlich, nur hätte sie ihm nie so unverblümt ihre Meinung an den Kopf geworfen, weil ihr im Gegensatz zu Vivienne die kommunikative Wortgewalt und Argumentation fehlten. Elena sass Ehekrisen meist schweigend aus, im Gegensatz zur Geliebten, die ihn regelmässig zum verbalen Duell herausforderte. Dieses ständige Ausdiskutieren, Hinterfragen und Neuverhandeln, empfand er oft als lästig, obwohl er mit der Zeit auch Gefallen daran fand. Endlich war mal jemand da, der sich wirklich für ihn und seine Meinung interessierte. Es ging nicht mehr immer nur um die Kinder, um Charlottes Schicksal oder um irgendwelche Klatschgeschichten aus dem Ort, sondern es ging um ihn als Person. Noch nie in seinem ganzen Leben hatte sich jemand so intensiv um sein Wohl und um seine Nähe bemüht, wie er dies im Zusammenleben mit Vivienne erlebte. Die Kehrseite war, dass dieses Sich-Interessieren in ihm das Gefühl auslöste, unter Dauerbeobachtung zu stehen. Doch wenn er ein neues Leben an der Seite von Vivienne aufbauen wollte, musste er wohl oder übel lernen, umzudenken.

Kurz nach dem Termin beim Friedensrichter fand Konrad eine Einladung vom Finanz- und Familienberater der Gemeinde im Briefkasten vor. Im Schreiben wurde ihm durch einen Dr. Leopold Fuchs mitgeteilt, dass seine Frau ihn gebeten habe, einen gemeinsamen Termin zwecks Aussprache zu vereinbaren. In erster Linie würde es um die Finanzen und Alimenten gehen, sowie um Elena Kochs Wunsch auf Fortbestand der Ehe.
Widerwillig nahm Konrad ein paar Tage später im Bezirksgebäude den Termin im Büro von Dr. Fuchs wahr. Mehr als irritiert stellte er fest, dass nebst seiner Frau auch sein Sohn anwesend war, der ihn so begrüsste, als handle es sich nicht um seinen Vater, sondern um einen Straftäter. ‚Somit hat sich Mike offiziell auf die Seite seiner Mutter gestellt,' überlegte Konrad mit einer grossen Wut im Bauch, weil er der Meinung war, dass Mike die Eheprobleme seiner Eltern nichts, rein gar nichts angehen würden. Doch Mike ging es nicht nur um die Probleme seiner Eltern, er wollte vor allem sichergehen, dass sein Vater trotz der Trennung sein Studium weiter finanzieren würde. Das Gespräch verlief alles andere als erfreulich

und Elena wie auch Mike überschütteten Konrad mit unzähligen Vorwürfen, so dass dieser sich im jüngsten Gericht wähnte. Er sass stumm da und gab nur Konter, wenn die Anschuldigungen zu sehr aus der Luft gegriffen waren. Dr. Fuchs beobachtete währenddessen seine Klienten schweigend und machte sich laufend Notizen. Irgendwann wurde es ihm zu bunt und er unterbrach Elenas Redeschwall. „Es ist nie nur Einer am Scheitern einer Beziehung Schuld. Mir geht es auch nicht darum, einen Schuldigen oder eine Schuldige zu finden. Es geht darum, eine für alle Seiten verträgliche Lösung zu finden, finanziell und auch was die künftige Kommunikationskultur betrifft. Da ist ja noch Ihre Tochter Charlotte, die von beiden Elternteilen Zuwendung benötigt und es ist sicher nicht förderlich, wenn Sie sich derart bekriegen." Dabei sah er vor allem Elena Koch kopfschüttelnd an. Er war sich als Psychologe und Rechtsberater einiges gewohnt, doch diese gnadenlose Schelte und Schuldzuweisung gegenüber dem sichtlich angeschlagenen Ehemann und Vater ging ihm einfach zu weit. Elena Koch liess nicht einen Funken an Kritik gelten, die Konrad auch an sie richtete. Für sie war klar, wer die Hauptschuld trug, nämlich er und diese Zeller! „Ok, wir kommen so nicht weiter. Ich schlage vor, dass ich mit jedem von Ihnen zeitnah Einzelgespräche führen werde. Wenn ich klarer sehe, werden wir nochmals ein gemeinsames Gespräch führen, um das weitere Vorgehen zu besprechen. Betreffend Finanzen müsste ich die Lohnausweise der letzten beiden Jahre einsehen, damit ich die Alimente nach den gesetzlichen Vorgaben berechnen kann. Da Sie, Frau Koch bereits seit Beginn Ihrer Ehe regelmässig gearbeitet haben, wird selbstverständlich auch Ihr Gehalt miteinbezogen und die Fantasiesumme, die Ihr Mann Ihrer Meinung nach für Sie und Ihren

Sohn zahlen soll, können Sie glatt vergessen." Natürlich war Elena Koch erbost über den Ihrer Meinung nach unverschämten Ton des von der Wohngemeinde kostenlos zur Verfügung gestellten Rechtsberaters. Auch Mike war alles andere als begeistert über die Reaktion von Leopold Fuchs. Aus seiner Sicht hätte dieser seinem Vater gehörig den Kopf waschen und ihn davon überzeugen müssen, dass er zurück zu seiner Familie gehörte. Doch der mehrfache Familienvater dachte nicht mal darüber nach, so etwas zu äussern, denn aus seiner Sicht und langjährigen Erfahrungen bestand diese Ehe nur noch auf dem Papier. Konrad und Elena Koch tickten einfach zu unterschiedlich. Auf jeden Fall kam dies bei ihm so an. Nicht einmal eine Ehetherapie würde da etwas bringen. Und wenn doch, müsste diese über Jahre geführt werden, um all die angestaute Wut, Frustration, gegenseitige Beschuldigungen und unterschiedlichen Lebensauffassungen aufzuarbeiten. „Ich bestehe auf einer Ehetherapie!" liess Elena Koch den Rechtsberater zu dessen Erstaunen wissen. ‚Kann sie meine Gedanken lesen?' ging ihm kurz durch den Kopf. Elena bekräftige ihren Entscheid nochmals: „Es geht mir nicht nur um die Klärung der Finanzen, weshalb ich Sie um dieses Gespräch gebeten habe, sondern es geht mir vor allem darum, dass mein Mann und ich nochmals eine Chance erhalten." „Was sagen Sie dazu, Herr Koch?" wollte Dr. Fuchs mit Blick auf Konrad wissen. „Meine Begeisterung hält sich in Grenzen, da hätten wir wahrscheinlich früher damit beginnen müssen. Ich bin wohl für Gespräche bereit, doch ob wir je wieder zueinander finden werden, das bezweifle ich." Bevor Dr. Fuchs die Familie Koch verabschiedete, vereinbarte er mit jedem von ihnen einen Einzeltermin, um im persönlichen Gespräch heraus zu spüren, ob es tatsächlich noch Rettung für die Ehe gebe würde.

Konrads Entscheid, in die Ehetherapie einzuwilligen, hinterliess bei Vivienne ein schales Gefühl. „Du hast dich immer noch nicht hundertprozentig für unsere gemeinsame Zukunft und den Umzug nach Bern entschieden, Konrad! Sonst würdest du nicht mal im Traum daran denken, in eine Ehetherapie einzuwilligen!" gab Vivienne wütend zu bedenken. „Mir blieb nichts anderes übrig, so wie mich Elena zur Schnecke gemacht hat. Ich will einfach nicht im Streit auseinandergehen. Vielleicht wird ihr im Laufe einer Ehetherapie bewusst, dass wir nicht mehr zusammengehören", versuchte Konrad seinen Entscheid zu erklären.
Wie so oft in den letzten beiden Jahren, fühlte sich Vivienne ausgeliefert und „rechtlos." Sie hasste es, ausgeliefert zu sein. ‚Ist das, was ich mit Konrad erlebe wirkliche Liebe oder ist es, wie Reto vermutet, einfach nur Karma? Ist mein Leben und Konrads Leben tatsächlich karmisch verstrickt?'

Einen Tag nach dem Gespräch mit der Familie Koch rief Dr. Fuchs Vivienne an und bat sie ebenfalls um ein Gespräch in seinem Büro. „Warum möchten Sie mit mir sprechen? Ich glaube kaum, dass dies was bringt", versuchte die überraschte Vivienne Dr. Fuchs abzuwimmeln. „Keine Panik Frau Zeller, ich werde Ihnen keine Standpauke halten oder gar Vorwürfe machen, weil sie sich mit Herrn Koch auf eine Liebesbeziehung eingelassen haben. Es geht mir lediglich darum, mir ein eigenes Bild zu machen. Das, was ich durch Frau Koch über Sie erfahren habe, ist ja wenig schmeichelhaft, wie Sie sich denken können. Frau Kochs Beschuldigungen an Ihre

Adresse decken sich jedoch nicht mit dem, was ich Positives über Sie als Personalchefin gehört habe. Darum möchte ich Sie persönlich kennen lernen und mir ein eigenes Bild machen." Nach einigem hin und her liess sich Vivienne schlussendlich doch noch zu einem Gesprächstermin überreden. Am anderen Tag fuhr sie nach Feierabend zum Bezirksgebäude und traf Dr. Fuchs in seinem Büro. Erleichtert stellte sie fest, dass ihr der Psychologe nach der freundlichen Begrüssung auf Anhieb sympathisch war. Wie ihr geheissen wurde, nahm sie auf einem der Stühle ihm gegenüber Platz und betrachtete neugierig den gemütlich wirkenden, salopp gekleideten Mann mittleren Alters. Er hinterliess bei ihr den Eindruck, als könne ihn nicht wirklich etwas erschüttern. Auch der Therapeut betrachtete sein Gegenüber interessiert und nickte Vivienne freundlich lächelnd zu, bevor er zum Grund ihres Gesprächs kam. „Wie kam es überhaupt zum Liebesverhältnis zwischen Ihnen und Herr Koch? Und wie geht es Ihnen heute damit?" wollte er als erstes wissen. Vivienne fasste rasch Vertrauen zum väterlich wirkenden Therapeuten und erzählte ihm, wie sie Konrad näher kennen gelernt hatte und vor allem, wie sich ihr Leben durch das Liebesdrama veränderte. Dr. Fuchs machte sich währenddessen laufend Notizen und stellte ab und zu eine Zwischenfrage. Eine Stunde später, gegen Ende der Sitzung legte er den Schreibblock zur Seite. „Frau Zeller, Sie machen sich viel zu viele Gedanken über Ihren Schuldanteil am Scheitern der Ehe Koch. Glauben Sie mir, dafür können Sie nichts, denn meiner Meinung nach existiert diese Ehe seit Jahren nur formal. Ob nun eine Ehetherapie tatsächlich hilft, die Beziehung wieder zu kitten, bezweifele ich. Und wenn doch, dann würde so eine Therapie Jahre dauern, bis die beiden Eheleute einen einigermassen gemeinsamen Nenner finden." Vivienne war platt. Mit offenem Mund starrte sie Dr. Fuchs an, während dieser ihr aufmunternd zulächelte: „Ich stehe hinter Ihnen und Herrn Koch und werde nun mit Frau Koch darauf hinarbeiten, dass sie ihren Mann in Frieden gehen lässt. Auch Ihnen empfehle ich, noch ein paarmal bei mir vorbei zu kommen, um sich auszusprechen. Auf Ihnen muss doch nach all dem Geschehenen ein riesiger Druck lasten."

Alles hätte Vivienne erwartet, nur das nicht! Leopold Fuchs sprach sie quasi von aller Schuld frei. Sie hätte nun jubelnd nach Hause fahren und sich auf eine gemeinsame Zukunft mit Konrad freuen können. Nur, statt Freude meldete sich ihr schales Bauchgefühl und signalisierte ihr, dass es mit Konrads Trennung von seiner Noch-Ehefrau wohl nicht so einfach werden würde, wie vom Eheberater angedacht. Zudem gelang es Vivienne nicht einfach so, ihre Schuldgefühle loszulassen. Zu sehr hatte sich das sechste Gebot ihrer katholischen Erziehung – „Du sollst nicht die Ehe brechen" – in ihre Zellen eingeprägt.

Auch Konrad zeigte sich über Dr. Fuchs Reaktion erstaunt, weil er genauso wie Vivienne damit gerechnet hatte, dass der Therapeut nur ein Ziel vor Augen hatte, nämlich die Koch-Ehe zu retten. Er hätte sich nun zuversichtlich auf eine gemeinsame Zukunft mit Vivienne freuen können, doch auch ihn plagte sein schlechtes Gewissen. Nicht, weil er sich in eine andere Frau verliebt hatte und Elena verlassen wollte. Ihn plagte vor allem das schlechte Gewissen, weil er seine Familie nach Charlottes Unglücksfall im Stich lassen würde. Bis anhin überliess Elena ihrem Mann alles, was mit administrativen Aufgaben zu tun hatte, wie Steuerabrechnung, Versicherungen und monatliche Zahlungen. Sie hatte wohl einst gelernt Auto zu fahren, doch traute sie sich schon lange nicht mehr zu, selbst am Steuer zu sitzen. Stattdessen liess sie sich lieber durch Konrad oder Mike herumkutschieren. ‚Wie soll das gehen, wenn ich die Frau nun einfach ihrem Schicksal überlasse?' überlegte Konrad immer wieder von neuem. Er wäre gerne bereit gewesen auch nach einer Trennung für sie da zu sein. Doch auf diesen Vorschlag ging sie gar nicht ein. Stattdessen schrieb sie Konrad mit Hilfe ihrer Freundin Rosemarie einen geschickten Manipulationsbrief und erteilte ihrem Mann so etwas wie eine Generalabsolution. Sie schrieb zudem über die vielen schönen Momente und eindrücklichen Reisen, die sie im Laufe ihrer Ehe gemeinsam erleben durften. Sie schrieb über die Kinder und vor allem über Charlotte, seinen Liebling und wie sehr sie unter der Situation leide und sich nur eines wünsche: „Dass Konrad ihrer Ehe nochmals eine Chance gibt." Vivienne war über den Inhalt des Briefes bestürzt und ahnte, dass Konrad über den Inhalt dieses Schreibens nicht einfach so hinweg gehen würde. Zudem hatte sie erfahren, dass Elena die Therapiestunden nicht mehr besuchte, weil ihr der Therapeut nicht nach dem Mund redete. Sie wollte nicht über ein friedliches Loslassen sprechen, sondern sie wollte ihren Mann um jeden Preis zurückhaben. Nicht nur der manipulative Brief sollte sie ihrem Ziel näherbringen, sondern sie erhoffte sich zusätzlich Unterstützung durch eine Psychologin, die ihr durch ihre Busenfreundin Rosemarie mit dem Hinweis empfohlen wurde: „Agatha Grob wurde einst auch von ihrem Mann wegen einer jüngeren verlassen. Du kannst davon ausgehen, dass sie weiss, was du durchmachst. Ihr Mann kam irgendwann wieder zu ihr zurück. Frau Grob weiss ganz genau, welche Hebel man in Bewegung setzen muss, um untreue Ehegatten zurück zu gewinnen."

Elena Koch zögerte nach dem Gespräch mit Rosemarie nicht lange und vereinbarte einen Termin mit der Psychologin. Diese nahm sich innert Tagesfrist Zeit für die neue Klientin und hörte sich während des ersten Gesprächs in Ruhe Elenas Leidensgeschichte an. Als ihre Klientin während der Schilderungen in verzweifeltes Schluchzen ausbrach, setzte sich die Psychologin zum Ziel, die beiden Eheleute wieder zusammen zu bringen. Kaum hatte Elena die Praxis wieder verlassen, rief sie Konrad an, um ihn zu einem Gespräch einzuladen.
Vivienne war entsetzt, als ihr Konrad eröffnete, dass er der Einladung Folge leisten werde. „Warum willst du da hingehen? Ich war der Meinung, dass du nun mit Elena endgültig abgeschlossen hast und nach der gesetzlichen Trennungszeit die Scheidung für dich nur noch eine Formsache ist." „Ich will im Sinne einer friedlichen Trennung nichts unversucht lassen und ich hoffe, dass diese Psychologin Elena zur Vernunft bringen wird. Doch dazu muss sie die Beweggründe zur Trennung von mir persönlich erfahren", versuchte sich Konrad zu rechtfertigen. Seine Erklärung hinterliess bei Vivienne einmal mehr ein schales Bauchgefühl, das ihr signalisierte: In der Scheidungssache Koch sind die letzten Würfel noch längst nicht gefallen!

Elena und die Therapeutin schlossen eine Woche später während des zweiten Therapiegesprächs einen Pakt, Konrad mit allen zur Verfügung stehenden Mitteln wieder zu umgarnen und in den ehelichen Hafen zurück zu lotsen. Tatsächlich liess sich Konrad von den beiden Frauen geschickt manipulieren, um Elena nochmals eine Chance zu geben. Eines Abends kam Vivienne ahnungslos von der Arbeit nach Hause und sah schon von weitem, dass Konrad wieder ausgezogen war. Wenn sie zusammenlebten, standen auf dem Briefkastenschild ihrer beider Namen. Zog er aus, kehrte er das Schild um und es stand nur noch ihr Name drauf. Weinend nahm Vivienne die Post aus dem Briefkasten und hätte am liebsten ihre Wut über Konrads feiges Verhalten laut hinausgeschrien. Da sie sich jedoch bewusst war, dass Konrad für den Moment nicht die Stärke besass, sich gegen derartige Manipulationen zur Wehr zu setzen und er einzig seinem schlechten Gewissen Folge leistete, versuchte sie sich wieder zu beruhigen.

Nach einigen Wochen Funkstille ging es im alten Stil weiter und Konrad machte sich über seine telefonischen Klingelzeichen bemerkbar oder klebte Papierherzen an die Frontscheibe ihres Autos. Damit signalisierte er: ,Ich habe dich nicht vergessen und liebe dich nach wie vor.' Dabei vertraute er voll und ganz darauf, dass Vivienne Stillschweigen über seine erneuten Annäherungsversuche halten würde. ,Wäre ich so richtig rachsüchtig, würde ich jetzt seine Frau anrufen und ihn verpetzen!' überlegte sich Vivienne, während sie eines seiner Herzen von der Windschutzscheibe entfernte. Doch dies war unter ihrer Würde. Wenn sie mit jemandem abrechnen wollte, dann mit Konrad persönlich und zwar von Angesicht zu Angesicht.

Bereits vor Konrads neuerlicher Rückkehr zu seiner Familie litt Vivienne immer öfters an Schlafstörungen. Zudem war ihr oft schwindlig und sie lief deswegen meist auf dem Gehsteig nahe den Hauswänden entlang, um sich notfalls abzustützen. ‚Am besten, ich spreche mit meinem Hausarzt darüber und bitte ihn um Rat,' nahm sie sich vor, vereinbarte einen Termin und suchte ihn in seiner Praxis auf. Als erstes schilderte sie ihm die Symptome und setzte ihn über die unglückliche Liebesgeschichte ins Bild. „Ich verstehe Sie sehr gut, Frau Zeller, denn ich habe auch mal ähnliches durchlebt. Liebeskummer reisst am letzten Nerv", versuchte der Arzt sie zu trösten und verschrieb ihr zur Beruhigung ein ihr unbekanntes Medikament, das ihren Liebesschmerz etwas dämpfen soll. Doch das Psychopharmakum erreichte genau das Gegenteil. Statt zur Ruhe zu kommen fühlte es sich so an, als würde sie auf Wolke sieben sitzen und beim leisesten Geräusch vor Schreck wieder runterfallen. Klingelte das Telefon, fühlte sich dies so an, als würde Strom durch ihren Körper schlagen.

Nach ein paar Tagen setzte Vivienne das Medikament aus eigenem Antrieb wieder ab. Die Gespräche mit Dr. Fuchs waren das einzige, was ihr noch etwas Halt gab. Der Therapeut versuchte Vivienne davon zu überzeugen, dass sie Konrad nun endgültig vergessen solle. „Man spielt ein übles Spiel mit Ihnen Frau Zeller und das haben Sie nicht nötig. Vergessen Sie den Mann, er ist den Aufwand nicht wert." Einer ihrer engsten Arbeitskollegen riet ihr ähnliches: „Vivienne, der Mann ist krank. Wer sich so verhält, gehört in ärztliche Behandlung und ist nicht fähig, eine gesunde Beziehung zu führen. Um es auf den Punkt zu bringen: Der Koch hat nicht alle Tassen im Schrank!"

Auszug aus dem Paradies

Für September 1993 war geplant, dass Vivienne die neue Stelle in Bern antreten würde. Was ihr bei diesem Gedanken grossen Kummer bereitete war die Tatsache, dass sich Fabian standhaft weigerte, mit ihr in die neue Wohnregion umzuziehen. „Weisst Du Mami, ich habe keine Lust nochmals mit dem Koch unter einem Dach zu leben und dieses ewige Hin und Her muss ich auch nicht mehr haben. Ihr werdet niemals voneinander loskommen, das merkt doch ein Blinder. Darum bleibe ich hier und ziehe zu Onkel Daniel. Noch vor deinem Umzug werde ich 18 und kann die Fahrprüfung machen. Dein Bruder hat versprochen, mir während der Freizeit das Autofahren beizubringen. Auch will er mir ein altes Auto aus seiner Garage schenken. Nach der Autoprüfung werde ich dich regelmässig am neuen Wohnort besuchen, versprochen."
Schweren Herzens ging sie auf den Vorschlag ein. Daniel und Fabian machten sich auf die Suche nach einer geeigneten Wohnung, an deren Kosten sich Vivienne zur Hälfte beteiligen sollte. Da sie geschäftlich mindestens einmal die Woche in ihre alte Wohnregion reisen musste, würde sie Fabian regelmässig sehen. Trotzdem überkam sie Wehmut und auch ein schlechtes Gewissen, ihren Sohn seinem Schicksal zu überlassen. „Mami, du überlässt mich nicht meinem Schicksal, jetzt mach nicht so ein Drama. Ich will hier in der Gegend bleiben, weil ich gute Freunde gefunden habe und die Lehrstelle nicht mehr wechseln will. Bern ist am Ende der Welt, also müsste ich mir wieder alles neu aufbauen. Nein danke!

Zudem lebe ich ja mit Onkel Daniel zusammen und wir beide bleiben in telefonischem Kontakt." Abschliessend meinte er noch: „Trotzdem habe ich eine Scheisswut auf den Koch, weil er allein schuld daran ist, dass du gekündigt hast und wir aus der schönen Wohnung ausziehen müssen. Zudem sprechen alle möglichen Leute schlecht von dir, weil du dich auf den eingelassen hast." Vivienne verstand Fabians Frust und fühlte sich so schuldig, wie sie sich noch nie in ihrem Leben schuldig gefühlt hatte. Erst jetzt konnte sie Konrad so richtig nachfühlen, warum ihn seine Schuldgefühle immer wieder zu seiner Familie zurücktrieben.

Im Frühsommer kündigte Vivienne schweren Herzens ihre liebgewonnene Stelle und zu ihrem grossen Erstaunen versuchte ihr der neue Personaldirektor, der unterdessen Konrads verwaisten Arbeitsplatz übernommen hatte, die Kündigungspläne mit Vehemenz auszureden. Nachdem Gian Widmer seinen neuen Posten angetreten hatte, verstanden sich die beiden auf Anhieb. Vivienne gefiel der junge Jurist und Familienvater, der mit viel Elan einiges in der Firma umkrempeln wollte. „Um hier neuen Schwung rein zu bringen, benötige ich jemanden wie Sie an meiner Seite. Wie Sie sich denken können, hat mich Rudolf Matter über die Geschichte zwischen Ihnen und meinem Vorgänger in Kenntnis gesetzt. Wie konnte er nur ein Verhältnis mit seiner engsten Mitarbeiterin eingehen? Sie hätten sich aus Mitleid auf ihn eingelassen, Frau Zeller. So erzählt man sich dies hier." Verärgert widersprach ihm Vivienne. „Sie glauben nicht im Ernst, Herr Widmer, dass ich mich auf eine Liebesbeziehung aus Mitleid einlasse und dabei meinen Job riskiere? So blöd bin ich sicher nicht. Sie können davon ausgehen, dass zwischen Herrn Koch und mir mehr war als nur Mitleid." Gian Widmer schaute Vivienne prüfend an. „Ich weiss, das ist jetzt mehr als indiskret, aber ich frage Sie trotzdem: Sind Sie in ein Abhängigkeitsverhältnis geraten?" Vivienne schluckte leer und wurde verlegen: „Wie kommen Sie darauf?" wollte sie wissen. „Es gibt hier Stimmen, die dies vermuten." „Darauf erwarten Sie jetzt nicht wirklich eine Antwort?" wehrte Vivienne ab. „Schon gut, entschuldigen Sie Frau Zeller, das war jetzt wirklich etwas allzu persönlich. Auf jeden Fall habe ich mit all meinen Geschäftsleitungskollegen gesprochen und keiner will wirklich, dass Sie die Firma verlassen. Dies wollen höchsten deren Ehefrauen. Doch die zählen logischerweise nicht für mich. Wäre ja noch schöner, wenn Ehefrauen mitbestimmen könnten, wer aus der Firma austreten soll und wer nicht. Was glauben die eigentlich?!" fragte Gian Widmer Vivienne belustigt und doch etwas ärgerlich. „Nur ein Abteilungsleiter aus der Finanzabteilung verlangt, dass Sie gehen, doch den schätze ich als ziemlich zwielichtig ein und darum interessiert mich seine Meinung nicht. So bitte ich Sie innständig: Bleiben Sie!" „Und was will Rudolf Matter?" wollte Vivienne wissen. „Er lässt mir freie Hand, ob ich Sie in meinem Team mit dabeihaben möchte oder nicht." ‚Soso, der CEO gab mich also zum Abschuss frei, ohne sich dabei die Hände schmutzig zu machen. Was für ein Feigling das doch ist!' überlegte Vivienne. So wirklich erschüttert war sie nicht über diese Nachricht, denn im Grunde genommen spürte sie schon lange, dass Rudolf Matter sie trotz der vielen Lobe über ihre Arbeitsleistungen lieber gekündigt gesehen hätte. Der Skandal um seinen Personaldirektor und die Personalchefin warf einfach zu hohe Wellen inner- und ausserhalb der Firma. Da Vivienne mit seiner Assistentin Frau Klemmer jeglichen privaten Kontakt abgebrochen hatte, um sie nicht in Loyalitätskonflikte gegenüber ihrem Chef zu bringen, wusste sie nicht genau, was in seinem Kopf zum Thema Koch/Zeller vorging. „Ziemlich feige, der Herr Dr. Matter", meinte sie zu ihrem neuen Chef. „Ja, da gebe ich Ihnen Recht. Aber das spielt jetzt keine Rolle. Ich will Sie unbedingt in meinem Team mit dabeihaben, nur das zählt", versuchte Gian Widmer Vivienne umzustimmen. „Es tut mir leid, doch ich habe mich bereits entschieden und werde wie abgemacht im Herbst die neue Stelle in der Nähe von Bern antreten", bekräftigte Vivienne ihren Entscheid. Gian Weber schüttelte resigniert den Kopf. „Hoffentlich bereuen Sie diesen Schritt nie."

Drei Monate nach dem Gespräch mit Gian Widmer galt es Abschied zu nehmen, bevor der Umzugswagen Viviennes Hab und Gut Richtung Nordwestschweiz transportierte. Zum Glück halfen ihr einige ihrer Freunde beim Umzug und begleiteten die Unglückliche in ihr neues Domizil. Bern lag zwei Autofahr-Stunden entfernt und ihr wurde wind und weh beim Gedanken, ihren Sohn und ihre Freunde nicht mehr in Reichweite zu wissen. Fabian wohnte bereits zusammen mit seinem Onkel auf der gegenüberliegenden Seeseite in einer schönen Maisonette-Wohnung. Er war immer noch wütend, weil er gezwungen wurde, den Wohnort wegen „diesem Koch" zu wechseln. Daniel hingegen freute sich über die Wohngemeinschaft mit seinem Neffen und während des Umzugs ins neue Heim schaute er seine Schwester im Lift lange an und meinte: „Wirklich saublöd gelaufen, findest du nicht?" „Ja, saublöd gelaufen, doch ich kann nun mal die Zeit nicht zurückdrehen."

Vivienne bezog ihre neue Wohnung zwei Wochen vor ihrem Stellenantritt. Solange sie noch bei der Firma Matter arbeitete, wohnte sie unter der Woche bei Freunden und fuhr übers Wochenende in ihr neues Domizil. Wie geplant arbeitete sie Ihren Nachfolger in der Firma Matter ein und am letzten Arbeitstag wurde ihr durch die Arbeitskollegen ein grosszügiges Abschiedsgeschenk überreicht und einer der Betriebsleiter hielt eine kleine Rede. „Du hast hier einen sehr guten Job gemacht Vivienne und vor allem hattest du unsere Jungs voll im Griff. Wer gibt denen jetzt den Tarif durch, wenn wir nicht mehr weiterwissen?" „Mein Nachfolger, natürlich", zeigte Vivienne auf den neuen Personalchef, der lächelnd neben ihr stand. Nach all den Lobeshymnen war ihr zum Heulen zumute. Doch sie hatte sich für die Liebe entschieden, egal ob diese je erfüllt werden würde oder nicht. Wehmut war somit fehl am Platz.

Am 1. September war es soweit und Vivienne trat ihre neue Stelle an. Statt sofort an ihrem Arbeitsplatz in einem Vorort von Bern loszulegen, wurde sie zusammen mit anderen Kadermitarbeitern von ihrem neuen Chef Mario Schmid zu einem Strategie-Seminar an den Bodensee eingeladen. Wiederwillig fuhr sie den weiten Weg von Bern an den äussersten Zipfel der Ostschweiz und parkierte ihr Auto nach der Ankunft vor dem Seminarhotel. Dann eilte sie zu den Seminarräumen, wo ihr Chef zusammen mit einem Unternehmenscoach bereits auf seine Kadermitarbeiter wartete, um jeden Einzelnen mit Handschlag zu begrüssen. Die Stühle für die 18 Teilnehmenden standen in einem Kreis bereit und Vivienne nahm auf einem davon Platz, nachdem sie sich ihren künftigen Kollegen vorgestellt hatte. Mario Schmid setzte sich zusammen mit seiner Sekretärin etwas abseits hin und beobachtete seine Mitarbeiter wie eine Sphinx. Vivienne lernte den grossgewachsenen, hageren Mann, den sie auf Mitte vierzig schätzte, erst vor kurzem kennen. Dies, weil Dr. Steiner, der sie vor Monaten eingestellt hatte, überraschend gekündigt hatte und der bisherige Finanzleiter Mario Schmid zwischenzeitlich dessen Stelle übernommen hatte. Somit sah sie sich nun gezwungen mit einem Vorgesetzten zusammenzuarbeiten, den sie sich nicht selbst ausgesucht hatte, was sie etwas verunsicherte. Vor allem, weil ihr Mario Schmid alles andere als sympathisch war. Nachdem alle auf ihrem Stuhl Platz genommen hatten, stand der neue Chef auf und statt einer netten Begrüssung setzte er gleich zu einer Standpauke an, die sich gewachsen hatte. „Ich erwarte von jedem Einzelnen in diesem Raum, dass er kapiert, dass nun andere Zeiten anbrechen und die Lahmarschzeiten vorbei sind! Wer nicht spurt, der soll gehen. Ich erwarte, dass ihr jetzt ein für jeden Mitarbeiter verbindliches Strategiepapier erarbeitet, das in jeder Ecke des Unternehmens aufgehängt wird. Wer sich nicht daran hält, fliegt raus und zwar diskussionslos!" Vivienne war empört über den harschen Befehlston, den sie sich weder aus der Firma Matter noch aus anderen Firmen gewohnt war. Darum erlaubte sie sich zu bemerken: „Wenn der grössere Teil der Produktionsmitarbeiter Ausländer sind, sollte das Strategiepapier auch in deren Sprachen übersetzt werden. Nur so kann sichergestellt werden, dass alle verstehen, was von ihnen künftig erwartet wird." Mario Schmid wandte sich Vivienne mit herablassender Miene zu. „Wir leben hier in der deutschsprachigen Schweiz und darum werden Weisungen ausschliesslich auf Deutsch verfasst! Und wie bereits erwähnt: Wem das nicht passt… dort ist die Türe!" Vivienne hätte ihn gerne daran erinnert, dass 98 Prozent der

Aufträge von ausländischen Firmen stammten. Nun so herablassend über Ausländer zu sprechen, von denen man intern wie auch extern abhängig war, fand sie stossend. Doch sie hielt sich zurück und schwieg. Mario Schmid musterte sie eingehend und stellte wenig erfreut fest, dass die neue Personalchefin Mühe hatte, seinen Anweisungen diskussionslos Folge zu leisten. Danach übernahm der Unternehmensberater und gleichzeitig Seminarleiter Werni Müller das Wort, der ins selbe Horn blies, wie sein Auftraggeber. Vivienne kam nicht zum Staunen heraus, wie in diesem Betrieb mit dem langjährigen Kader umgegangen wurde und wäre mehrmals am liebsten aufgestanden, um das Weite zu suchen.

Zwei Tage später, am Ende der Seminartage, stand Mario Schmid wieder vor seinen sichtlich irritierten Mitarbeitern, die alles andere als glücklich mit ihrem neuen Vorgesetzten waren. „Gerne hätte ich von jedem einzelnen in diesem Raum gewusst, wie er oder sie die Seminar-Tage erlebt hat. Und bitte gebt ehrliche Feedbacks!" forderte er seine Führungscrew wiederum in harschem Ton auf. Doch keiner der Anwesenden hatte den Mut, offen zu sagen, was man sich jeweils während des Pausenkaffees heimlich zuflüsterte. Nämlich, dass sie den Schmid als einen Scheisskerl betrachteten. Nur Vivienne meldete sich wiederum zu Wort: „Ich hoffe doch sehr, dass das Arbeitsklima künftig von Respekt und Offenheit geprägt sein wird und nicht von Negativbotschaften, wie wir dies in den letzten beiden Tagen immer wieder erlebt haben." Alle drehten ihre Köpfe zu Vivienne hin, die einen schmunzelnd, andere schüttelten den Kopf, weil sie nicht verstehen konnten, wie man sich so das eigene Grab schaufeln konnte. Doch Vivienne war dies egal, denn sie war sich gewohnt, offen zu ihrer Meinung zu stehen und bis anhin hatte dies nie Konsequenzen. Danach wurde der Workshop offiziell als beendet erklärt. Vivienne verabschiedete sich von all ihren neuen Kollegen und machte sich bei strömendem Regen auf den vierstündigen Heimweg nach Bern. Dabei machte sie einen Umweg an den Zürichsee, um Noella abzuholen. „Ich komme übers Wochenende mit zu dir, damit du dich nicht so einsam und verlassen fühlst. Und am Montag kannst du mich wieder mit zurück nehmen", schlug diese ihrer Freundin vor. Die Zentrale des neuen Arbeitgebers lag in der Nähe des Zürichsees und jeden Montagmorgen fand dort die Wochensitzung statt. Mario Schmid blieb in der Zentrale stationiert und Vivienne würde zusammen mit ihrem Personalteam in den Produktionsstätten bei Bern arbeiten. Dies fand sie mittlerweile ganz gut so, weil sie auf diese Weise dem unsympathischen Schmid mehr oder weniger aus dem Weg gehen konnte.

Spät nachts trafen die beiden Frauen nach der anstrengenden Fahrt erschöpft in Viviennes neuer Wohnung ein. „Diese Wohnung ist viel kleiner als die letzte. Vor allem nicht mehr so luxuriös", meinte Noella erstaunt. „Hauptsache, es gibt eine grosse Küche und eine Badewanne", erwiderte Vivienne kurz angebunden und ging nicht weiter auf Noellas Kommentar ein. Dann zeigte sie ihrer Freundin das Gästezimmer und wünschte ihr eine gute Nacht. Vivienne fand in dieser Nacht kaum Schlaf, weil sich ihre Gedanken um ihren neuen Job drehten. ,Vielleicht hätte ich doch besser auf Gian Widmer gehört und wäre in der Firma Matter geblieben?' Sie überlegte, was alles dafürsprach und was dagegen. ,Mein Entscheid war trotz allem richtig. Genau hingesehen blieb mir nach der Hexenjagd gar nichts mehr anderes übrig, als zu kündigen', kam sie zur Überzeugung und schlief endlich ein.

Am Montagmorgen früh, bevor Vivienne zusammen mit Noella die Reise Richtung Zürichsee unter die Räder nahm, fiel beim Verlassen der Wohnung der neue gläserne Schirmständer um und zerbrach in tausend Scherben. „Scherben bringen Glück", meinte Noella. „Mir brachten Scherben noch nie Glück", stellte Vivienne nachdenklich fest. Nun fehlte ihr die Zeit den Scherbenhaufen sofort aufzuwischen, weil sie vor dem morgendlichen Werktagverkehr auf der Autobahn sein wollte.

Nach der stressigen Fahrt traf sie angespannt aber pünktlich im Stammhaus des Konzerns ein und war über den frostigen Empfang ihres Vorgängers auf dem Firmenparkplatz erstaunt, der sein Auto zur gleichen Zeit parkte, wie sie. Sie hatte Paul Boll, der bald in Pension gehen würde, während eines der Vorstellungsgespräche und später bei einem Rundgang durch das Industriewerk kennengelernt. ‚Ist er wohl sauer, weil ich nicht mit ihm von Bern hierher gefahren bin?' überlegte Vivienne kurz. Er rauschte mehr oder weniger grusslos an ihr vorbei und fuhr mit dem Lift allein nach oben, ohne auf sie zu warten. Vivienne fuhr mit dem nächsten Lift in den fünften Stock und betrat den Bürotrakt der Personalabteilung. Alle Personalchefs des Konzerns waren versammelt, begrüssten sie herzlich und hiessen sie willkommen. Viviennes Vorgänger war nicht zugegen und sie fragte sich, wo er wohl steckte. „Über die personellen Abläufe innerhalb unseres Konzerns werden Sie nicht durch Ihren Vorgänger Herrn Boll instruiert, sondern ich übernehme das persönlich", erklärte ihr der nette Personaldirektor, den sie ebenfalls Monate zuvor während eines der Vorstellungsgespräche kennengelernt hatte. Er drückte ihr einige Unterlagen in die Hände, die sie für ihre Einarbeitung benötigte. Vivienne hörte den anderen Sitzungsteilnehmern gespannt zu, was diese aus ihren Geschäftsbereichen zu berichten hatten. Nach der Sitzung war vorgesehen, dass sie ins Büro von Mario Schmid gehen würde, um mit ihm den Einarbeitungsplan für die nächsten drei Monate zu besprechen. Der Personaldirektor informierte Vivienne kurz darüber, dass früher alle Personalchefs ihm direkt rapportierten, doch auf Druck von Mario Schmid kam es zu einer Umorganisation und die Personalchefs wurden nun den verschiedenen Bereichsleitern direkt unterstellt. „Nun sind mir die Personalchefs nur noch fachlich unterstellt. Ein Umstand, der keinem wirklich gefällt", liess er Vivienne mit ernstem Gesicht wissen. Auch Vivienne gefiel diese Entwicklung überhaupt nicht. Sie sah nicht ein, warum die Personalabteilung, so wie sie sich dies von ihrem früheren Arbeitgeber gewohnt war, nicht ein autonomer Geschäftsbereich sein sollte. ‚Nun bin ich quasi die Dienerin des Bleichgesichts Mario Schmid und er bestimmt die ganze Personalstrategie, ob es mir passt oder nicht,' überlegte sie mit ungutem Gefühl. Nachdenklich ging sie nach der Personalsitzung zu seinem Büro, das einen Stock tiefer lag. ‚Dies ist nicht der Ort, an dem ich beruflich glücklich werde. Hier stimmt einfach zu vieles nicht.' Kaum hatte sie angeklopft, wurde die Türe geöffnet und Mario Schmid mit seinem gewohnt bleichen Gesicht stand vor ihr. ‚Wenn ich ihn mir jetzt bei Licht, gekleidet in seinem mausgrauen Hemd und den ungepflegten Haaren noch genauer betrachte: Unsympathisch von Kopf bis Fuss!' resümierte Vivienne, während ihr Chef sie in militärischem Ton aufforderte, am Sitzungstisch Platz zu nehmen. Dort sass zu ihrer grossen Überraschung bereits ihr Vorgänger Paul Boll und starrte sie alles andere als wohlwollend an. „Frau Zeller" wandte sich nun Mario Schmid Vivienne zu „es tut mir leid, dass ich Ihnen hiermit mitteilen muss, dass Sie nicht die Personalleiterin sind, die ich mir gewünscht habe. Während unseres gemeinsamen Seminars haben Sie mir klar aufgezeigt, dass Sie mit meiner Art, Mitarbeiter zu führen, Mühe haben. Dies wurde mir vor allem bewusst, als Sie mir offen widersprochen haben. Das ist eine Unart, die ich überhaupt nicht mag. Ich wünsche Manager oder Managerinnen an meiner Seite, die meine Anweisungen kommentarlos und widerspruchslos entgegennehmen und umsetzen. Für Endlosdiskussionen, wie sie in der Vergangenheit immer wieder zwischen der Personalabteilung und der Direktion vorgekommen sind, fehlt uns schlichtweg die Zeit. Wissen Sie, meiner Meinung nach benötigt es überhaupt keine Personalchefs. Das ist ein alter Zopf und wenn dies hier mein Unternehmen wäre, würde ich diesen abschneiden und die Personalabteilung ganz schliessen. Die Lohnadministration kann auch die Finanzabteilung übernehmen, dafür braucht es keine „Personaler", die meinen, immer alles besser zu wissen, wenn es ums sogenannte Wohlbefinden der Mitarbeiter geht. Wir sind hier kein Wohlfühlklub, sondern ein Unternehmen in Schieflage, das dringender Sanierungen bedarf." Vivienne sass sprachlos da und blickte zu ihrem Vorgänger, der noch eins draufhaute. „Mir kam zu Ohren, dass Sie unserem geschätzten Unternehmensberater Werni Müller vor allen Anwesenden einen Rüffel erteilt haben. Das geht gar nicht, das hat Werni nicht verdient!" „Sie waren am Seminar ja gar nicht dabei und sind lediglich einseitig informiert. Es geht doch einfach nicht, dass man sich so vernichtend und abschätzig über Mitarbeiter äussert, die in einem anderen Raum an der Arbeit sind. Ich bedaure keineswegs, dass ich dies so offen zum Ausdruck gebracht habe!" verteidigte sich Vivienne auf ihre gewohnt kämpferische Art. Mario Schmid stand auf, um aus seiner Pultschublade ein Dokument zu holen. „Sehen Sie Frau Zeller, Sie sind immer noch uneinsichtig und darum ist es besser, wenn wir uns gleich wieder voneinander trennen. Ich habe Sie nicht angestellt, dies machte bekanntlich mein Vorgänger. Dr. Steiner und ich hatten seitjeher konträre Ansichten zum Thema Personalpolitik. Er hat sich eine Personalleiterin ausgesucht, die seiner Meinung nach zu ihm passen würde. Doch Sie passen jetzt halt nicht zu mir und darum erlaube ich mir, Ihnen kurzerhand wieder zu kündigen. Lieber ein Ende mit Schrecken als ein Schrecken ohne Ende. Hier ist das Kündigungsschreiben und da Sie noch in der Probezeit sind, kann ich Ihnen ohne Grundangabe kündigen." Vivienne sass wie betäubt da und starrte Mario Schmid und ihren Vorgänger an. ‚Kam, sah und siegte gehört der Vergangenheit an,' überlegte sie kurz. ‚Kam, sah und stürzte ab, wäre nun passender.'

Vivienne kam sich vor wie im freien Fall. Ihr fehlte die Energie, sich zur Wehr zu setzen und sie unterschrieb die vor ihr liegende Kündigung wortlos. ‚Warum soll ich um die Stelle kämpfen?' überlegte sie resigniert. ‚Damit mir der unsympathische Kerl nochmals eine Chance gibt und ich dann Dank seiner Gnade auf ewig das liebe Mädchen spielen muss? Niemals!!'
Vivienne nahm die Kopie des Kündigungsschreibens an sich und verabschiedete sich. Mario Schmid war darauf gefasst, dass die gekündigte Personalleiterin in Tränen ausbrechen oder sonst wie auf Mitleid machen wollte. Doch diesen Tri-

umph gönnte ihm Vivienne nicht und verliess die beiden hoch erhobenen Hauptes.

‚Ob der Personaldirektor über die geplante Kündigung informiert war?' fragte sie sich auf dem Weg zur Personalabteilung. „Ich schwör Ihnen, Frau Zeller, dass ich keine Ahnung davon hatte!" versicherte er ihr völlig geschockt, nachdem ihm Vivienne das Kündigungsschreiben in die Hände gedrückt hatte. Auch die anderen noch anwesenden Personalchefs konnten nicht fassen, was da gerade vorgefallen war. „Wissen Sie Frau Zeller" vertraute ihr der Personaldirektor an „hier läuft es nach all den Neuorganisationen, die von Mario Schmid initiiert wurden, nicht optimal und wir haben alle unsere liebe Mühe damit. Mario Schmid macht uns bereits seit einiger Zeit das Leben schwer, weil er als ehemaliger Finanzchef meint, er wisse am besten, wie es in diesem Unternehmen zu laufen habe und wie nicht. Zudem fehlt ihm das Fingerspitzengefühl, wie man mit Menschen umzugehen hat. Das muss er noch lernen, wenn er dazu überhaupt fähig ist. Ja und darum sind mir die Hände gebunden und ich kann Ihnen leider nicht weiterhelfen. Der Schmid hat dies mit Ihrer Kündigung geschickt eingefädelt und warum der Boll sich dabei die Hände schmutzig gemacht hat, keine Ahnung. Beide mussten damit rechnen, dass ich nie und nimmer eingewilligt hätte, Ihnen zu kündigen. Ich bedaure diese Entwicklung zutiefst, denn Sie wären genau die Richtige gewesen, um mit Mario Schmid fertig zu werden. Wahrscheinlich hat er Angst vor Ihrem Mut, ihn mit seinen mangelnden Fähigkeiten zu konfrontieren." „Es sieht ganz so aus", gab ihm Vivienne Recht. „Nur, auf diese Weise kommt ihr hier nicht weiter. Wenn Mario Schmid in diesem Stil weitermacht, wird

177

er sich nicht lange halten können", gab Vivienne zu bedenken. „Da mögen Sie recht haben, doch diese Erkenntnis hilft Ihnen jetzt nicht weiter und uns schon gar nicht. Es tut mir so leid, was da vorgefallen ist. Leider ist zurzeit kein passender Job ausgeschrieben, den ich Ihnen anbieten könnte." Vivienne verabschiedete sich und ging zum Lift. ‚Soll ich jetzt froh über diese Entwicklung sein, weil ich innerlich sofort spürte, dass ich mit dieser Art Mensch nie klarkommen würde?' überlegte sie sich, während sie im Lift runter zum Ausgang fuhr. ‚Muss ich jetzt in Panik ausbrechen, weil meine Existenz auf dem Spiel steht?' überlegte sie weiter, nachdem sie in ihr Auto eingestiegen war. Wut stieg in ihr hoch, nachdem sie sich bewusstwurde, dass am Ende ihre Liebe zu Konrad Schuld am persönlichen und beruflichen Schlamassel war. Halbbetäubt fuhr sie den langen Weg zurück nach Bern, und als sie ihre neue Wohnung betrat, stolperte sie zuerst über den Scherbenhaufen des zerdepperten Schirmständers. ‚Von wem stammt wohl der saublöde Spruch, dass Scherben Glück bringen sollen?' überlegte sie ärgerlich und räumte die Scherben weg. Danach ging sie zum Telefonapparat und rief diejenigen ihrer Kollegen an, die ihr irgendwie bei der Stellensuche hätten behilflich sein können. Sie benötigte dringend einen neuen Job, denn während der Probezeit gekündigt zu werden, bedeutete, nur noch eine Woche Anspruch auf Lohn zu haben. Zur Sicherheit rief sie Bernhard Ruegg, einen renommierten Arbeitsrechtsanwalt an, den sie zwei Monate zuvor während eines Seminars kennengelernt hatte. Zu ihrem grossen Erstaunen erinnerte er sich noch sehr genau an sie, weil sie ihm mit ihrer erfrischenden Ehrlichkeit, wie er meinte, aufgefallen war. „Mein neuer Chef fand meine Ehrlichkeit nicht so erfrischend und hat mir deswegen am ersten

Arbeitstag gekündigt", erklärte sie dem erstaunten Arbeitsrechtsspezialisten. „Erzählen Sie, was ist passiert?" forderte er sie auf. Vivienne erzählte ihm die ganze Geschichte und er hörte schweigend zu. „Und welche Abfindung hat man Ihnen angeboten? Sie haben ja einen Kadervertrag, also wieviel?" wollte er wissen. „Ein Wochengehalt, wie im Kündigungsfall während der Probezeit vertraglich vereinbart", antwortete sie überrascht über diese Frage. „Was fällt denen eigentlich ein?!" polterte Bernhard Ruegg los. Mir kommen in letzter Zeit aus diesem Konzern immer wieder ähnliche Geschichten zu Ohren. Es gab überhaupt keinen Grund, Ihnen zu kündigen! Das war eine missbräuchliche Kündigung, Probezeit hin oder her. Ich kann Ihnen garantierten, denen werde ich sowas von einheizen...! Ich habe Sie als eine korrekte Person kennengelernt, die eine solche Behandlung einfach nicht verdient hat. Schicken Sie mir bitte alle Unterlagen so rasch als möglich zu, und dann hören Sie wieder von mir!"

Genauso wie „Scherben bringen Glück" fand Vivienne den Spruch „das haben Sie nicht verdient" zum Abwinken. ‚Wenn ich es nicht verdient habe, warum passiert es mir dann trotzdem?! Warum verliebe ich mich in einen verheirateten Kerl, der mich ständig hängen lässt? Und nun gelange ich unfreiwillig an einen Typen wie diesen Mario Schmid, der keine Kritik erträgt und gleich zum Rundumschlag ausholt? Ist dies nun die Strafe dafür, weil ich mich auf eine Liebesgeschichte mit ungewissem Ausgang eingelassen habe oder ist dies mein Karma?' Vivienne steckte alle von Bernhard Ruegg gewünschten Unterlagen in ein grosses Couvert, stieg in ihr Auto und fuhr damit zur Post ins Stadtzentrum.

Bereits drei Tage später erhielt sie von der Assistentin des Konzernpersonaldirektors einen Anruf und wurde zu einem Gespräch eingeladen. „Herr Weigelt möchte gerne wegen der Kündigungsgeschichte mit Ihnen sprechen. Wann würde es Ihnen passen?" Anderentags sass Vivienne im Zug Richtung Winterthur und wurde am Stammsitz des Konzerns von Leo Weigelt freundlich lächelnd in Empfang genommen. „Ich habe ein Telefon von Bernhard Ruegg erhalten, der mir ganz schön wegen Ihrer Kündigungsgeschichte die Leviten gelesen hat. Zu meiner Entlastung: Ich habe nichts davon gewusst und gebe dem Anwalt recht, so geht es nicht!" Dann hörte er sich die ganze Geschichte nochmals aus Viviennes Sicht an. „Wissen Sie Frau Zeller, ich bin froh, dass mal jemand den Mumm hatte, diesem Unternehmensberater Werni Müller die Stirn zu bieten. Der kostet uns sehr viel Geld und bringt ausser Ärger und Verdruss gar nichts. Aber er wird von gewissen Leuten protegiert und ich weiss nicht genau, warum. In der Zweigniederlassung am Zürichsee ist einiges faul und ich verstehe auch nicht, warum man Mario Schmid zum Bereichsleiter gemacht hat. Auf jeden Fall habe ich den Konzernchef gewarnt. Doch dieser gab klein bei, weil man den Direktoren der Zweigniederlassungen nicht allzu viel in personelle Entscheidungen reinreden möchte. In diesem Fall wäre aber eine Intervention dringend angebracht gewesen. Wir sehen jetzt ja, was herauskommt, wenn man beide Augen verschliesst und gewisse Herren einfach vor sich hin wursteln lässt. Auf jeden Fall könnte ich Herrn Schmid zwingen, Sie wiedereinzustellen. Möchten Sie das?" „Nein auf keinen Fall" wehrte Vivienne ab. Wenn sie nur schon an das Bleichgesicht dachte, liefen ihr kalte Schauer über den Rücken. „Aber vielleicht haben Sie eine andere passende Stelle im

Konzern frei?" fragte sie nach. Herr Weigelt versprach, sich umzuhören und ihr dann Bescheid zu geben. „Englisch in Wort und Schrift wäre jedoch Bedingung, wie sieht das bei Ihnen aus?" wollte er noch wissen. „Schlecht, ich bin kein Fremdsprachengenie, aber ich bin bereit, dieses Manko zu beheben", versuchte sie ihn zu überzeugen. „Ja sowas geht nicht von einem Tag auf den anderen", zwinkerte er ihr zu. „Aber ich werde trotzdem schauen, was ich für Sie machen kann. Und wegen der Abfindung hat der Arbeitsrechtsanwalt schon recht. Sie einfach mit einem Wochengehalt abzuspeisen, das geht gar nicht. Nur schon moralisch haben Sie Anrecht auf eine Abfindung, die Ihnen hilft, vorerst über die Runden zu kommen." „Vielen Dank, dass Sie mir zugehört haben und mich sogar wiedereingestellt hätten. Und danke für die Abfindung," verabschiedete sich Vivienne.
Danach machte sie sich auf den Weg zum nahen Bahnhof. Bis ihr Zug einfahren würde, blieb noch etwas Zeit, um in einer Buchhandlung am Bahnhofplatz etwas zu stöbern. Während sie an den Regalen vorbeiging, fiel ihr ein Buch vor die Füsse. Vivienne nahm das Buch mit dem Titel „Schicksal als Chance" von Thorwald Detlefsen erstaunt vom Boden hoch. Der Name des Autors sagte ihr nichts. ‚Der Buchtitel bringt meine Situation auf den Punkt' überlegte sie und kaufte das Buch kurzentschlossen.

Drei Stunden später betrat sie ihre Wohnung. ‚Auch hier drin werde ich mich nie heimisch fühlen' gestand sie sich ein, als sie im engen Badezimmer Wasser in die Wanne laufen liess. Geplant war ursprünglich, zusammen mit Konrad in die Attikawohnung des neuen Wohnhauses einzuziehen. Doch als sie letztendlich allein hierher umzog, musste sie mit der um einiges kleineren und erschwinglicheren Parterrewohnung Vorlieb nehmen. Zum Glück waren zum Zeitpunkt ihres Umzugs noch nicht alle Wohnungen im Wohnhaus vermietet und so zog sie anstatt zuoberst einfach zuunterst ein. Da sie Fabians Wohn- und Unterhaltskosten vollumfänglich übernommen hatte, war klar, dass sie auf eine luxuriöse Wohnung verzichten musste. ‚Alles Karma?‘‘ fragte sie sich einmal mehr.

Bevor sie in die Wanne stieg, rief sie Fabian und Daniel an, um die beiden über die unerwartete Kündigung zu informieren. Ihr Bruder fand auf die Nachricht keine tröstenden Worte: „Das hast du jetzt davon! Ich habe dich ja gewarnt. Mir ist egal, was du machst, Hauptsache ich bekomme deinen Anteil an den monatlichen Unterhaltskosten für Fabian. Wir haben es gut miteinander und so wird es auch bleiben. Kannst uns ja dann mal besuchen, wenn du wieder eine Stelle hast. Vorher will ich dich gar nicht sehen.“

‚Tolle Familie, aber daran bin ich ja selbst schuld‘ überlegte Vivienne, während sie den Telefonhörer auflegte. Das erste Mal in ihrem Leben fühlte sich die 37jährige so richtig einsam und verlassen.

Das Los der Arbeitslosen

Trotz der Kündigungsabfindung, die ein paar Tage nach dem Gespräch mit Leo Weigelt auf ihrem Konto eintraf, blieb Vivienne nichts anderes übrig, als sich beim Arbeitsamt zu melden. Der zuständige Beamte zeigte sich überraschend verständnisvoll und mitfühlend. „Nie im Leben hätte ich gedacht, je in solch eine Situation zu geraten!" jammerte Vivienne, während der Beamte am Schalter ihre Personalien erfasste und ihr die Stempelpapiere aushändigte. „Wissen Sie Frau Zeller, Sie sind nicht die einzige, der das passiert ist. Wir werden hier richtiggehend überrollt mit Arbeitslosenmeldungen und ich denke, wir müssen uns noch auf einiges gefasst machen. Auch anderen Konzernen hier in der Gegend geht es wirtschaftlich schlechter, als dies gegen aussen kommuniziert wird. Ihr Lohn ist übrigens für 720 Tage versichert und innerhalb dieser Zeit finden Sie garantiert wieder eine neue Stelle." Vivienne war dankbar für die aufmunternden Worte. Trotzdem hatte sie absolut keine Lust, zweimal die Woche vor dem Arbeitsamt in einer bis auf die Einkaufsstrasse reichenden Kolonne zu stehen, um ihren Stempel abzuholen. Keiner der Betroffenen hatte Freude daran, während der langen Wartezeiten auf dem öffentlichen Präsentierteller zu stehen. Doch die Arbeitsämter waren weder personell noch räumlich darauf vorbereitet, die unerwartete Arbeitslosenwelle speditiv zu bewältigen. ‚Zum Glück bin ich neu in der Region und niemand kennt mich,' überlegte Vivienne, während sie in der Warteschlange stand.

Heimweh nach dem Zürichsee plagte sie und sie vermisste ihren Sohn. Dann kam ihr ein Podiumsgespräch zum Thema Arbeitslosigkeit in den Sinn, an dem sie kurz vor ihrem Austritt aus der Firma Matter als Arbeitgebervertreterin teilgenommen hatte. Ziemlich arrogant gab sie damals ihre Meinung zum Thema bekannt, die dann am anderen Tag in der Zeitung stand: „Wer sich redlich bemüht, eine Arbeit zu finden, der findet sie auch." Nun erlebte sie am eigenen Leib, was es hiess, arbeitslos zu sein und schämte sich über die bis vor kurzem hochmütige Haltung. „„Karma", würde Reto zu Recht dazu sagen...!'

Um die Zeit ohne Job sinnvoll zu überbrücken, meldete sich Vivienne in einem renommierten Sprachinstitut an und reiste jeden Tag mit dem Zug zum Englisch-Unterricht nach Zürich. An den Wochenenden wurde sie meist von Freunden besucht, sogar Reto machte sich auf den langen Weg über die Autobahn in die Nordwestschweiz und begrüsse seine mittlerweile gute Freundin am Ziel mit: „Hallo Vivienne im Exil." „Ich will hier raus Reto und zwar pronto!" liess sie ihn wissen. „Exil ist kein Dauerzustand! Du schaffst es sicher bald, hier wieder weg zu kommen", versuchte er sie zu trösten.

Um in der Fremde nicht total zu versauern, nahm Vivienne einen Monat nach der Kündigung eine Temporär-Arbeit in einem anderen kriselnden Konzern in der Region an. Innert kürzester Zeit verloren Hunderte von Angestellten ihren Job und darum wurde auf die Schnelle ein Profi gesucht, der in der Lage war, möglichst speditiv und professionell die Arbeitszeugnisse zu verfassen. Der vorübergehende Arbeitsplatz lag glücklicherweise in Gehdistanz zu Viviennes Wohnung und sie war dankbar für die willkommene Abwechslung.

Ein paar Tage nachdem sie die Temporärstelle angetreten hatte, rief nach Feierabend überraschend Delia Simic, die serbische Mitarbeiterin aus der Firma Matter, an, um sich nach ihrem Befinden zu erkundigen. „Sorry, wenn ich einfach so anrufe, doch ich habe die Telefonnummer von Ihrer ehemaligen Assistentin erhalten. Die meisten hier in der Firma Matter vermissen Sie und Herrn Koch, weil die neuen Personalchefs ganz anders als Sie beide ticken." ‚Ja, ja, erst wenn man etwas nicht mehr hat, weiss man es im Nachhinein zu schätzen,' überlegte Vivienne emotionslos. Dann kam ein kleinwenig Schadenfreude in ihr hoch, als sie sich vorstellte, wie Gian Widmer bestimmt kurzen Prozess mit gewissen Mitarbeitern machte, die nicht nach seiner Pfeife tanzten. Doch Vivienne verkniff sich eine entsprechende Bemerkung. „Wenn Sie wieder mal in der Nähe sind Frau Zeller, kommen Sie doch bei mir auf einen Kaffee vorbei. Sie haben so viel für mich getan, ich will jetzt auch mal etwas für Sie tun", erklärte ihr Delia Simic, nachdem sie Viviennes Erstaunen und Zögern auf ihre Einladung bemerkt hatte. Normalerweise liess sich Vivienne nie von Mitarbeitern einladen, auch nicht von ehemaligen. Doch nun war sie ihr eigener Herr und Meister und niemandem mehr Rechenschaft schuldig. „Ja ist ok, wenn ich das nächste Mal am Zürichsee bin, melde ich mich", versprach sie der Serbin. Diese zeigte sich über die Zusage hocherfreut und fügte zu Viviennes Überraschung noch hinzu: „Frau Zeller, egal was hier rumerzählt wird, ich weiss, dass Sie und Herr Koch zusammengehören. All die Leute, die schlecht über Sie reden, wissen nicht, was wahre Liebe ist. Irgendwann werden

Sie beide wieder zusammenkommen, ich weiss es ganz genau. Und vergessen Sie nie: Herr Koch leidet genauso wie Sie unter der Trennung und denkt genauso an Sie, wie Sie an ihn." „Woher wissen Sie das alles? Haben Sie mit ihm gesprochen?" wollte sie erstaunt wissen. „Kommen Sie zu mir auf Besuch. Dann erkläre ich Ihnen, warum ich das so genau weiss."

Am darauffolgenden Wochenende nahm Vivienne die Einladung an und fuhr an den Zürichsee. Bei dieser Gelegenheit besuchte sie Fabian an seinem Arbeitsort und wechselte ein paar Worte mit seinem Chef, der nur Lob für seinen Lehrling übrig hatte... Vivienne war über Fabians Erfolg erfreut und gratulierte ihm dazu.
Nachdem sie das Modegeschäft wieder verlassen hatte, fuhr sie weiter zu Delia Simic, die ganz in der Nähe in einem alten Mietshaus wohnte. Sie parkierte ihr Auto auf dem Besucherparkplatz, ging zum Wohnhaus und klingelte an der Wohnungstüre im zweiten Stock. Die Gastgeberin öffnete sogleich und begrüsste Vivienne herzlich. Sie trug ihr langes, schwarzes Haar offen, anders als während der Arbeit, wo sie es zu einem Knoten hochgesteckt hatte. Trotz ihrer bald 62 Jahre wirkte sie mit ihrer glatten Haut und ihren wachen hellblauen Augen jugendlich. Vivienne konnte erahnen, dass Delia Simic in jungen Jahren eine sehr attraktive Frau gewesen sein musste. Nun mit ihrem deutlichen Übergewicht und der grauen, bodenlangen Tunika, mit der sie versuchte, ihre Kurven zu verhüllen, wirkte sie mütterlich und auch etwas träge.
„Kommen Sie herein Frau Zeller und machen Sie es sich hier auf dem Diwan gemütlich. Sie trinken nur Tee und keinen Kaffee? Habe ich das noch richtig in Erinnerung?" „Ja richtig,

lieber keinen Kaffee", bestätigte Vivienne, während sie Platz nahm. Das Wohnzimmer war mit aus dem Brockenhaus zusammengewürfelten Möbeln eingerichtet und strahlte etwas Mystisches aus. Dies hatte wahrscheinlich mit dem dezenten Weihrauchgeruch, der in der Luft hing, zu tun. Auf dem kleinen Salontisch standen ein Wasserkrug mit zwei Gläsern sowie selbstgemachter Kuchen. Nachdem Delia Simic das Wasser eingeschenkt und je ein Kuchenstück auf die bereitgestellten Dessertteller gelegt hatte, erkundigte sich Vivienne nach dem Befinden ihrer Gastgeberin. „Nicht wirklich gut, da mich jeden Tag Rückenschmerzen plagen und mir kein Arzt helfen kann. Zudem muss ich mit sehr wenig Geld auskommen. Früher arbeitete ich im Akkord und verdiente sehr gut, doch jene Sonderprämien werden nicht für die Altersvorsorge miteingerechnet, sondern nur das reguläre Gehalt. Das rächt sich nun und so werde ich mich nach meiner Pensionierung in einem halben Jahr jeden Tag zur Decke strecken müssen. Doch ich habe Sie nicht eingeladen, um Ihnen meine Probleme vorzujammern, sondern ich möchte gerne wissen, wie es Ihnen geht." Sie schaute dabei Vivienne fragend an. „Haben Sie sich gut eingelebt in Bern und wie gefällt Ihnen die neue Stelle?" Vivienne wurde verlegen. Sie hatte keine Lust, Delia Simic ihr Leid zu klagen. Vor allem, weil sie nicht wusste, wie verschwiegen die Serbin war. „Zurzeit arbeite ich nur temporär. Da es mir in Bern nicht so gut gefällt, überlege ich mir, wieder Richtung Zürich zu ziehen", versuchte Vivienne ihre Situation so unverfänglich wie möglich zu schildern. „Alles wird gut, Frau Zeller. Das ist jetzt nur eine vorübergehende Krise. Jeder durchlebt mal Krisenzeiten. Doch nach jedem Unwetter scheint wieder die Sonne. Trotzdem wäre es besser gewesen, wenn Sie die Firma Matter nicht verlassen hätten. Aber wir können die Zeit leider nicht mehr zurückdrehen." „Nein, können wir nicht", gab Vivienne abweisend zur Antwort. Sie hatte keine Lust auch nur ein Wort über ihren ehemaligen Arbeitgeber zu verlieren. Delia kramte etwas aus ihrer Truhe hervor und Vivienne beobachtete, dass es sich dabei um Spielkarten handelte. ‚Sie will jetzt aber nicht mit mir jassen?' überlegte sie irritiert. Doch als sie die Karten näher betrachtete, die Delia Simic unterdessen auf ein ausgebreitetes weisses Seidentuch legte, erkannte sie, dass die Karten anders bebildert waren als die ihr bekannten Jass-Karten. Delia Simic mischte die Karten schweigend. Als sie damit fertig war, legte sie den Stapel auf den kleinen Salontisch. „Teilen Sie den Stapel bitte in drei Teile auf", bat sie Vivienne. Ohne nachzufragen, machte diese, wie ihr geheissen wurde. Frau Simic schaute sich die untersten Karten der drei Stapel an und legte sie wieder zusammen. Gebannt beobachtete Vivienne, wie ihre Gastgeberin die Karten nun in vier Reihen à je neun Karten auf dem Tisch auslegte und anschliessend das Kartenbild in Ruhe betrachtete. Als sie damit fertig war, meinte sie stirnrunzelnd: „Herrn Koch geht es nicht gut und er fühlt sich zu Hause alles andere als glücklich. Er macht sich Gedanken darüber, ob er zu Ihnen nach Bern ziehen soll."

Vivienne starrte die Frau mit offenem Mund an. „Das sehen Sie tatsächlich alles aus den Karten?" wollte sie ungläubig wissen. „Ja dies und noch viel mehr", bestätigte die Serbin. „Meine Grossmutter hatte bereits diese Gabe, mehr zu sehen, als man mit normalen Augen sieht. Ich habe sehr viel von ihr gelernt und ihre Begabung geerbt. Doch das ist nicht immer einfach. Darum spreche ich mit niemandem darüber. Behalten Sie es bitte für sich, Frau Zeller. Ihnen vertraue ich, sonst keinem." Vivienne nickte nur und hörte weiter zu, was ihr die Wahrsagerin, die nun das Kartenbild von neuem fixierte, mitzuteilen hatte. „Sie werden bald viel, viel Geld erhalten." ‚Wer's glaubt wird selig!' dachte Vivienne. „Woher soll ich denn *viel, viel* Geld bekommen?" wollte sie wissen. „Woher es kommt, sehe ich nicht. Es kommt einfach", liess Delia ihren Gast wissen. „Und wann zieht Konrad zu mir nach Bern?" hakte Vivienne nach. Die Wahrsagerin nahm ein Pendel mit goldener Kette zur Hand und hielt die Kette zwischen Daumen und Zeigefinger fest. Zu Viviennes Überraschung bewegte sich das Pendel plötzlich, ohne dass Delia Simic ihre Hand bewegt hätte. Gedanklich stellte sie ein paar Fragen, beobachtete die Pendelbewegungen und wandte sich, nachdem das Pendel stillstand, wieder Vivienne zu. „Innerhalb der kommenden beiden Wochen nimmt Herr Koch wieder Kontakt zu Ihnen auf und dann geht alles sehr schnell mit dem Umzug."

Auf dem langen Nachhauseweg überlegte Vivienne wie es möglich war, lediglich mit Karten und Pendel die Zukunft vorauszusehen. Die astrologischen Analysen gaben ihr bereits Rätsel auf und erst nachdem sie ein Fachbuch gekauft hatte, wurde sie etwas schlauer über all die Konstellationen der Planeten, die das Leben auf Erden beeinflussten. Ihr wurde nach der anspruchsvollen Lektüre klar, dass wahrscheinlich nur wenige, wirklich gut ausgebildete und verantwortungsvolle Menschen in der Lage waren, seriöse astrologische Gutachten zu erstellen. Dass man die Zukunft zusätzlich über Tarotkarten und Pendel erkennen könne, ging hingegen über ihren Verstand. Sie beschloss, sobald als möglich den Buchladen in der Altstadt von Bern aufzusuchen, der auf esoterische Bücher spezialisiert war, um sich nach einem Pendelbuch zu erkundigen. Für den Moment las sie immer noch im Buch „Schicksal als Chance", das ihr tatsächlich half, die letzten beiden ungewöhnlichen Jahre aus einer neuen Perspektive zu betrachten.

‚Warum nur komme ich in letzter Zeit ohne mein Zutun immer wieder mit Menschen in Kontakt, die mir beibringen wollen, dass es ausser der sichtbaren noch eine unsichtbare Welt gibt?' überlegte Vivienne, während sie den Buchladen aufsuchte. Tatsächlich fand sie in einem der Regale ein interessantes Buch mit Pendelkarten, dem ein Messingpendel beigelegt war. Zudem fand sie ein Tarotkartenset, das sie ebenfalls kaufte.

Wieder in ihrer Wohnung zurück, packte sie ihre Einkäufe aus und las zuerst die Anleitung im Pendelbuch durch. Danach nahm sie die goldene Kette mit dem zwei Zentimeter grossen zylinderförmigen Pendel zwischen Daumen und Zeigefinger der rechten Hand und stellte mit Blick auf das Pendel eine Frage. Das Pendel machte vorerst keinen Wank und Vivienne versuchte ruhig zu bleiben. Sie stellt die Frage nochmals und plötzlich bewegte sich zu ihrem Erstaunen der goldene Zylinder in kleinen Bewegungen nach vorne und hinten oder drehte sich um die eigene Achse nach links oder nach rechts, obwohl sie ihre Hand ruhig hielt. Drehung nach rechts bedeutete Ja, nach links Nein. So auf jeden Fall stand dies im Pendelbuch. Ab jenem Moment übte sie jeden Tag fleissig und hielt sich an die Anweisungen.

Das Tarot-Buch las sie Tage später durch und erprobte die eine oder andere Legetechnik, um rasch festzustellen, dass es sehr lange dauern würde, bis sie aussagekräftige Deutungen aus dem Kartenbild lesen könnte.

Drei Tage nach dem Besuch bei Delia Simic rief Konrad überraschend an. „Was ist passiert?" fragte er und fuhr fort: „Zufällig traf ich im Zug die Frau eines deiner Freunde und sie hat mir besorgt mitgeteilt, dass du die Stelle in Bern verloren hättest. Und dass du nun arbeitslos seist." ‚Was für eine blöde Petze!' dachte Vivienne, bevor sie Konrad wütend anfauchte: „Und, freut es dich nun, dass mich dasselbe Schicksal ereilt hat wie dich?" „Nein, natürlich nicht. Ich habe Elena gefragt, ob sie dahinterstecke. Doch anscheinend hat sie nichts damit zu tun, obwohl sie sich sehr über die Nachricht gefreut hat und meinte, es geschehe dir recht und endlich hättest du eines aufs Dach gekriegt." „Und deswegen rufst du mich an?!?" schrie Vivienne wutentbrannt ins Telefon. „Vielen Dank, Konrad, dass du es deiner Frau weitererzählt hast! Jetzt weiss es sicher bald jeder in eurer Region, denn unterdessen wissen wir ja, aus welchem Holz deine Frau geschnitzt ist. Sie leidet nicht still, sondern sehr laut und nun auch noch schadenfreudig! Einfach dass du es weisst, mein Leben geht euch beide rein gar nichts mehr an! Hast du das verstanden?!" „Ich habe doch Elena nur gefragt, ob sie etwas mit der Kündigung zu tun hat", redete sich Konrad heraus und versuchte, Vivienne zu beruhigen. „Gerne würde ich dich morgen in Bern besuchen, bist du zu Hause?" „Warum willst du mich besuchen? Um deine Neugier zu befriedigen, wo und wie ich jetzt wohne?" gab sie gereizt zurück. „Nein, um mit dir zu sprechen und mit dir ein paar Dinge zu klären, Vivienne. Ich möchte nicht, dass du so wütend auf mich bist und denkst, ich sei ein schlechter Mensch. Das bin ich sicher nicht, doch es ist in meiner Situation schwierig, nur meinem

Herzen zu folgen", versuchte sich Konrad zum X-ten Mal zu erklären. „Ich überleg es mir, ruf mich in zwei Stunden nochmals an."

Tatsächlich meldete sich Konrad wie abgemacht und Vivienne sagte zu. Mit gemischten Gefühlen holte sie ihn anderentags vom Bahnhof ab und nahm sich vor, Distanz zu wahren. Doch als sie beobachtete, wie Konrad aus dem Zug stieg wurde ihr wärmer ums Herz als erwartet und als er vor ihr stand, fielen sich die beiden wie Ertrinkende in die Arme und küssten sich innig. Danach gingen sie Arm in Arm zu Viviennes Auto und fuhren zu ihrer Wohnung. „Warum wohnst du nicht in der Attikawohnung?" wollte Konrad erstaunt wissen, nachdem er sich in der kleinen Wohnung umgeschaut hatte. „Warum wohl nicht? Weil sie für mich allein zu teuer ist!" erklärte Vivienne gereizt. „Ich halte es ohne dich nicht aus, bitte gib mir nochmals eine Chance, gib uns als Paar eine Chance!" bat Konrad, genauso, wie die Serbin dies vorausgesagt hatte. „Ich denke auch jeden Tag fast pausenlos an dich und stelle mir vor wie es wäre, wenn wir hier zusammenleben würden. Am besten bis ans Ende aller Tage", gab Vivienne zu, während sie Konrad umarmte. Dann setzten sich die beiden aufs Sofa im Wohnzimmer und schauten sich lange an. Dann meinte Vivienne: „Wenn ich die letzten zwei Jahre Revue passieren lasse, hat sich mein Leben auf eine Weise verändert, auf die ich gerne verzichtet hätte. Die Liebe zu dir hat mich meine Existenz gekostet und zudem musste auch Fabian einiges auf sich nehmen, was ich mir für ihn so nicht gewünscht habe. Dass Charlottes Herzstillstand dein Leben durcheinandergewirbelt hat, kann ich nachvollziehen. Doch was hat dies mit meinem Leben zu tun? Ich werde nun dafür bestraft, dass ich mich auf dich eingelassen habe und zwar entgegen all meiner Vorsätze." „Hast du dich vor allem aus Mitleid auf mich eingelassen oder war es auch von deiner Seite her ehrliche Zuneigung?" wollte Konrad in ernstem Ton wissen. „Warum fragst du mich das immer wieder?" wollte Vivienne wissen. „Weil Elena und die meisten unserer Bekannten der Meinung sind, dass wir nur zueinander gefunden haben, weil du Mitleid mit mir gehabt hättest. Das macht mir grosse Mühe. Ich will nicht aus Mitleid, sondern um meinetwillen geliebt werden." „Sicher spielte am Anfang Mitleid oder besser, Mitgefühl eine Rolle. Aber deswegen verliebt man sich doch nicht. Da kann ich dich beruhigen. Ich möchte einfach, dass du endlich offiziell zu mir und zu uns stehst. Ich bin nicht länger deine Spielwiese, wo man sich austobt und die man je nach Lust und Laune wieder verlässt!" erklärte Vivienne ihre Situation. „Ich sehe dich nicht als meine Spielwiese!" verteidigte sich Konrad empört. „Natürlich will ich mich scheiden lassen, doch ich hoffe immer noch, dass Elena einlenkt und mich endlich in Frieden ziehen lässt." „Du lebst einer Illusion nach, Konrad, niemals wird Elena ihren liebgewonnenen Goldesel loslassen. Trotzdem, ich gebe uns nochmals eine Chance, aber nur unter der Bedingung, dass du endlich reinen Tisch machst. Ich arbeite jetzt temporär in einem Konzern und bin nicht allzu häufig zu Hause. Zudem fahre ich regelmässig nach Zürich in die Sprachschule und schaue mich dort nach einer neuen Wohnung um", liess Vivienne Konrad wissen. Dieser nickte und versprach: „Sobald ich mich hier bei dir eingelebt habe, werde ich mich scheiden lassen und das mit Zürich ist mir noch so recht. So wäre ich näher bei Charlotte und kann sie regelmässig besuchen." ‚Dieses Mal scheint es ihm tatsächlich ernst zu sein,‘ überlegte Vivienne, während sie Konrad gegen Abend wieder zum

Bahnhof brachte. Doch ihr Bauchgefühl signalisierte etwas Anderes, nämlich, dass dem Frieden nicht zu trauen war. Und dieses Gefühl behielt leider bis anhin immer Recht, auch wenn ihr Konrad versuchte weiss zu machen, dass es nun kein Zurück mehr geben würde und er sich endgültig für sie entschieden hätte. Anderentags kehrte Konrad mit seinem vollbepackten Auto zurück und zog tatsächlich bei ihr ein.

In den ersten beiden Wochen ihres neuerlichen Zusammenlebens lief alles perfekt. Unter der Woche arbeitete Vivienne und am Wochenende unternahmen die beiden gemeinsame Ausflüge in die Umgebung. Wie immer fühlte sie sich in Konrads Nähe wohl und doch spürte sie nach zwei Wochen eine unerklärliche Distanz, weil ein widerkehrendes Muster von ihm Besitz ergriff. „Was ist los mit dir Konrad, du wirkst so abwesend? Fühlst du dich hier nicht wohl?" wollte sie eines Abends von ihm wissen. „Tatsächlich fühle ich mich in dieser Wohnung sehr unwohl", erklärte er etwas weinerlich. „Zudem bin ich ständig allein und viel zu weit weg, um Charlotte spontan zu besuchen." „Ja und was gedenkst du dagegen zu tun?" wollte Vivienne wissen, obwohl sie die Antwort längst erahnte. Konrad wandte sich von ihr ab und nach einer unruhigen Nacht packte er seine Koffer und verliess wortlos die Wohnung. Vivienne war ausser sich und rief ihm hinter her: „Lass dich hier nie, nie wieder blicken! Verschwinde endlich aus meinem Leben, du Arschloch!" Konrad drehte sich um und meinte süffisant: „Arschloch würde Elena nie sagen." Vivienne raste vor Wut und knallte die Wohnungstüre zu.

Nachdem sie sich ausgeweint und ihre Fassung wieder etwas gewonnen hatte, rief sie Delia Simic an, mit der sie unterdessen per Du war und klagte ihr ihr Leid. „Er kommt zurück, er braucht einfach noch Zeit. Und was ich dir schon lange einmal sagen wollte: Da ist eine Frau, die geistig gegen euch arbeitet. Sie hat Konrad richtiggehend verhext. Dies dürfte mitunter ein Grund sein, dass er immer wieder zu seiner Frau zurückkehrt." „Ist es vielleicht seine Frau?" wollte Vivienne wissen. „Nein, es ist jemand anderes. Auf jeden Fall ist hier schwarze Magie im Spiel, da bin ich mir fast sicher." „Ja, es ist schon komisch, dass er nach einer gewissen Zeit wie fremdgesteuert reagiert", gab Vivienne der Kartenlegerin recht. „Es läuft immer alles nach demselben Muster ab: Zuerst herrscht Flitterwochenstimmung und wir verstehen uns wunderbar. Nach zwei, drei Wochen beginnt die Stimmung zu kippen, sobald ich ihn mal kritisiere oder ihm widerspreche. Anscheinend sieht das Zusammenleben mit seiner Familie anders aus, denn dort ist er eben der unbestrittene Herr im Haus. Ich hingegen beharre auf gleichberechtigter Partnerschaft und damit scheint er überfordert zu sein." „Nein, er ist sicher nicht der Herr im Haus, diese Rolle hat längst seine Frau übernommen", widersprach ihr Delia.

Anderentags suchte Vivienne erneut die Buchhandlung im Stadtzentrum auf, um ein Buch über schwarze Magie zu kaufen. „Wir verkaufen nur Bücher über weisse Magie", liess die Verkäuferin sie mit strafendem Blick wissen. „Mit schwarzer Magie wollen wir nichts zu tun haben." Vivienne erklärte der Frau mittleren Alters, sie wolle lediglich wissen, was es mit der schwarzen Magie auf sich habe und sicher nicht, um diese selbst anzuwenden. „Da bin ich aber beruhigt. Ich kann Ihnen dieses Buch über weisse Magie empfehlen, da steht auch drin, warum man sich vor schwarzer Magie hüten soll." Vivienne blätterte im Buch und als sie den Abschnitt über schwarze Magie fand, las sie ihn kurz durch und gab das Buch der Verkäuferin zurück. „Okay, ich weiss jetzt, um was es geht. Dafür brauche ich dieses Buch nicht." meinte sie und kaufte stattdessen ein Buch über Heilsteine.

Kaum wieder zuhause zurück, klingelte das Telefon und zu ihrem grossen Erstaunen war Irma, eine Freundin aus früheren Tagen dran, mit der sie zusammen Ende der 1970er Jahre die Ausbildung zur Katechetin absolvierte hatte. Just zu jener Zeit, als sie sich von Fabians Vater Bruno trennte. „Ich habe per Zufall Bruno getroffen und er hat mir erzählt, dass du neuerdings in Bern lebst. Wie kommt das?" wollte sie wissen. Irma war um einiges älter als Vivienne und Mutter zweier erwachsener Söhne. Widerwillig erklärte sie kurz die Gründe ihres Umzugs. „Du musst dein Leben endlich in den Griff bekommen, meine Liebe! Seit der Scheidung von Bruno, konntest du dich wohl beruflich erfolgreich entwickeln, doch mit deinem Beziehungsleben sieht es zappenduster aus", tönte es ungnädig aus dem Hörer. „Ja und was soll ich deiner Meinung nach tun, um mein Beziehungsleben zu erhellen?" wollte Vivienne in schnippischem Ton wissen. „Ich schlage vor, ich gebe dir die Adresse von Lukas Grob. Du hast bestimmt schon von ihm aus den Zeitungen gehört. Seiner Familie gehört ein namhaftes Handelsgeschäft in Zürich. Er hat sich in den letzten Jahren nebenbei als spiritueller Berater für Manager einen guten Namen gemacht. Eine meiner besten Freundinnen mit einer ähnlichen Geschichte wie deiner, hat bei ihm Hilfe gesucht und sie auch gefunden." Vivienne notierte sich die Adresse und Telefonnummer. „Vielen Dank, Irma, dann ruf ich dort mal an. Und bei dir, alles in Ordnung?" wollte sie anstandshalber noch wissen. „Ja, um mich musst du dir keine Sorgen machen, bei uns ist wie immer alles im grünen Bereich. Erzählst mir dann, ob dir Lukas Grob helfen konnte, gell?" „Ja, mache ich", versprach Vivienne und verabschiedete sich von ihrer Freundin. Dann rief sie Lukas Grob umgehend an und zum Glück nahm er das Telefon gleich selbst ab. Nach der Begrüssung erklärte sie ihm kurz, durch wen sie seine Nummer erhalten hatte und schilderte ihr Problem. „Ich fühle mich zurzeit gefangen wie in einem Dschungel und benötige eine Art Scout, der mir den richtigen Weg nach draussen aufzeigt." „Hätten Sie morgen Nachmittag Zeit für ein persönliches Gespräch in Zürich? Dann schauen wir uns das Ganze mal an", kam Lukas Grob gleich zur Sache.

Buddhistische Sichtweisen

Am nächsten Tag gegen Mittag fuhr Vivienne mit dem Zug nach Zürich und fragte sich während der Fahrt, auf welche Weise Lukas Grob ihr wohl weiterhelfen könnte. Von Irma wusste sie unterdessen, dass er sich zusammen mit seiner Frau regelmässig in einem Ashram in Indien aufhielt und dort erleuchtet wurde. ‚Hoffentlich ist Lukas Grob kein Sektierer und will mich bekehren,‘ überlegte sie, während der Zug in den Zürcher Hauptbahnhof einfuhr.

Nach fünfzehn Minuten Fussweg erreichte sie ihr Ziel und betrat etwas nervös das unpersönliche Geschäftshaus in der Nähe des Kunsthauses. Am Empfang verlangte sie nach Lukas Grob. „Unser Chef erwartet Sie bereits, bitte folgen Sie mir", winkte ihr die nette Assistentin zu und begleitete Vivienne in sein Büro im ersten Stock. Dort erwartete sie zu ihrer grossen Erleichterung kein indischer Guru in einem langen, wallenden Gewand, sondern ein Geschäftsmann, gekleidet in Anzug und Krawatte, dem nichts von seiner Erleuchtung anzusehen war. Lukas Grob, ein gross gewachsener, weisshaariger Mittfünfziger, begrüsste sie freundlich und bat sie, in seinem unpersönlich eingerichteten Büroraum am Sitzungstisch Platz zu nehmen. Er setzte sich ihr gegenüber und musterte sie interessiert. Dann stellte er sich kurz vor, erzählte aus seinem Leben und vor allem davon, warum er seit Kurzem seine Dienste als spiritueller Coach anbot. „Wissen Sie Frau Zeller, meinen Managerjob übe ich vor allem darum aus, weil es in unserer Familie zur Tradition gehört, dass der älteste Sohn irgendwann das Familienunternehmen übernehmen soll. Nach meinem Studium habe ich diesen Auftrag mit Freude ausgeführt, doch irgendwann kam der Moment, als mir das alles nicht mehr genügte. Per Zufall, wenn es diesen überhaupt gibt, lernte ich auf einer Reise durch den Himalaya einen buddhistischen Mönch kennen, der mir aufzeigte, dass das Leben noch anderes zu bieten hat, als Geld zu scheffeln. Heute habe ich genug Geld beisammen und das möchte ich nun sinnvoller einsetzen, als bis ans Ende meiner Tage in Luxus zu leben. Darum habe ich mich dem Pfad der Erleuchtung verschrieben, was ich jedem Menschen nur empfehlen kann." ,Also doch ein Sektierer,' überlegte Vivienne ärgerlich. „Doch ich will keinesfalls jemanden dazu nötigen, diesen Weg zu gehen. Das ist eine Herzensangelegenheit und ich bin ja kein Sektierer, sondern nur ein Berater", ergänzte Lukas Grob so, als hätte er Viviennes Gedanken gelesen. „Nun wissen Sie etwas mehr über mich. Bitte erzählen Sie mir etwas aus Ihrem Leben", ermunterte er seinen Gast. Vivienne erzählte ihm über ihre berufliche Laufbahn und ihr unglückseliges Liebesverhältnis sowie die Folgen daraus. Währenddessen notierte sich Lukas Grob die für ihn relevanten Eckpunkte und stellte ab und zu eine Zwischenfrage.

Nachdem Vivienne mit ihren Ausführungen am Ende war, dachte der Geschäftsmann eine Weile nach. „Hmm...eine Stelle kann ich Ihnen leider nicht anbieten. Unser Unternehmen ist zu klein, um eine Personalchefin Ihres Kalibers zu beschäftigen. Ich könnte Ihnen jedoch ein Coaching anbieten, das mehr Klarheit in Ihr Leben bringt. Diese Coachings führe ich jeweils in meinem Domizil im Puschlav durch. Dies, weil ich dort zusammen mit meinen Klienten störungsfrei für fünf Tage in die Einsamkeit abtauchen kann. Mein Programm ist so aufgebaut, dass wir jeden Tag vier Stunden zusammenarbeiten. Das heisst, ich mache Rückführungen und wir meditieren. Nach dem Mittagessen, das meine Frau in unserem Haus zubereitet, sind Sie auf sich selbst gestellt und schreiben Ihre Eindrücke aus der Rückführung oder Meditation nieder. Für Ihre Unterkunft steht übrigens das Rustico einer unserer Bekannten zur Verfügung. Nachdem Sie täglich alles auf Papier notiert haben, verbrennen Sie das Geschriebene sofort im Ofen. Das Mittagessen nehmen wir, wie bereits erwähnt, gemeinsam in unserem Haus ein, Frühstück und Abendessen bereiten Sie selbst zu. Es geht darum, dass Sie in sich gehen und sich bewusstwerden, wer Sie wirklich sind und was Sie in Ihrem Leben wollen und vor allem, was sie auf keinen Fall mehr wollen. Das Ganze kostet übrigens 2500 Franken. Da ich vermögend bin, bin ich auf Verdienste aus den Beratungen nicht angewiesen. Doch zwischen meinen Klienten und mir muss ein Energieaustausch stattfinden. Ich gebe etwas und der Klient gibt mir in Form von Geld etwas zurück, das ich an eine gemeinnützige Organisation weitergebe."

Das Konzept mit dem Energieaustausch machte Eindruck auf Vivienne, weil sie eher zum Typ Mensch gehörte, der bereit war, viel zu geben und zu wenig darauf achtete, dass auch wieder etwas zurückkam, egal ob emotional oder materiell. „Überlegen Sie sich mein Angebot und geben Sie mir rasch möglichst Bescheid. In der letzten Oktoberwoche hätte ich übrigens noch ein freies Zeitfenster." „Das wäre ja bereits nächste Woche", wurde sich Vivienne bewusst. „Ja genau, am Montag gegen Abend würden wir alle zusammen losfahren und Sie am Freitagnachmittag mit der Rhätischen-Bahn allein wieder zurück." Es war Dienstag und Vivienne versprach, innerhalb der nächsten zwei Tage Bescheid zu geben.

‚Auf meinem Konto liegen noch genau 4000 Franken,' überlegte sie auf der Rückfahrt von Zürich nach Bern. Die hohen
Kosten für den Englischintensivkurs, der Umzug nach Bern
und die Mietzinsdepots für Fabians und ihre eigene Wohnung zerrten an ihren finanziellen Reserven. Nun sollte sie
ihr letztes Geld für etwas hinblättern, dessen Wert sie nicht
einmal abschätzen konnte. Nach einigen Überlegungen kam
sie zum Schluss: ‚Es geht mir so schlecht und ich bin so verzweifelt, dass mir nichts anderes übrigbleibt, als das Risiko
einzugehen! Irma hat Recht, ich muss endlich mein Beziehungsleben in den Griff kriegen.' Da ihr Lukas Grob entgegenkam und Ratenzahlungen akzeptierte, willigte sie letztendlich ein.

Fünf Tage später, an einem regnerischen und stürmischen
Tag, traf Vivienne zum vereinbarten Termin im Zürcher
Hauptbahnhof ein. Grobs holten sie mit ihrem Auto ab und
boten ihr sogleich das Du an. „Für die Zusammenarbeit ist es
nach meiner Erfahrung besser, wenn wir uns Du sagen", erklärte Lukas. Marianne Grob, eine zierliche, dunkelhaarige
Schönheit mittleren Alters, nahm auf dem Vordersitz Platz
und drehte sich nach der Abfahrt kurz zu Vivienne um, die
auf dem Rücksitz sass. Sie lächelte der Klientin ihres Mannes
zwar freundlich und doch unnahbar zu. Auch Lukas Grob
gab sich geschäftlich und distanziert und Vivienne fühlte sich
in der Gesellschaft der beiden unwohl. Am liebsten wäre sie
an der nächsten Ampel wieder ausgestiegen und zurück nach
Bern gefahren. ‚Doch ich habe A gesagt, nun muss ich bis Z
durchhalten,' redete sie sich gut zu. Der Regen prasselte unablässig auf die Autoscheiben und Vivienne dachte, dass das
Wetter gut zu ihrer Stimmung passte: Grau, trüb, weinerlich.

Nach der Fahrt über den Julier Pass und bereits ein gutes Stück Richtung Puschlav fuhr Lukas bei einer Abzweigung raus und machte wenig später vor einem lokalen Gasthaus halt. „Hier werden wir zusammen zu Abend essen, wenn es dir recht ist." erklärte er seinem Fahrgast. „Ja, das ist okay", meinte Vivienne und stieg aus dem Auto. Während des Essens im rustikalen und gemütlichen Ambiente des Puschlaver Gasthauses wollte Lukas' Frau von Vivienne wissen, was der Grund fürs Coaching war. Diese erzählte ihr breitwillig über ihr Liebesdrama und die Arbeitslosigkeit. Marianne hörte ihrem Gast schweigend zu und äusserte sich nicht weiter. Dann wollte Vivienne von Lukas wissen, was es mit einem Ashram auf sich hatte. „Die Freundin, von der ich deine Adresse bekommen habe, erwähnte, dass ihr beide regelmässig einen Ashram in Indien besucht. Was muss ich mir darunter vorstellen?" „Ein Ashram ist ein Ort der Anstrengung. Anstrengung mehr im geistigen als im körperlichen Sinn. Man beschliesst, für einige Zeit und unter der Führung eines spirituellen Lehrers, eines Gurus, mit Gleichgesinnten aus der ganzen Welt, in Abgeschiedenheit zu leben. Man lernt, zu meditieren, liest aus den heiligen Schriften und stellt sich innerhalb der Gemeinschaft für selbstlosen Hausdienst zur Verfügung. Man lernt mit dem Nötigsten zufrieden zu sein, in Askese zu leben. Anfangs war dies hart, doch mit der Zeit stellte sich die Erleuchtung ein und wir beschlossen, uns vom protestantischen zum buddhistischen Glauben hinzuwenden. Daran hat sich bis heute nichts geändert", schloss Lukas seine Erklärung ab, bevor er die Rechnung verlangte.

Auf der Weiterfahrt überlegte Vivienne, dass ein Leben im Ashram mit ihrem Internatsleben bei den Klosterfrauen vergleichbar war, ausser, dass sie keine Erleuchtung fand. ‚Ashram habe ich somit als Jugendliche mehr oder weniger erlebt und muss das als Erwachsene keinesfalls nochmals haben,' schloss sie das Thema für sich ab. Dann erreichten sie spätnachts bei immer noch strömendem Regen ihr Ziel und als ihr Lukas mit Hilfe einer grossen Taschenlampe ihre Bleibe zeigte, wollte sie von ihm wissen: „Was ist am Buddhismus so besonders, dass du deine Religionszugehörigkeit gewechselt hast?" „Auf deinem Nachttisch liegt ein kleines Buch, da steht alles Wissenswerte über den Buddhismus drin." Weiter ging er nicht auf ihre Frage ein. „Wir sehen uns morgen um neun Uhr bei mir im Therapieraum. Sei bitte pünktlich", verabschiedete er sich und wünschte Vivienne eine gute Nacht. Zu ihrem Erstaunen gab es im Haus weder eine elektrische Heizung noch warmes Wasser. Von einer Dusche konnte Vivienne nur träumen, von einer Badewanne ganz zu schweigen. Der kleine Wohn- und Küchenraum war lediglich mit einem Cheminée-Ofen und bereit gestelltem Brennholz beheizbar, der altertümliche Kochherd ebenfalls. Eine Szene aus Kindertagen kam ihr in den Sinn: ‚Meine Oma musste ihren Küchenherd ebenfalls mit Brennholz einheizen und als wir jeweils als Kinder bei ihr auf Besuch weilten, warf der kleine Daniel emsig Holz ins Feuer, bis er im Gesicht glühte durch die Hitze.'

Einziger Luxus in dem kleinen Tessiner-Haus waren die Toilette und ein Waschbecken mit fliessendem aber eiskaltem Wasser. Auch das Schlafzimmer war nicht beheizbar und nach einem Lichtschalter suchte sie dort, wie auch im Rest des Hauses vergeblich. Auf dem Nachttisch lag eine grosse Taschenlampe bereit sowie das Buch über den Buddhismus, von dem Lukas gesprochen hatte. Mit Hilfe der Taschenlampe entdeckte Vivienne im Wohnbereich einige Kerzenständer, bestückt mit weissen Kerzen, die zur nächtlichen Stunde für Beleuchtung sorgen sollten. ‚Hoffentlich gibt es keine grossen Spinnen, so gruselig, wie es hier aussieht,‘ war für den Moment ihre grösste Sorge. ‚Und das alles muss ich jetzt wegen diesem Konrad aushalten!‘ schoss es ihr durch den Kopf, während sie sich im engen Toilettenraum die Zähne putzte. ‚Nie und nimmer wäre ich sonst jemals in eine solch unkomfortable Situation geraten. Nun bin ich aber mal hier und werde mich wohl zusammenreissen müssen.‘ Wäre sie mit ihrem eigenen Auto angereist, hätte sie wahrscheinlich trotz des stürmischen Wetters wieder das Weite gesucht. Egal wohin, einfach nur weg aus der Kargheit dieses unwirtlichen Hauses. ‚Lukas und Marianne liegen nun in ihren gemütlichen Betten im komfortablen Haus und ich wurde in die Klause verbannt!‘ ärgerte sich Vivienne. Nachdem sie sich im Licht der Taschenlampe fertig gewaschen und abgeschminkt hatte, zog sie ihr rosa Spitzennachthemd über, das in der ungastlichen Umgebung so fehl am Platz war, wie sie selbst. ‚Ein Pyjama würde mich mehr wärmen als diese dünnen Spitzen. Und gegen eine heisse Bettflasche hätte ich auch nichts einzuwenden,‘ überlegte sie, während sie mit Hilfe der Taschenlampe ein paar Seiten im bereitgelegten Buch las.

Der erste Buddha, der die Lehre, auch Dharma genannt, verbreitete, war Siddhartha Gautama, was mit "Der sein Ziel erreicht hat" übersetzt werden kann. Gautama wurde als Königssohn zirka 565 vor Christus im heutigen Nepal geboren. Obwohl man ihm das Leid der Welt ersparen wollte, indem man ihn von der Aussenwelt abschottete, entkam er seinen Bewachern und wurde mit dem Leid konfrontiert, das in den Strassen der Stadt herrschte. Mit 29 Jahren beschloss er, sein Haus und seine Frau samt neugeborenem Sohn zu verlassen und sich verschiedenen asketischen Lehrern anzuschliessen.

,Klingt wie die Geschichte von Bruder Klaus, der ebenfalls seine Frau und Kinder verliess, um sich als Einsiedler zurück zu ziehen,' überlegte Vivienne und las weiter.

Bald wurde ihm klar, dass er sein Ziel, die Befreiung vom Daseinskreislauf, nicht durch Askese erlangte, sondern durch den „Mittleren Weg." Darunter verstand er weder die extreme Askese noch die extreme Völlerei, sondern eine vernünftige und gesunde Lebensweise. Unter einem Bodhi-Baum sitzend erreichte er schliesslich die Erleuchtung im Alter von 35 Jahren nach langer Übung in der Meditation. Ursprünglich wollte er seine Erkenntnisse nicht mit anderen teilen, da er sich bewusstwurde, dass seine persönliche Erleuchtungserfahrung kaum mit Worten zu beschreiben war. Schliesslich begann er auf Bitten anderer, seine Lehren mündlich weiterzugeben. Er führte bis zum Ende seines Lebens ein Wanderdasein und zog lehrend von Ort zu Ort. Es scharten sich Jünger um ihn, die wissbegierig seine Lehre aufnahmen, um sie später in die Welt zu tragen.

,Dies wiederum tönt wie die Geschichte von Jesus Christus, der zusammen mit seinen Jüngern ebenfalls als Wanderprediger unterwegs war, um das Heil Gottes zu verkünden. Mit dem Unterschied, dass Buddha nicht am Kreuz endete, sondern mit 80 Jahren an einer verdorbenen Speise verstarb. Und der Schweizer Nationalheilige Bruder Klaus starb 1487 als Eremit in seinem kargen Holzhaus im Flueli Ranft, nachdem er über 19 Jahre lang auf Speis und Trank verzichtete.' Die Philosophie und Lebensweise des Buddhas fand Viviennes Zustimmung ,Doch deswegen gerade zur Buddhistin werden, wie Lukas Grob...?' Sie machte die Taschenlampe aus, um nach dem anstrengenden Tag endlich zu schlafen. Ihr letzter Gedanke war: „Konrad" und wie schön es doch gewesen wäre, sich an seinen wärmenden Körper zu schmiegen...

Morgens um halb acht weckte sie der schrille Wecker auf dem Nachttisch. Sie stand sofort auf, um ihre Morgentoilette zu verrichten. Trotz der kargen Abgeschiedenheit schminkte sie sich wie jeden Tag und steckte ihr langes blondes Haar zu einem Knoten hoch. Dann bereitete sie sich das Frühstück mit den Lebensmitteln zu, die sie zusammen mit Grobs in einem kleinen Supermarkt auf der Reise ins Puschlav eingekauft hatte.

Es regnete immer noch in Strömen und sie machte sich in ihrer Regenjacke auf den Weg zum Haus ihres Coachs, um dort zum vereinbarten Termin pünktlich einzutreffen. Erst jetzt realisierte sie, dass das Rustico an einem Berghang und Grobs Haus weiter unten im Tal lag. Lukas erwartete sie bereits in seinem Therapieraum und begrüsste sie mit feierlicher Miene. Er war weiss gekleidet und Vivienne wusste nicht so recht, was sie davon halten sollte. Das Zimmer war spartanisch eingerichtet und wirkte doch irgendwie feierlich. In der Ecke stand ein Bett und darauf lag ein weisses, zusammengefaltetes Leinentuch. Daneben stand ein Holzstuhl, auf dem Schreibmaterial bereitlag. In der anderen Ecke des zirka 20 Quadratmeter grossen und weiss getunkten Raums stand ein kleiner Holztisch mit weissem Tischtuch, auf dem eine Buddha-Figur, Kerzen und Blumen wie auf einem Altar standen. Lukas zündete eine der Kerzen an und Vivienne bestaunte die vielen Heiligenbilder, die eingerahmt an der Wand hingen. Zu ihrem grossen Erstaunen entdeckte sie nebst den indischen und tibetischen Heiligen auch ein Bild von Jesus Christus. „Was hat denn Jesus mit dem Buddhismus zu tun?" fragte sie Lukas. „Seit jeher verehren die Buddhisten Jesus als einen grossen Meister, dessen Erscheinen Buddha noch zu seinen Lebzeiten angekündigt hatte. Er sagte voraus, dass ein wahrer Meister als Vermittler des göttlichen Lichts zur Erde gesandt würde", erklärte Lukas. Vivienne erinnert sich daran, dass sie irgendeinmal während ihrer Ausbildung davon gehörte hatte. Es wurde vermutet, dass Jesus vor seinem Wirken in Galiläa zuerst Indien und später Tibet bereist hatte. Wohl waren dies nur mündliche Überlieferungen, denn aus der Bibel war ausser über seine Geburt und seine ersten zwölf Lebensjahre nichts zu erfahren. Was Jesus zwischen seinem 12. und 30. Lebensjahr gemacht hatte, konnte nur vermutet werden. „Wie war es zu jener Zeit möglich, von Israel nach Indien zu reisen?" wollte sie von Lukas wissen. „Wir werden später Gelegenheit haben, deine Fragen zu beantworten. Um den Zeitplan einzuhalten, müssen wir nun mit unserer Arbeit starten. Wie ich dir bereits während unseres ersten Gesprächs erklärt habe, werden wir vier Stunden zusammen in der Klausur verbringen, dann erwartet uns Marianne um 13 Uhr mit dem Mittagessen und danach ziehst du dich für deine Hausaufgaben zurück", instruierte Lukas seine Klientin. „Nun kannst du dich bequem hinlegen und wenn dir kalt ist, gebe ich dir eine Wolldecke, damit du dich zudecken kannst. Ich werde mich neben die Liege setzen. Am ersten Tag erzählst du mir aus deinem Leben und vor allem davon, was dich zurzeit am meisten beschäftigt. Währenddessen mache ich mir Notizen." Vivienne legte sich hin und machte es sich bequem. Danach erzählte sie, wie ihr geheissen wurde, über ihre Familiengeschichte, ihren beruflichen Werdegang und natürlich über das Liebesverhältnis zwischen ihr und Konrad. Lukas machte sich unermüdlich Notizen auf seinem Schreibblock und wenn ihm etwas nicht klar war, stellte er Zwischenfragen.

Zwei Stunden später beendete Vivienne ihren Bericht, weil sie der Meinung war, das Wesentlichste aus ihrem früheren und gegenwärtigen Leben erzählt zu haben. Lukas legte den Notizblock zur Seite und musterte seine Klientin für einige Minuten nachdenklich und meinte dann: „Was deine Mutter betrifft, musst du ihr verzeihen. Dass sie sich dir gegenüber seit frühester Kindheit so abweisend verhält, hat damit zu tun, dass sie eine todunglückliche Frau ist. Nur unglückliche Menschen verhalten sich so. Lerne Mitgefühl zu entwickeln! Auch wenn es dir unlogisch erscheint, weil du dich ungerecht behandelt fühlst. Dies gilt auch im Fall von Konrad. Dieser Mann tut mir wirklich sehr leid, weil seine Leidenslast für ihn fast untragbar geworden ist. Darum kann er sich auch nicht für eine Seite entscheiden. Lass ihn los, denn wenn du weiter mit ihm zusammenbleibst, wirst du unweigerlich und lebenslänglich die Rolle der Krankenschwester übernehmen. Willst du das?" Vivienne zeigte sich über Lukas Empfehlungen empört. „Was kann ich dafür, dass meine Mutter keine Kinder wollte und mein Bruder und ich dann doch auf die Welt kamen? Ihre Ablehnung gegenüber ihrer Mutterrolle war alles andere als einfach zu ertragen. Und nun soll ich über all die seelischen Verletzungen, die sie uns zugefügt hat, einfach hinwegsehen? Wo bleibt denn da die Gerechtigkeit?" „Es liegt nicht an uns, über deine Mutter zu urteilen. Verzeih ihr und es wird dir besser gehen!" beharrte Lukas auf seinem

Rat. „Und warum soll ich Konrad verzeihen, der mich immer wieder wie einen ausgedienten Waschlappen weggeworfen hat, obwohl er mir ewige Liebe schwor?" Vivienne erwartete von Lukas Mitgefühl und Verständnis für ihre Situation und sicher nicht die Aufforderung, ihrer Mutter und Konrad einfach so zu verzeihen. Zu tief waren die seelischen Wunden, zu gross die Wut auf die beiden.

„Solange wir nicht verzeihen können, hängen wir immer im Alten fest und behindern unseren Lebensfluss", versuchte Lukas die aufgebrachte Vivienne zu besänftigen. „Stell dir vor, du trägst seit Geburt einen Rucksack mit dir rum und jeder, dem du im Lauf deines Lebens begegnest, wirft was rein. Mit der Zeit ist der Rucksack so schwer, dass du ihn nicht mehr weitertragen kannst. Darum ist es wichtig, ihn zwischendurch immer wieder zu leeren. Und vergiss nie: Auch du wirfst anderen was in ihren Lebensrucksack, weil du sie absichtlich oder unabsichtlich verletzt hast." Diese Metapher leuchtete Vivienne ein: „Je mehr emotionalen Ballast du mit dir herumträgst, umso freudloser empfindest du dein Leben. Doch wenn du ab und zu in meditativer Stille innehältst und deinen Mitmenschen verzeihst, wird Platz für neue Energien geschaffen und du kannst befreit weiter gehen. Verzeihen wirkt wie ein Jungbrunnen...probiere es aus!" ermunterte der Guru seinen Schützling.

Um die Mittagszeit beendete Lukas die erste Lernphase und im Essbereich des Hauses wartete Marianne bereits mit dem Mittagessen auf die beiden. Nach der Begrüssung bat sie Vivienne am gedeckten Tisch Platz zu nehmen. „Wir essen kein Fleisch, seit wir bekennende Buddhisten sind", erklärte Lukas, während er Salat auf die Teller schöpfte. Aus der Küche duftete es nach Käsekuchen, den Marianne nun schön angerichtet auf einem grossen, ovalen Teller auf den Tisch stellte. Auch Vivienne war Vegetarierin und dies seit frühester Kindheit. Sie mochte Fleisch nicht und ihre Eltern zwangen sie nie, welches zu essen. Ihre Mutter schaute jedoch, dass sie immer genügend Eiweiss in Form von Eiern, Fisch und Käse zu sich nahm. Dass man aus ideologischen Gründen auf Fleisch verzichtete, war Vivienne hingegen neu. Lukas legte je ein Stück des dampfenden Käsekuchens auf die Teller mit dem Salat und schaute dabei Vivienne fragend an. „Du magst Käsekuchen?" „Ja, sehr gerne", nickte sie ihm zu. Während des Essens ergänzte Lukas, dass der Verzicht auf Fleisch zum Erleuchtungs- und Selbstfindungsprozess gehöre, weil der Körper sich so besser auf die spirituelle Energie einstellen würde. Vivienne verzichtete darauf, einen Kommentar abzugeben, weil sie in den vergangenen 24 Stunden rasch bemerkt hatte, dass ihr Coach Widerspruch und Grundsatzdiskussionen nicht besonders mochte. Ihr kam das Gerede um Erleuchtung immer suspekter vor, denn sie suchte hier in der Abgeschiedenheit keine Erleuchtung, sondern sie wollte einfach mehr über die Gründe erfahren, die hinter dem komplizierten Liebesdrama steckten.

Nach dem einfachen aber bekömmlichen Mahl verabschiedete sie sich dankend bei ihren Gastgebern und ging im Regen, der immer noch unerlässlich aus den grauen Wolken schüttete, den steilen Weg hinauf zu ihrem Rustico. Sie schloss die Türe auf und ging erschöpft ins Schlafzimmer, um sich für ein kleines Nickerchen hinzulegen. Eine halbe Stunde später setzte sie sich an den kleinen Esstisch und schrieb alles, was ihr aus der morgendlichen Sitzung noch präsent war, in ihr

Schreibheft. Nachdem sie an die vierzig Seiten geschrieben hatte, las sie alles nochmals sorgfältig durch, riss die Notizen aus dem Heft und verbrannte die Seiten im Ofen. Die Zeit verging wie im Flug und draussen begann es bereits zu dunkeln. Vivienne zog ihre Windjacke über und machte einen kurzen Spaziergang an der frischen Luft. Eine halbe Stunde später bereitete sie sich in ihrer kargen Bleibe im Licht der Kerzen ihr Nachtessen zu. Nachdem sie gegessen, alles abgeräumt und abgewaschen hatte, machte sie ihre Abendtoilette und ging früh zu Bett. Obwohl sie müde war, fand sie keinen Schlaf. Sie zündete die Taschenlampe nochmals an und las ein paar Seiten in einem weiteren Buch, das ihr Lukas mitgegeben hatte. Doch es fiel ihr schwer, sich auf die Lektüre zu konzentrieren, weil ihr immer wieder die Augen zufielen. Sie legte das Buch zur Seite und knipste die Taschenlampe wieder aus. ‚Oh, ich muss ja noch mein Mantra „Om Namah Shivaya" üben!' kam ihr plötzlich in den Sinn. Sie setzte sich im Dunkeln auf die Bettkante und sang leise „Om Naaamah Shivayaaaa", so wie es ihr Lukas am Morgen während ihrer spirituellen Arbeit gelehrt hatte. „Warum muss ich Worte singen oder denken, die ich nicht verstehe?", hatte sie von ihm wissen wollen. „Es geht um die Schwingung, nicht unbedingt um die Bedeutung", war seine für sie einmal mehr unbefriedigende Antwort. Im Buch über den Buddhismus las Vivienne später, dass „Om Namah Shivaya" soviel wie „Alles was Du hast oder bist, ist gut so, wie es ist" bedeutete. ‚Warum soll ich so etwas sagen, wenn gar nichts gut ist in meinem Leben?' überlegte sie, während sie das Mantra gebetsmühlenartig immer wieder herunterleierte. Sie war verwirrt über all das Neue und Ungewohnte, das auf sie niederprasselte. Viviennes Kopf brummte und sie bekam langsam das

Gefühl, als würde ihr eine weitere Last aufgebürdet, anstatt einer genommen. ,Bis zum Abreisetag in vier Tagen wird mich noch die eine und andere Prüfung, die es durchzustehen gilt, erwarten. Nicht zu fassen, dass man sich so etwas freiwillig antut,' überlegte sie während sie wieder unter ihre kalte Bettdecke schlüpfte. Kurze Zeit später schlief sie endlich ein.

Am Morgen gleich nach dem Aufwachen erwartete sie tatsächlich eine Prüfung, die sie nicht bestand. Auf jeden Fall nicht aus Sicht von Lukas Grob.

Wie jeden Tag nach dem Aufwachen waren ihre ersten Gedanken: ,Konrad' und dann ,Heute ist 30. Oktober und er feiert seinen Geburtstag,' und ,Jetzt liegt er bestimmt gemütlich mit seiner Frau im Bett.' Bei diesem letzten Gedanken waren alle ihre guten Vorsätze dahin. Sie wollte weder Freude, Frieden, Verzeihen und Vergessen, sie wollte einzig, dass sich Konrad endlich an sein Versprechen hielt und zu ihr stand. Vivienne brannte innerlich lichterloh vor Eifersucht und wenn ihr jetzt jemand gesagt hätte, sie müsste Konrad verzeihen und ihn endlich loslassen, hätte sie laut herausgeschrien. Dann kam ihr in den Sinn, dass es für den Notfall ein Telefon beim Eingang des Rusticos gab. Vivienne griff nach dem Hörer und stellte mit zittrigen Fingern Konrads Nummer ein. Für den Fall, dass Elena Koch abnehmen würde, würde sie sofort wieder auflegen. Doch Vivienne rechnete fest damit, dass Konrad an seinem Geburtstag selbst abnehmen würde. Tatsächlich meldete er sich bereits nach dem zweiten Klingelton mit lieblicher und verschlafener Stimme. Vivienne bebte vor Wut und schrie ins Telefon: „Herzlichen Glückwunsch zum Geburtstag, du Lügner und Betrüger!"

und hängte wieder auf. Sie dachte: ‚Die Erleuchtung muss halt warten. Ich bin einfach noch nicht soweit.'

Als sie Lukas gleich zu Beginn ihrer Sitzung über ihren Rückfall auf dem Pfad der Tugend und Erleuchtung in Kenntnis setzte, schüttelte dieser besorgt den Kopf. „Musste das wirklich sein?" „Ja, das musste sein und es tat irgendwie gut", gab Vivienne zu. Danach meditierten die beiden eine Stunde lang, obwohl Vivienne ihre Gedanken kaum im Zaun halten konnte. Auch das innerliche Wolkenzählen, wie von ihrem Lehrmeister vorgeschlagen, nützte nichts. Sie konnte oder wollte sich einfach nicht konzentrieren. Ihre Wut über sich selbst und vor allem über Konrad war einfach zu gross.

Nach der Meditation bat Lukas Vivienne, sich wieder für ein weiteres Gespräch bereitzumachen. „Wir schauen jetzt mal nach, was du in anderen Leben so erlebt hast", erklärte er das weitere Vorgehen und bat seine Klientin, in einem bestimmten Rhythmus zu atmen: „Tief einatmen, innerlich auf sieben zählen und dabei Atem anhalten. Dann langsam ausatmen und wieder auf sieben zählen." Für eine Weile konzentrierten sich die beiden auf die Atemübung, bis Vivienne ruhiger wurde und sich wie von einer Wolke getragen fühlte. „Wir gehen nun gedanklich zusammen in ein grosses Haus mit vielen Stockwerken. Dort steigst du in einen Lift und du drückst den Knopf für die Etage, wo du aussteigen willst. Überlege dir nicht lange, in welcher Etage du aussteigen willst, entscheide dich spontan. Dann fahre mit dem Lift hoch, bis er hält. Dann steigen wir aus und du sagst mir, was du siehst." Vivienne machte, wie ihr geheissen wurde und stieg in der achten Etage, die sie gewählt hatte, aus dem Lift. Ausser weissem Nebel sah sie nichts und teilte dies Lukas mit. „Macht nichts. Geh jetzt einfach weiter und wenn du einen Raum siehst, geh hinein." Vivienne trat aus dem Lift in den weissen Nebel. Plötzlich sah sie ein leuchtendes Wesen, das sie bat, in ein Zimmer einzutreten. Der Nebel lichtete sich und Vivienne sah am Ende des Korridors eine Zimmertüre. Sie trat in den Raum ein, der mit strahlend goldenem Licht erhellt war und setzte sich auf einen weichen Sessel, der mit königsblauem Velourstoff bezogen war. Vivienne teilte Lukas mit geschlossenen Augen mit, was sie mit ihrem geistigen Auge zu sehen glaubte. „Wenn du nun in dem bequemen Sessel sitzt, was spielt sich ab?" wollte er wissen. „Nichts! Es ist alles ruhig, entspannt und es passiert nichts." „Versuche dich nun in eines deiner vergangenen Leben zu versetzen und bitte dabei das geistige Wesen um Hilfe." Vivienne wandte sich gedanklich an das leuchtende Wesen und bat darum, sie in eines ihrer vergangenen Leben zu führen. „Was siehst du?" wollte Lukas wissen. „Siehst du bereits, wer du warst?" „Nein, ich sehe nichts", antwortete Vivienne frustriert. „Das macht nichts! Sag mir einfach alles, was dir spontan durch den Kopf geht. Denke nicht, dies seien Hirngespinste. Alles was gedanklich oder bildlich kommt, hat einen Sinn." Vivienne strengte sich an, etwas zu sehen, um dann resigniert festzustellen: „Ich sehe immer noch nichts." „Dann achte nur auf deine Gedanken", riet ihr Lukas. „Jetzt nehme ich wahr, dass ich in einem Garten liege und zwar auf einem weichen Bett, das mit pastellfarbenen Schleiern umhängt ist, die sich im lauen Lüftchen hin und her bewegen. Im Garten gibt es Springbrunnen, schöne Blumen und es duftet herrlich nach Orangenblüten und Jasmin. Ich trage ein bis zum Boden reichendes, schleierartiges Kleid. Meine Haare sind lang und schwarz. Dienerinnen bedienen mich und lesen mir jeden

Wunsch von den Augen ab", gab Vivienne nun ihre Eindrücke weiter. „Und wer bist du?" wollte Lukas wissen. „Kleopatra, ich denke, ich bin Kleopatra." Doch dies sagte sie nur, weil ihr kein anderer Name einfiel. Sie hätte auch genauso gut sagen können: „Ich bin Vivienne." Doch Kleopatra passte besser zur Szenerie.

Langsam entschwanden die Bilder und Lukas bat Vivienne, geistig wieder zurück zum Lift zu gehen, einzusteigen und auf die Ausgangstaste zu drücken. Die Türe schloss sich und der Lift fuhr die Stockwerke runter bis zum Ausgang. Lukas zählte langsam von acht rückwärts bis null. „So, nun steige aus dem Lift und öffne die Augen, wenn es für dich stimmig ist."

Nach zwei, drei Minuten öffnete Vivienne ihre Augen und sah Lukas auf seinem Stuhl sitzen. Er sah sie freundlich, jedoch auch ein wenig mitleidig an. „Viele Frauen denken, sie seien einmal Kleopatra gewesen. Bei meiner ersten Rückführung sah ich mich als Pontius Pilatus. Die Person, als die man sich fühlt, hat meist mit einem selbst zu tun", erklärte er seiner skeptisch dreinschauenden Klientin. „Pontius Pilatus, der seine Hände in Unschuld wusch", konnte sich Vivienne nicht verkneifen zu bemerken. „Ja, so ungefähr", gab er etwas verlegen zu. „Bei dir sehe ich es so, dass du eine starke, meist besonnene Frau bist, die jedoch im Fall von Konrad aus irgendeinem Grund mit dem Feuer spielte und nun lichterloh brennt. Oder besser, Kleopatra spielte mit dem Liebesfeuer und brennt nun lichterloh."

Vivienne schwieg fürs erste und überlegte sich genau, was Lukas ihr damit sagen wollte. „Ich habe nicht mit dem Liebesfeuer gespielt.", entgegnete sie. „Die Geschichte zwischen

Konrad und mir ist mehr als ein Spiel. Zudem, warum sollte ich mich auf solche Spielchen einlassen? Ich wollte klare Fronten und bestand darauf. Eben genau, weil ich keine Spielerin bin, schon gar nicht in Liebesdingen." Dann versuchte sie, sich daran zu erinnern, was sie alles über Kleopatra wusste. Was man ihr alles nachsagte, wie sie gelebt und gelitten haben musste, bis sie sich selbst umbrachte. Dies, weil sich ihr Liebster, Marcus Antonius, einen Dolch in seinen Körper stiess in der irrigen Annahme, Kleopatra hätte sich vergiftet, wie ihm Intriganten suggerierten. Er starb in Kleopatras Armen, worauf sich diese aus Trauer um den Verlust des Geliebten tatsächlich vergiftete. Ob dies so stimmte, wusste sie nicht genau, doch sie hatte mal so eine ähnliche Geschichte in einem Geschichtsmagazin gelesen. Nur, was hatte die Geschichte mit ihr und Konrad zu tun? Sie hatte nicht im Sinn sich umzubringen, egal was passieren würde!

Lukas liess Vivienne nach der Rückführung Zeit, um noch ein wenig auf der Liege zu ruhen. Nach einigen Minuten erkundigte er sich nach ihrem Befinden. „Ich sehe keine Parallelen zwischen Kleopatra und mir. Und wegen eines Mannes mich umzubringen, habe ich nicht im Sinn. Ich möchte einfach nur mit Konrad in Frieden und bis ans Ende unserer Tage zusammen sein." „Lass Konrad endlich los, er tut dir nicht gut", reagierte Lukas etwas genervt. „Weisst du, Vivienne, ich habe einmal eine ähnliche Geschichte durchlebt, wie jetzt du. Ich verliebte mich leidenschaftlich in eine Frau und wollte meine Familie verlassen, um mit ihr zusammenzuleben. Marianne wehrte sich nicht gegen diese Liaison, weil sie der Meinung war, dass sich alles so fügen würde, wie es das Schicksal vorgesehen hatte. Terrorspielchen wie diejenigen der Elena Koch waren unter ihrer Würde, obwohl auch sie beim Gedanken sehr gelitten hatte, ihren Mann an eine andere zu verlieren. Es ging eine Zeitlang hin und her und meine Geliebte wollte endlich Taten sehen, statt nur Versprechungen. Nach dem Besuch des Ashrams entschied ich mich für die Familie. Marianne und ich vereinbarten, uns nochmals eine Chance zu geben und künftig den Weg des Buddhas zu gehen. So erlangte unsere Ehe eine neue Qualität. Wäre ich diesen Weg nicht gegangen, wäre garantiert die nächste Frau gekommen, dann die übernächste, die überübernächste und so weiter und so fort. In unserer Ehe fehlte mit den Jahren der Esprit, wie man so schön sagt. Das ist der wahre Grund, warum ich heute als spiritueller Lehrer arbeite. Ich will Menschen in Krisensituationen helfen, sich ihrer Seele, ihres wahren Selbst bewusst zu werden, damit sie spüren, wer sie wirklich sind. Um dieses Ziel zu erreichen, ist es ratsam, sich zuerst aus alten emotionalen Fesseln und Verstrickungen zu lösen und diese in Frieden loszulassen. Nur durch bewusste und sorgsame Lebensweise ist es möglich, sich künftig kein neues Karma aufzuladen."

Vivienne brummte der Kopf. All diese Lektionen über Karma, Loslassen, Vergeben und ein bewussteres Leben führen, damit sich kein neues Karma aufbauen würde, verwirrten sie. Sie fühlte sich schlecht und sündig und hatte das Gefühl, dass ihr der Pfad der Tugenden verwehrt bleiben würde, solange sie Konrad liebte. Ehrlich gesagt, strebte sie so ein tugendhaftes Leben, wie es nun Lukas und Marianne nach ihrer Ehekrise lebten auch gar nicht an. Kein Fleisch zu essen, bereitete ihr keine Mühe. Doch für den Rest ihres Lebens auf die körperliche Liebe zu verzichten, so wie dies anscheinend erleuchtete Menschen praktizierten, dazu war sie nicht bereit.

Vivienne war erleichtert, als sich die Selbstfindungstage dem Ende zuneigten. In Windeseile verstaute sie am Abreisetag ihre wenigen Habseligkeiten in ihre Reisetasche, bevor sie Lukas am Nachmittag bei anhaltenden Dauerregen zu Fuss zum kleinen Bahnhof in der Nähe seines Ferienhauses begleitete. Die beiden verabschiedeten sich ohne grosse Emotionen. Einmal, weil Vivienne seit Tagen unter heftigen Kopfschmerzen litt, die mit keinem der mitgebrachten Medikamente zum Verschwinden gebracht werden konnten und weil sie einfach nur weg aus dieser einsamen Gegend, weg aus dem Einflussbereich ihres Gurus, wollte. ‚Ob ich Lukas Grob je wieder sehen werde...ich weiss es nicht' dachte sie, während sie sich von ihm verabschiedete und in den Zug stieg. Die vergangenen fünf Tage brachten ihr wohl jede Menge neue Erkenntnisse, doch so richtig wohl fühlte sie sich nicht in Lukas' Gegenwart. Dies vor allem, weil er ihr während der gemeinsamen Zeit immer wieder zu verstehen gab, dass sie nicht wirklich genügte, um sich spirituell weiter zu entwickeln, so wie ihm das gelungen war. Dieses Gefühl der Minderwertigkeit war ihr aus ihren Kindertagen wohl bekannt, weil auch ihre Mutter ihr immer wieder das Gefühl vermittelte, nicht zu genügen. ‚Es sind immer die Zweifel und Erwartungen anderer, die Leid verursachen' hatte sie erst kürzlich in einem Magazin gelesen. ‚Wie wahr!' wurde ihr nun deutlich vor Augen geführt.

Während der sechsstündigen Rückreise von der Süd- in die Nordwestschweiz nahm sie sich vor, anderentags Irma anzurufen, um mit ihr ein ernstes Wörtchen zu sprechen. ‚Schliesslich hat sie mir das alles eingebrockt. Nun ist fast mein ganzes Erspartes weg und ich frage mich, für was!?' Gegen Mitternacht traf sie erschöpft in ihrer Wohnung ein und freute sich auf ein ausgedehntes Bad. Zum Glück waren die Wohnungen über ihr noch nicht vermietet und so hörte keiner, wie sie zu verbotener Stunde das Wasser in die Wanne einlaufen liess. Eine halbe Stunde später ging sie zu Bett und hoffte, dass sich die penetranten Kopfschmerzen endlich verflüchtigen würden.

Nach einem reichhaltigen Frühstück am nächsten Morgen liessen die Kopfschmerzen tatsächlich nach. ‚Zum Glück ist Wochenende und ich muss nicht zur Arbeit,' überlegte Vivienne, während sie einen kurzen Blick in den Badezimmerspiegel warf, wo ihr ein müdes und alles andere als glückliches Gesicht entgegenblickte. Von ihrer früheren fröhlichen, stets zuversichtlichen Ausstrahlung war nicht mehr viel geblieben. Rasch legte sie etwas Makeup auf und hatte damit allerdings nur mässigen Erfolg. Denn durch kein Makeup auf der ganzen Welt liessen sich ihr Liebesschmerz, ihre Enttäuschung und ihr Einsamkeitsgefühl kaschieren. ‚Und zu allem Elend ist jetzt noch Ebbe auf meinem Konto, weil ich so blöd war, mich auf diese Selbstfindungsnummer einzulassen!' überlegte sie wütend. Dann griff sie zum Telefonhörer, um Irma anzurufen und ihr mitzuteilen, dass sie Lukas Grob nicht als den von ihr hochgelobten Heilsbringer empfunden hatte.

„Deine Erfahrung deckt sich nicht mit derjenigen meiner Freundin, Vivienne. Karin war so begeistert über die Klausurtage im Tessin und die Ratschläge, die ihr Lukas Grob mit auf den Weg gegeben hat", redete sich Irma heraus. „Ja so ist das halt, was dem einen schmeckt, kann für den anderen ungeniessbar sein", entgegnete Vivienne schnippisch, um dann in milderem Ton zu ergänzen: „Trotzdem bin ich zu neuen Erkenntnissen gekommen, die meinen spirituellen Horizont um einiges erweitert haben. Doch jetzt muss ich das Ganze erst mal richtig verarbeiten." Dann verabschiedete sie sich von Irma und versprach, sich wieder zu melden, sobald sich ihr Liebeswirrwarr gelöst hätte. Dann machte sie sich zum Samstagseinkauf bereit.

Am Montag sass sie wie üblich stundenlang am Computer bei der Arbeit, um Zeugnisse im Akkord zu schreiben. Für den Moment war sie dankbar für die nicht wirklich anspruchsvolle Arbeit, weil sie sich alles andere als fit fühlte. Von Konrad hatte sie seit ihrem telefonischen Geburtstagsgruss nichts mehr gehört. ‚Der ist sicher stinksauer auf mich, doch dies geschieht ihm ganz recht! Trotzdem, ich muss lernen, mein Temperament besser zu zügeln und vor allem, mich Konrad gegenüber emotional distanzierter zu verhalten,' nahm sie sich nach den Denkanstössen der letzten Tage nun doch etwas geläutert vor.

Am Abend klingelte das Telefon. ‚Wer kann das sein? Vielleicht Konrad oder Fabian oder Daniel?' überlegte sie, bevor sie den Hörer abnahm. Delia Simic meldete sich am anderen Ende der Leitung und erkundigte sich nach Viviennes Befinden. „Soweit okay", gab diese wortkarg zur Antwort. „Ich rufe dich an, weil uns Theresa am nächsten Samstag zum Nachtessen einladen möchte. Du kannst dich sicher an sie erinnern?" „Ja, ich erinnere mich. Warum will sie uns einladen?" wollte Vivienne wenig begeistert wissen. „Um sich bei dir auf diese Weise zu bedanken, weil du ihr nach ihrem Betriebsunfall beigestanden hast." Vivienne erinnerte sich an den schrecklichen Unfall zurück. Theresa war eine Betriebsmitarbeiterin aus Bosnien, die sich durch Unachtsamkeit an einer der Fräsmaschinen so schwere Verletzungen zugezogen hatte, dass ihr der Zeigefinger der rechten Hand amputiert werden musste. „Sie ist mir zu keinem Dank verpflichtet, das gehörte zu meiner Arbeit", versuchte Vivienne die Einladung abzuwehren. Theresa wohnte in Delias Nähe und Vivienne überlegte kurz, dass dies für sie je nach Verkehrsaufkommen zwei bis drei Stunden Fahrzeit für eine Strecke bedeuten würde. „Ich wohne zu weit weg für eine Einladung am Abend, da muss ich leider passen", redete sie sich heraus. „Du kannst ruhig bei mir übernachten", bot Delia spontan an. „Komm doch und mach uns die Freude!" Vivienne überlegte kurz, dass sie bei dieser Gelegenheit Fabian treffen könnte. Ihr Bruder hatte sich kurzfristig in die Ferien verabschiedet und es passte ihr überhaupt nicht, dass ihr Sohn nun für drei Wochen allein war. Daniel meldete sich erst kurz vor seiner Abreise, um ihr mitzuteilen, dass er nach Polen reisen würde, wo er einen geschäftlichen Termin mit Ferien zu verbinden gedachte. Während jenes Telefongesprächs kam es zwischen den Geschwistern zu einer Aussprache und Vivienne meinte, bevor sie das Gespräch beendete: „Auch wenn du manchmal ein Ekel bist, habe ich dich doch sehr gern." „Ich habe dich auch gerne", tönte es etwas verlegen zurück. „Wenn ich wieder zurück bin, melde ich mich, und dann komme ich dich mit Fabian besuchen", versprach er seiner Schwester.

„Okay, ich nehme die Einladung an", sagte Vivienne kurzentschlossen zu. „Wir freuen uns natürlich sehr, dass du uns die Ehre gibst", meinte Delia und wünschte Vivienne einen schönen Abend. Kaum aufgehängt, nahm Vivienne den Hörer sogleich wieder in die Hand, um Fabians Nummer zu wählen. „Ich bin am Samstag in der Gegend, hast du Zeit und Lust mit mir zu Mittag zu essen?" wollte sie von ihrem Sohn wissen. „Ja, das kann ich mir um 12 Uhr einrichten." Vivienne war froh über die Aussicht, mit ihrem Sohn ein klärendes Gespräch unter vier Augen zu führen. Dies, weil sie nicht länger gewillt war, seinen vorwurfsvollen Unterton und seine Abwehrhaltung im Kontakt ihr gegenüber hinzunehmen. Auch wenn sie als Mutter bestimmt nicht immer alles richtig gemacht hatte, musste sie sich sein oft freches Benehmen nicht einfach gefallen lassen. Zudem wollte sie sich ein Bild davon machen, ob zwischen Daniel und Fabian wirklich alles so toll lief, wie ihr die beiden immer wieder versicherten. ‚Sollte ich bemerken, dass da etwas nicht stimmt, müsste ich mich knallhart durchsetzen und Fabian wieder in meine Obhut nehmen. Schliesslich ist er erst mit 20 Jahren, also in eineinhalb Jahren, volljährig.‘

So traf sie ihren Sohn ein paar Tage später zum Mittagessen und wie immer seit Viviennes Umzug verhielt er sich distanziert und es war schwierig, ihm irgendetwas zu entlocken. Im Laufe des Essens taute er etwas auf und erzählte, dass Daniel nach seinem lange zurückliegenden Unfall während der Jugendzeit immer noch unter starken Schmerzen leide und ohne Medikamente kaum den Tag über die Runden brachte. ‚Dies erklärt die aggressiven Ausbrüche. Daniel war einfach nicht mehr er selbst und litt mehr, als er gegen aussen zugab.‘ „Sobald Daniel aus Polen zurück ist, werden wir alle drei zusammensitzen und darüber beraten, wie es weiter gehen soll", teilte sie ihrem Sohn mit, der blitzartig entgegnete:

„Aber zu dir ziehe ich auf keinen Fall, einfach dass das klar ist. Nicht wegen dir, sondern ich weiss ganz genau, dass irgendwann dieser Koch wieder aufkreuzt und darauf kann ich dankend verzichten. Zudem, Daniel ist nicht in Polen, sondern in Indonesien." „Wie bitte? Warum in Indonesien?" wollte seine Mutter erstaunt wissen. „Weil er auf Java seinen Schulfreund Anton besucht und kurzfristig einen günstigen Flug fand. Zudem reisen noch irgendwelche Kollegen mit, die ihn ermuntert haben, mitzukommen." „Wann kommt er zurück?", wollte Vivienne wissen. „In drei Wochen. Ich brachte ihn vorgestern zum Flughafen und hole ihn nach seiner Rückreise wieder ab. Ich kann ja jetzt Auto fahren, wie du weisst" fügte er hinzu. Erst vor kurzem bestand Fabian die Autofahrprüfung und Vivienne war stolz, dass er diese gleich auf Anhieb geschafft hatte. Bald nach dem Mittagessen verabschiedete er sich von seiner Mutter, weil er im Geschäft erwartete wurde.

‚Hmm, am besten, ich ziehe wieder in Fabians Nähe, so geht das einfach nicht weiter.' Vivienne fühlte sich, als sei sie im Hamsterrad gefangen und machte sich einmal mehr grösste Vorwürfe. Ihr Leben war ein einziges Trümmerfeld und Fabian musste darunter ebenfalls leiden. Als Jugendliche schwor sie sich, ihm eine bessere Mutter zu werden, als es ihre Mutter für sie gewesen war. Sie wollte für ihre Kinder da sein, Verständnis zeigen für ihre Sorgen und Nöte, sie lieben, auch wenn sie nicht immer Bestleistungen aus der Schule mit nach Hause bringen würden... Sie wollte einfach alles besser machen. Einige der Vorsätze konnte sie einhalten, doch längst nicht alle. Nun wurde ihr Sohn durch die Liebesgeschichte zwischen ihr und Konrad einmal mehr mit in den Strudel ihres unruhigen Lebens gerissen.

Vivienne verliess das Restaurant und fuhr zu Delia in freudiger Erwartung über etwas Zerstreuung und Ablenkung von ihren trüben Gedanken. Die Serbin erwartete sie bereits in ihrem gemütlichen Zuhause. Bevor sich die beiden zwei Stunden später auf den Weg zu Theresa und ihrem Mann machen würden, schaute Delia kurz in die Karten. „Konrad denkt an dich und vermisst dich sehr" meinte sie lachend. „Wenn er wüsste, dass ich nur ein paar Schritte von ihm entfernt zum Nachtessen eingeladen bin, würde er nicht schlecht staunen", antwortete Vivienne. Theresa wohnte im selben Quartier wie die Kochs, doch Vivienne nahm sich vor, an diesem Abend nicht an Konrad zu denken.

Als sich die beiden Frauen in der Abenddämmerung auf den kurzen Weg zu ihren Gastgebern machten, schüttete es wie aus Kübeln und zudem wehte eine steife Brise vom See her. Theresa und Mirko wohnten in einer Matter-Firmenwohnung und nachdem Delia an der Wohnungstüre klingelte, öffnete Theresa und freute sich über die Ankunft ihrer Gäste. Ein aus Hamburg angereister Verwandter war ebenfalls zugegen und Theresa erklärte, dass ihr Cousin erst kürzlich seine Frau durch eine Krebserkrankung verloren habe und sie sich nun ein wenig um ihn kümmern würden. Nach dem Begrüssungssmalltalk gab es im gemütlichen Wohnzimmer einen Aperitif und danach wurde in der Küche das Raclette serviert. Nach dem Essen setzten sich alle wieder ins Wohnzimmer, um Fotoalben aus der Heimat der Gastgeber anzuschauen. Theresa erzählte währenddessen, dass ihr geliebter Bruder einige Jahre zuvor, nach seinem 24. Geburtstag, in einen Autounfall verwickelt gewesen und an den Verletzungen verstorben war. Noch bis weit in die Nacht hinein philo-

224

sophierten sie über Leben und Tod. Nicht unbedingt Viviennes Lieblingsthema.

Kurz nach Mitternacht verabschiedeten sich Vivienne und Delia von ihren Gastgebern. Wieder zurück in Delias Wohnung beschlossen die beiden, am anderen Morgen so richtig auszuschlafen. Danach würde Vivienne nochmals ihren Sohn treffen und gegen Abend zurück nach Bern fahren. Doch sie fand in der fremden Umgebung kaum Schlaf und döste mehr vor sich hin, als dass sie schlief.

Irgendwann gegen Morgen hörte sie das Telefon klingeln. „Hallo Fabian, ja ich gebe dir gleich Deine Mutter. Sie schläft noch, ich muss sie zuerst wecken." Theresa trat ins Schlafzimmer und brachte Vivienne das Telefon ans Bett. „Ja, Fabian, was gibt es so Dringendes?" wollte sie von ihrem Sohn halbverschlafen wissen. „Daniel gibt es nicht mehr!" tönte es aus dem Hörer. „Was willst Du damit sagen?" fragte sie erstaunt zurück. „Daniel ist auf Bali ertrunken, Antons Mutter hat mich soeben angerufen, weil sie deine Telefonnummer nicht kennt." Nun war Vivienne hellwach. „Nein, das kann nicht sein!" rief sie. „Doch, Mami, es ist wahr. Daniel machte einen Zwischenstopp auf Bali und wollte am anderen Tag weiter nach Java zu Anton fliegen. Das Flugzeug war aber überbucht und so ist er noch eine Nacht in Kuta geblieben. Er nutzte dies für ein Bad im Meer und ertrank vor den Augen seiner mitreisenden Freunde. Anton ist jetzt mit dem Inselflugzeug nach Kuta unterwegs. Willst du die Telefonnummer des Hotels, in dem er absteigt? Seine Mutter hat sie mir gegeben." „Ja klar", entgegnete Vivienne wie betäubt und notierte sich die Nummer. Es kam ihr so vor, als wäre nun ihre bisherige Welt endgültig zusammengestürzt. Nichts würde mehr sein, wie es war und sie fragte sich, wie sie nun ohne ihren Bruder weiterleben sollte. ‚Zum Glück haben wir uns kurz vor seiner Abreise versöhnt‘, ging ihr durch den Kopf. Dann kam ihr die Szene im Lift während des Umzugs in den Sinn. Dies war das letzte Mal, als sie ihn lebend gesehen hatte. „Ich versuche nun Anton im Hotel anzurufen und melde mich dann wieder“, liess sie ihren Sohn wissen, bevor sie auflegte. Dann rief sie Anton an, der unterdessen in Kuta eingetroffen war. „Es tut mir so leid Vivienne, was passiert ist!“ tönte es aus dem Telefonhörer. „Dein Bruder schwamm, entgegen aller Warnungen, weit ins Meer hinaus. Der Strandabschnitt ist bekannt für seine gefährlichen Sandbänke und Daniel geriet in einen Sog. Er kämpfte um sein Leben, doch bis die Rettungsschwimmer bei ihm waren, war’s bereits zu spät.“ ‚Typisch,‘ überlegte Vivienne ‚Mein Bruder musste immer schon die Grenzen austesten. Schon seltsam, dass wir vor wenigen Stunden zusammen mit Theresa und Mirko über den Tod philosophiert haben und nun traure ich um meinen Bruder.‘ Es kam Vivienne so vor, als hätte eine unsichtbare Macht dafür gesorgt, dass sie durch die nächtlichen Gespräche auf diesen Schicksalsschlag vorbereitet worden war.

‚So und nun muss ich wohl oder übel Mama anrufen,‘ überlegte Vivienne, nachdem sie sich vorerst wieder gefasst hatte. Sie hatte seit dem Tod ihres Vaters kaum mehr Kontakt zur Mutter, weil dies die resolute Martha Zeller so wünschte. Nach wie vor war sie wütend auf ihre Tochter, die sich zuerst von einem Proleten schwängern liess und diesen dann Jahre später entgegen dem Wunsch der ganzen Familie, wieder verlassen hatte. Sie nahm sich damals vor, dies ihrer Tochter niemals zu verzeihen und Vivienne kannte ihre Mutter nur zu gut, um zu wissen, dass sie an jenem Vorsatz für den Rest ihres Lebens festhalten würde.

Delia forderte Vivienne dazu auf, etwas zu essen. „Du musst bei Kräften bleiben, iss bitte ein paar Bissen." Dann reichte sie ihr ein Stück Brot mit Käse. Vivienne würgte Brot und Käse herunter. Danach liess sie sich über den Auskunftsdienst die Telefonnummer des Auswärtigen Amtes in Bern geben. Bevor sie mit ihrer Mutter telefonieren würde, wollte sie wissen, wie sie vorgehen musste, um die sterblichen Überreste ihres Bruders in die Schweiz zu überführen. Bereits nach dem ersten Klingelton meldete sich der zuständige Beamte und zeigte sich, nachdem ihn Vivienne über Daniels Unfalltod informiert hatte, ausserordentlich verständnisvoll und hilfsbereit. Er unterrichtete die Trauernde über alle Formalitäten, die zu erledigen waren. „Als erstes müssen Sie sich überlegen, ob Sie eine Erdbestattung oder Feuerbestattung für Ihren Bruder wünschen. Dann müssen Sie einen Beerdigungsplatz in der Schweiz nachweisen. Wenn Sie im Besitz der Bestätigung sind, schicken Sie uns diese per Post oder Fax und dann wird die Rückführung sofort in die Wege geleitet."

Für Vivienne war klar, dass die letzte Ruhestätte ihres Bruders auf demselben Friedhof sein würde, wie die ihres Vaters und ihrer Ahnen. Sie griff wieder zum Telefonhörer und rief, nachdem sie die Nummer bei der Auskunft erfragt hatte, den Pfarrer jener Kirchgemeinde an. Delia beobachtete ihren trauernden Gast unentwegt. „Du machst das gut. Du kümmerst dich nun um alle Formalitäten und das lenkt dich etwas vom Schmerz ab." Vivienne nickte ihr dankbar zu. ‚Zum Glück bin ich jetzt hier bei Delia, eine glückliche Fügung des Schicksals,' überlegte sie kurz, während sie die Telefonnummer des Pfarramtes wählte. Der Pfarrer nahm sogleich den Hörer ab und Vivienne stellte sich kurz vor, bevor sie den Grund ihres Anrufs erklärte. Der Pfarrer zeigte sich betroffen, denn die Familie Zeller war ihm bestens bekannt. „Selbstverständlich können Sie Ihren Bruder auf unserem Friedhof beerdigen. Ich muss Sie jedoch darauf aufmerksam machen, dass der Trauergottesdienst nicht in unserer Kirche stattfinden kann, weil diese wegen Renovationsarbeiten geschlossen ist."

Delia hielt Vivienne eine Tasse Tee hin und die trank dankbar ein paar Schlucke. Dann atmete sie tief durch und griff wiederum zum Telefonhörer, um ihrer Mutter endlich die Schreckensnachricht zu überbringen und war dann überrascht über die freundliche Begrüssung ihrer Mutter. „Warum rufst du mich an, Vivienne, ist alles in Ordnung?" wollte Martha Zeller wissen. So schonungsvoll als möglich brachte Vivienne ihrer Mutter den Unfalltod ihres Sohnes bei und Martha fragte nach kurzem Schweigen gefasst: „Wie konnte das nur passieren, Daniel war doch ein guter Schwimmer?" Martha Zeller war eigentlich ein emotionaler Mensch. Doch seit ihr Ehemann Jahre zuvor völlig überraschend während des Mittagessens tot vom Stuhl fiel, konnte sie kaum noch etwas erschüttern. Zudem fand sie zu ihrem Sohn Daniel nie einen besonders nahen Zugang und pflegte seit Jahren keinen Kontakt mehr zu ihm. Ihre Gunst gehörte klar dem jüngsten Sohn, den sie richtiggehend vergötterte. „Ich schlage vor, wir treffen uns morgen Nachmittag in Zürich, dann kannst du mir alles in Ruhe erzählen, Vivienne." „Gute Idee!" meinte diese und wollte noch wissen, ob ihre Mutter mit dem Zug aus der Ostschweiz anreisen würde. „Ja, ich fahre in letzter Zeit nur noch mit dem Zug nach Zürich. Die Züge fahren jede Stunde. Morgen werde ich um 14.27 Uhr am Hauptbahnhof ankommen und du kannst mich auf Gleis 11 in Empfang nehmen. Und nun muss ich Benedikt über den Tod seines Bruders informieren, vielleicht kommt er morgen mit." „Ja, ist okay. Bis morgen", verabschiedete Vivienne ihre Mutter.

Ungewöhnlicher Abschied

‚Hmm, das Medium Rita hatte damals recht, als es mir prophezeite, dass sich der Kreis bald schliessen und ich mit Mama wieder in Kontakt treten würde,‘ überlegte Vivienne, während sie anderentags zusammen mit ihrem Sohn auf Gleis 11 im Zürcher Hauptbahnhof stand und ihre Mutter dabei beobachtete, wie sie aus dem Zug stieg. „Hallo Vivienne und Fabian. Ich komm allein, Benedikt hatte keine Zeit mitzukommen, er lässt euch aber grüssen", begrüsste die 62jährige ihre 37jährige Tochter und den bald 19jährigen Enkel. „Wir vergessen jetzt alles, was einmal war und versuchen Daniels Tod so gut es geht gemeinsam zu meistern!" schlug Martha sogleich vor und küsste ihre Tochter links und rechts auf die Wange. ‚Wer's glaubt, wird selig.‘ Vivienne kannte ihre Mutter und ihre Rachegefühle gegenüber Personen, die gegen irgendwelche gesellschaftlichen Normen verstiessen, nur zu gut. Dabei machte sie auch nicht vor den eigenen Kindern halt.

„Am besten, wir gehen ins „Au Premier" und besprechen in Ruhe, wie es nun weiter gehen soll", schlug Martha vor. Kaum sassen die drei an einem der Tische des vornehmen Bahnhofbuffets, wollte Martha genau wissen, wie es zum tödlichen Unfall ihres Sohnes gekommen war. Vivienne erzählte ihr alles, was sie wusste und meinte dann noch: „Auch wenn Daniel im Ausland verstorben ist, möchte ich mit der Beisetzung nicht zu lange warten und darum habe ich angeordnet, dass er in Bali kremiert und seine Urne mit dem Flugzeug nach Hause geschickt wird. Dies ist auch für Fabian wichtig, damit er sich wieder auf seine Ausbildung konzentrieren kann." Martha nickte ihr zu und fand dieses Vorgehen vernünftig. „Du hast dich aus meiner Sicht positiv verändert Vivienne und bist reifer geworden." ‚Und das ganz ohne dein Zutun,' überlegte diese nach dem ungewohnten mütterlichen Kompliment. ‚Obwohl, solche Gedanken gehören bereits nicht mehr in Lukas Grobs Verzeihungskonzept – also weg damit!' Der Kellner stand an ihrem Tisch und nahm die Getränkebestellung auf. Nachdem er alles wie gewünscht serviert hatte, trank Martha nachdenklich einen Schluck ihres Kaffees und schaute ihre Tochter aus den Augenwinkeln an. „Ausser den engsten Familienangehörigen wünsche ich keine anderen Personen an der Beerdigung. Ich will nichts mit seinen unmöglichen Freunden zu tun haben", erklärte Martha ihrer Tochter. „Kennst du Daniels Freunde?" wollte Vivienne erstaunt wissen. „Nein, aber ich kann mir vorstellen, in welchen Kreisen er verkehrte. Darum, die Beerdigung wird nur im engsten Familienkreis stattfinden." Zähneknirschend willigte Vivienne ein und verzichtete auf einen weiteren Kommentar. Dann besprachen die beiden weitere Details rund um die Trauerfeier. „Was machst du eigentlich beruflich, Vivienne, und warum, um Gottes Willen, lebst du jetzt in Bern? Und bist du noch mit diesem Proleten Richard zusammen?" ‚Auch das noch. Nun muss ich meiner Mutter gestehen, dass ich für den Moment mehr oder weniger arbeitslos bin und mich von Richard getrennt habe. Wieviel schöner wäre es gewesen, mit der Personalchefinnenstelle bei der Firma Matter anzugeben,' überlegte sie. ‚Dass ich nicht mehr mit Richard zusammenlebe, wird ihr mehr als recht sein, obwohl sie ihn nie persönlich kennenlernte, weil sie eben keinen weiteren Proleten in der Familie duldete.' Warum ihre Mutter so eine Abneigung gegen alle ihre Mitmenschen hatte, die nicht mit einem akademischen Titel gesegnet waren, blieb ihr nach wie vor ein Rätsel. Schliesslich war ihre Mutter einst Friseurin und auch in ihrer Familie gab es weit und breit keine Akademiker, sondern es waren ausschliesslich kaufmännische Prokuristen zu finden. ,Ausser Mamas Cousine Elfriede...die war mal Zahnärztin.' Doch damit wollte Vivienne sich jetzt nicht befassen und erklärte ihrer Mutter kurz, warum sie in Bern lebte und vor allem, warum sie zurzeit auf Arbeitssuche war. Natürlich erwähnte sie mit keinem Wort Konrad und die unmögliche Liebesgeschichte. „Nun suche ich einen neuen Job in Zürich. Und mit Richard lebe ich nicht mehr zusammen, wir haben uns vor einiger Zeit friedlich getrennt", erklärte sie ihrer Mutter, die sie mit ihren dunkelblauen Augen fixierte. „Na, dann wünsche ich dir viel Glück für den neuen Lebensabschnitt. Ist vielleicht grad gut so, wie es ist. Denn mit solch einer verantwortungsvollen Stelle hättest du wohl kaum genügend Zeit, dich um Daniels Nachlass zu kümmern." So gesehen hatte ihre Mutter recht. Wenn sie die Ereignisse der vergangenen Jahre genauer betrachtete, war tatsächlich so etwas wie ein gut ausgeklügelter Plan am Werk, der sich von einem Lebensabschnitt in den nächsten einfügte. Nur scheinbar nahm dieser göttliche Plan mit Konrads Erscheinen seinen Anfang. Dieser Plan bestand bereits seit ihrer Geburt und jetzt, durch die schmerzliche Liebesgeschichte wurde sie gezwungen, genauer hinzusehen. Erst jetzt war es ihr möglich, ihr Leben und ihre innersten Bedürfnisse aus einer völlig neuen Perspektive zu betrachten. Bis vor kurzem drehte sich alles immer nur um Arbeit, Geld verdienen und darum, ein möglichst komfortables Leben zu führen. Doch seit sie den Nektar der Liebe mit all seinen tiefsten Sinnen gekostet hatte, wurde ihr Blick geschärft und ihr wurde bewusst, dass das Leben weit mehr zu bieten hatte, als nur dem Materiellen nachzujagen und sich nach irgendwelchen aufgezwungenen Gesellschaftsnormen zu richten.

Fünf Tage nach Daniels Unfalltod erreichte Vivienne der Anruf einer Beamtin des Zollfreilagers. „Das Flugzeug mit der Urne Ihres Angehörigen wird morgen früh aus Jakarta in Zürich Kloten landen. Dann erstellen wir die notwendigen Papiere. Bitte melden Sie sich pünktlich um 12 Uhr bei uns in der Administration. Das Zollfreilager liegt gleich neben dem Flughafen, mich finden sie im ersten Stock." Vivienne wollte von der Beamtin sicherheitshalber wissen, ob um 12 Uhr nicht alle beim Mittagessen sind. „Nein, wir arbeiten Schichtbetrieb und so ist immer jemand zugegen, auch über Mittag", beruhigte die Büroangestellte Vivienne.
Vivienne und Fabian trafen pünktlich zum vereinbarten Termin im Bürokomplex des Zollfreilagers ein und waren der Meinung, dass ihnen die Urne nun andächtig in einem der Büros überreicht werden würde. Nur dank der beruhigenden Medikamente, die ihr vom Hausarzt verschrieben wurden, fühlte sich die trauernde Vivienne in der Lage, die sterblichen Überreste ihres Bruders persönlich in Empfang zu nehmen. Daran, selbst mit dem Auto zu fahren war nicht zu denken und darum bot sich Fabian als Chauffeur an. Eine Zollbeamtin begrüsste Mutter und Sohn am Empfang der Administration und sprach ihr Beileid aus. „Bitte folgen Sie mir in mein Büro, ich werde Ihnen nun die Zollpapiere aushändigen. Danach gehen Sie ins Zollfreilager runter, wo die Urne bereitsteht." Vivienne schaute Fabian augenrollend an und flüster-

te ihm zu: „Holen wir hier ein Gepäcksstück ab oder sterbliche Überreste? Nicht zu glauben, dass man uns zumutet, die Urne selbst im Zollfreilager abzuholen." Ihr Sohn zuckte lediglich mit den Achseln und nach Erhalt und Unterschrift der Papiere fuhren die beiden mit dem Lift runter ins Lager. Vor der Lagerhalle stand eine Zollkabine und ein Zöllner in Uniform wollte diese grad schliessen. Vivienne grüsste ihn und übergab ihm die Zollpapiere. „Da müssen Sie später wiederkommen, wir machen gerade alle Mittag", liess er sie wissen, ohne die Papiere eines näheren Blickes zu würdigen. „Sie machen dann Mittag, wenn ich die Urne meines Bruders erhalten habe!" erklärte Vivienne energisch. „Bitte entschuldigen Sie mich, mir war nicht bekannt, dass sich eine Urne im Lager befindet. Ich begleite sie jetzt sofort in die grosse Halle und hoffe, dass noch jemand zugegen ist, der uns weiterhilft." Ein Staplerfahrer stand bei einem der Regale und der Zöllner überreichte ihm die Zollpapiere. „Die beiden kommen eine Urne abholen, weisst Du etwas davon?" „Nein, davon weiss ich nichts", antwortete der Staplerfahrer verdutzt. Dann schaute er sich die Zollpapiere an und fuhr mit seinem Stapler zu einem der hohen Regale. „Hier zuoberst muss sie in einem der Koffer sein", zeigte er auf das sechs Meter hohe Regal. Dann hantierte er an seinem Stapler, liess die Gabeln hochfahren und holte einen der Koffer aus dem Gestell. Nachdem die Gabeln wieder runtergefahren waren, nahm der Lagerist den Koffer und überreichte ihn Fabian. Dieser legte den Koffer waagrecht in seine Arme, damit seine Mutter ihn bequem öffnen konnte. Vivienne öffnete den Kofferdeckel und fand in mitten von Daniels Habseligkeiten die in ein weisses Seidentuch gehüllte Urne. Am liebsten hätte sie gleich losgeheult. Doch sie hatte sich fest vorgenommen,

nicht mehr so oft zu weinen, um ihre Kräfte zu schonen. Der Zöllner und der Staplerfahrer schauten betroffen zu, wie Vivienne den Koffer wieder schloss. Fabian meinte mit Blick auf den Zöllner lakonisch: „Passt zu meinem Onkel mit seinem schwarzen Humor, dass er in seinem Koffer zurückkommt." Dann verabschiedeten sie sich von den beiden und machten sich zusammen mit Daniel im Kofferraum auf seinen letzten Weg Richtung Ostschweiz. Kaum lag das Flughafenareal hinter ihnen, legte Fabian zum Entsetzen seiner Mutter eine Kassette von AC/DC in den Musikrecorder. „Fabian, das geht gar nicht!" rügte sie ihren Sohn. „Hast Du nicht was Besinnlicheres?" „Nein, habe ich nicht" liess er seine Mutter wissen. „Dann bitte lieber ohne Musik." „Wenn Du meinst", antwortete er augenrollend. „Welche Musik mochte eigentlich Daniel?" wollte sie wenig später wissen. „AC/DC." „Ja, dann stell halt wieder ein." Es regnete unaufhörlich und der trübe Novembertag passte bestens zu ihrer weinerlichen Stimmung. Zwei Stunden später trafen Mutter und Sohn am Bodensee ein und fuhren direkt zum Friedhof, um die Urne dem Sigrist zu übergeben. Danach trafen sie den Pfarrer, um das Beerdigungsritual zu besprechen: „Ich segne morgen die Urne während des Gottesdienstes in der Stadtkirche und dann bringt sie der Sigrist ins Nachbardorf auf den von Ihnen gewünschten Friedhof. Das Grab wird nach dem Mittagessen fertig hergerichtet sein."
Nach dem Gespräch mit dem Pfarrer fuhren Fabian und Vivienne die kurze Strecke vom Pfarramt zum Haus ihrer Mutter und Grossmutter, wo unterdessen auch ihr jüngster Bruder Benedikt mit seiner Frau eingetroffen war. Martha hatte eine kleine Mahlzeit vorbereitet und alle sassen schweigend am Tisch und löffelten in ihrer Tomatensuppe herum. „Ihr

könnt hier übernachten, wenn ihr wollt", schlug Martha ihrer Tochter vor. „Nein danke Mama, wir fahren lieber wieder zurück." Vivienne hatte überhaupt keine Lust, in ihrem früheren, düsteren Kinderzimmer zu nächtigen. Sie wollte vor der Beerdigung räumliche Distanz, um sich moralisch auf einen der schmerzvollsten Tage ihres Lebens vorzubereiten.

Nach vielen Jahren der Funkstille traf Vivienne am nächsten Tag vor der Abdankungshalle auf ihre beiden Onkel samt deren Familien. Zum letzten Mal hatte Vivienne ihre Cousine und Cousins gesehen als sie noch Kinder gewesen waren. Sie war erstaunt, was aus den drei geworden war. ‚Meine Onkel und Tanten sehen immer noch gleich aus,' überlegte sie. ‚Ausser, dass sie vielleicht ein paar Kilo mehr auf den Hüften haben.' Ein kalter Wind zog vom Bodensee über den Friedhof und liess die Trauergemeinde trotz der warmen Mäntel erschaudern. Die Kirchenglocken begannen zu läuten und der schwere Klang traf Vivienne mitten ins Herz. Am liebsten hätte sie losgeheult. Rasch begrüsste sie stattdessen alle Familienmitglieder, die betreten dastanden und nicht recht wussten, wie sie sich verhalten sollten. Danach stellte sich Vivienne neben ihre Mutter und Fabian. Vor der Abdankungshalle stand die Urne auf einem Tisch mit weissem Tischtuch und sie stellte ein grosses, gerahmtes Foto ihres Bruders daneben. Vivienne nahm einmal mehr ihre ganze Kraft zusammen, um ihre Tränen zu unterdrücken. Ihre Mutter zeigte wie immer Haltung und hätte keine schluchzende Tochter an ihrer Seite geduldet. Nach dem der Priester die Urne in der klirrenden Kälte gesegnet hatte, gingen alle zum Trauergottesdienst in die 500 Meter entfernte Stadtkirche. ‚Was wir in dieser Kirche alles erlebt haben..,' erinnerte sich Vivienne, als sie das weihrauchgeschwängerte Kirchengewölbe betrat.

Nach dem feierlichen Gottesdienst, der vom ansässigen Kirchenchor begleitet wurde, fuhr der Sigrist mit Daniels Urne zum zwanzig Minuten entfernten Friedhof, um ihn zur letzten Ruhe zu betten. Währenddessen ging die Trauergemeinde ins nahe gelegene Schlossrestaurant zum Mittagessen.

Am späten Nachmittag fuhren alle zum Friedhof, um endgültig Abschied von Daniel zu nehmen. Da angekommen, ging es schweigend zu den Gräbern des ländlich gelegenen Friedhofs. Weit und breit war ausser der renovationsbedürftigen Kirche, dem Friedhof und weitläufigen Feldern und Wiesen, die mit Apfelbäumen bepflanzt waren, nichts zu sehen. In der Ferne lag der Bodensee. Das weisse Kirchengebäude, wo Stunden zuvor der Abschiedsgottesdienst für Daniel stattgefunden hatte, war in der Abenddämmerung zu sehen. Vivienne kannte keinen anderen Friedhof, der so idyllisch gelegen war, wie derjenige ihrer Ahnen. Die Trauernden suchten nach Daniels letzter Ruhestätte und statt des fixfertigen Grabes, gähnte ihnen ein Erdloch entgegen. Verstreut auf der Friedhofswiese lagen und standen Kränze und Blumenschalen. Alle schauten sich ratlos an. Martha fragte Vivienne: „Was nun?" Diese ging kurzentschlossen auf die Suche nach dem Sigrist, der ihr aufgeregt entgegenkam. „Wir haben auf Sie gewartet, wo waren Sie denn?" begrüsste er Vivienne vorwurfsvoll. „Beim Mittagessen waren wir und währenddessen hätte das Grab erstellt werden sollen!" entgegnete sie ihm ungehalten. „Die Urne ist noch nicht gesegnet, wo ist der Pfarrer?" wollte nun auch er ungehalten wissen. „Die Urne ist bereits gesegnet, das haben wir doch so abgesprochen!" Der Sigrist holte die Urne aus einem Raum der Leichenhalle.

„Der Totengräber ist nach Hause gegangen und wird erst morgen für eine andere Beerdigung wieder hier sein", wandte er sich an die Trauerfamilie. Vivienne schaute ihren Cousin Mario an, der neben ihr stand. „Du als Landwirt weisst ja, wie man mit einer Schaufel umgeht, oder?" Er nickte ihr etwas verlegen zu. „Dann machen wir das Grab halt selbst zu, oder?" Mario nahm die Schaufel in die Hand und Vivienne nahm dem Sigrist die Urne ab, um sie ins Grab zu legen. Nachdem das Grab fertig und alle Blumen darauf platziert waren, meinte Marios Vater Linus: „Dies war jetzt der letzte Streich, den uns Daniel gespielt hat. Nun ist er angekommen." Ja, Daniel war angekommen, wo auch immer und Vivienne gönnte ihm die letzte Ruhe nach einem nicht immer einfachen Leben. Zusammen mit ihrem Sohn verabschiedete sie sich von ihren Verwandten, um in der Abenddämmerung zurück an den Zürichsee zu fahren.

Ein neuer Lebensabschnitt

Vivienne blieb noch einige Tage bei ihrem Sohn und zusammen räumten sie Daniels Schränke und sein Badezimmer aus. Alles Unbrauchbare landete im Abfalleimer, den Rest verschenkten sie an Daniels Freunde. Vivienne kam es so vor, als würde sie Daniel durch die Räumaktion ein weiteres Mal beerdigen. Dabei liess sie ihren Tränen freien Lauf und war erstaunt, wie gelassen Fabian den Tod seines Onkels nahm. Als sie ihn darauf ansprach, meinte er nur: „Daniel war krank, nun hat er keine Schmerzen mehr. Nun ist er erlöst." Trotzdem die Antwort plausibel klang, überkam Vivienne ein mulmiges Gefühl über seine Abgeklärtheit, die sie nicht als normal empfand.

Nachdem das Wichtigste geräumt war und Fabian wieder zur Arbeit ging, fuhr sie zurück nach Bern, um in ihrer Wohnung in Ruhe nachzudenken, wie es für sie und ihren Sohn weitergehen sollte. Zudem benötigte sie dringend Erholung von all den unerwarteten Strapazen. Kaum war sie zur Haustüre rein, hörte sie das Telefon klingeln und zu ihrer grossen Überraschung war Konrad am Apparat. Seit dem Geburtstagstelefon vor über drei Wochen hatte sie nichts mehr von ihm gehört. „Wie geht es dir?" wollte er nichts ahnend wissen. Vivienne erzählte ihm kurz über den Todesfall und wie es dazu kam. Konrad zeigte sich betroffen, sprach sein Beileid aus und fragte nach, ob er sie bald wieder einmal treffen könnte. „Warum?" wollte Vivienne wissen. „Weil ich mit dir sprechen will, aber nicht am Telefon" erklärte er ihr. „Am nächsten Samstag besuche ich Delia, kannst ja dort mal kurz vorbeischauen. Ich bringe ihr ein Geschenk, um mich für ihre Unterstützung zu bedanken. Als die Todesnachricht kam, war ich zufälligerweise bei ihr auf Besuch. Du warst ja nicht zur Stelle, als ich dich wirklich brauchte. Doch zum Glück gibt es gute Freunde, auf die Verlass ist", konnte sich Vivienne nicht verkneifen, Konrad unter die Nase zu reiben. „Wie hätte ich dich unterstützen können, wenn ich nichts davon wusste?" reagierte er beleidigt.

Wie vereinbart besuchte Vivienne ein paar Tage später Delia, um sich bei ihr mit einem Geschenkgutschein für eine neue Brille zu bedanken. Die Serbin freute sich über Viviennes Geste sehr und bat sie ins Wohnzimmer. Die beiden tranken eine Tasse Tee und sprachen über die Ereignisse der letzten Tage. Dann klingelte es an der Haustüre und Delia öffnete. Konrad stand im Treppenhaus und verlangte nach Vivienne. Die Gastgeberin bat ihn herein, doch er winkte ab. So ging Vivienne ins Treppenhaus und als sie Konrad sah, brach sie in Tränen aus. Er nahm sie in seine Arme und versuchte sie zu trösten. „Warum nur muss mein Leben so kompliziert sein? So dramatisch und so aussichtslos?" fragte sie Konrad weinend. „Ich habe alles verloren, für das ich über Jahre gekämpft und hart gearbeitet hatte. Ich möchte endlich wieder zur Ruhe kommen und in Frieden leben." „Was soll ich denn sagen, Vivienne?" fragte Konrad zurück. „Meinst du, ich hätte mir je vorstellen können, einen solchen Schicksalsschlag wie Charlottes Herzstillstand ertragen zu müssen? Mein Leben existiert eigentlich gar nicht mehr, denn alles, was ich mir über die Jahrzehnte aufgebaut hatte, liegt in Schutt und Asche." „Ich verstehe deine Situation, Konrad, nur was hat das alles mit mir zu tun?! Warum hast du mein Leben so verkompliziert und mich trotz wiederholter Trennung nie wirklich frei gegeben? Sobald du mich wieder verlässt und ich daran arbeite, von dir los zu kommen, stehst du wieder da und machst mir neue Hoffnungen. Du ziehst wieder bei mir ein und nach ein paar Tagen oder bestenfalls Wochen, zieht es dich wieder zurück zu deiner Familie. Das ist doch einfach nicht normal! Wenn ich mich für eine Seite entschieden habe, dann ziehe ich das durch! Im Herzen ziehst du es wohl durch, doch dir fehlt anscheinend die Kraft, öffentlich zu deiner Entscheidung zu stehen!" warf sie dem Mann vor, den sie entgegen jeglicher Vernunft immer noch liebte. „Du hast ja Recht und ja, ich muss meinen Weg gehen, egal was andere über mich denken. Gerne will ich es allen Recht machen, doch das funktioniert auf Dauer nicht!" Konrad nahm Vivienne nochmals in seine Arme und flüsterte: „Ich komme dich bald in Bern besuchen", dann küsste er sie und ging wortlos die Treppe runter. Vivienne kehrte zurück in Delias Wohnung, wo ihre Gastgeberin im Wohnzimmer bereits die Karten ausgelegt hatte. „Ihr werdet ganz bestimmt zusammenkommen, Vivienne, und was ich auch noch sehe, du findest bald eine neue Wohnung!" „Und wann finde ich endlich eine neue Stelle?" fragte Vivienne nach. „Das braucht noch etwas Geduld." Nicht die Antwort, die sie hören wollte.

In der ersten Adventswoche, drei Wochen nach Daniels Tod, zog Konrad wieder bei Vivienne ein. Dieses Mal war sie vor allem aus praktischen Gründen über seine Anwesenheit dankbar. Daniels Nachlassregelung gab mehr Arbeit, als sie erwartet hatte. Während sie mit Hilfe seines Treuhänders die Geschäftspapiere sichtete, entdeckte sie zu ihrer grossen

Überraschung einige Versicherungspolicen. Ihr Bruder hatte in weiser Voraussicht bereits Jahre zuvor einige Lebensversicherungen abgeschlossen, die nun alle seine Schulden problemlos tilgten. Und da Martha und Benedikt auf ihren Erbteil verzichteten, blieb sogar noch etwas vom Erbe übrig. Vivienne wollte sich gar nicht vorstellen, wie es gewesen wäre, wenn sie nicht genügend Geld zur Verfügung gehabt hätte, um Fabians und ihr Leben neu zu organisieren. Trotz allen Leids meinte es das Schicksal nun mehr als gut mit ihr. ‚Delia hat mit ihrer Voraussage betreffend des unerwarteten Geldsegens tatsächlich Recht behalten,' wurde ihr bewusst.

Kaum war der Nachlass geregelt, verabschiedete sich Konrad in der zweiten Woche des neuen Jahrs und kehrte zu seiner Familie zurück. Vivienne war speiübel und sie wähnte sich einmal mehr als Hauptperson in einem Psychodrama mit völlig ungewissem Ausgang. „Wie kann es sein, dass ein Mensch glaubwürdig verspricht, für immer und ewig zu bleiben und dann haut er beim geringsten Anlass wieder ab?" fragte Vivienne Delia, die sie sofort kontaktierte, nachdem Konrad die Wohnung samt seinen Koffern verlassen hatte. „Es läuft immer und immer wieder nach demselben Muster, warum kommen wir nicht voneinander los?" „Weisst du, Vivienne" erklärte Delia „Ihr beide habt erlebt, was Liebe ist und spürt eine besondere Zuneigung, die mit Worten nicht zu beschreiben ist. Ein Gefühl, nicht von dieser Welt. Die wenigstens Menschen können behaupten, dass sie je wirklich geliebt haben. Darum kommt Ihr nicht voneinander los und ich sage dir, er kommt wieder zurück, irgendwann für immer!"

Vier Monate nach Daniels Unfalltod zog langsam der Frühling ins Land. Vivienne pflegte nun vereinzelt den Kontakt mit ihrer zurückgewonnen Verwandtschaft und war dankbar, dass durch den tragischen Todesfall wieder innerfamiliärer Friede eingekehrt war. Mit ihrer Mutter hingegen entwickelte sich die Kontaktpflege eher schwierig, weil diese ständig versuchte, Vivienne ihren Willen aufzuzwingen. Vor allem die Wahl des Grabsteins führte zu unschönen Diskussionen, die Vivienne jedoch dank Lukas Grobs spirituellem Coaching mit dem notwendigen Fingerspitzengefühl zu lösen wusste. Statt wie früher zu kontern oder davon zu laufen, behandelte sie ihre Mutter wie ein rohes Ei und versuchte Kompromisse auszuhandeln oder gab einfach nach.

Als Vivienne ihrem Onkel Ludwig von den Unstimmigkeiten mit ihrer Mutter erzählte, versuchte er sie zu trösten. „Vivienne, es ist nicht richtig, wie dich deine Mutter behandelt. Es war aber auch nicht in Ordnung, wie wir mit dir nach deiner Scheidung von Bruno umgegangen sind und Dich einfach fallen liessen."
Vivienne war ihrem Onkel für die versöhnlichen Worte dankbar und wollte nach dem Gespräch sogleich ihren Bruder Daniel anrufen, um ihm über die unerwartete Einsicht seines Göttis zu berichten. Sie wählte seine Nummer und stellte ernüchtert fest, dass es unter jener Nummer keinen Anschluss mehr gab. ‚Ich kann Daniel nicht mehr anrufen, nie wieder!' wurde ihr schmerzlich bewusst und Tränen kullerten über ihre Wangen. ‚Wenn ich mit ihm nach seinem Tod nicht mehr persönlich sprechen kann, so gelingt mir das vielleicht über den medialen Weg,' überlegte sie, nachdem sie sich wieder gefasst hatte. Kurzentschlossen wählte sie die

Telefonnummer der Parapsychologischen Gesellschaft in Basel, um einen weiteren Termin mit Rita, dem Medium aus England, zu buchen. Seit dem ersten Gespräch vor drei Jahren war Vivienne gespannt, ob Ritas Durchsagen immer noch so präzise waren. Das Medium besuchte das Parapsychologische Institut zweimal jährlich und blieb dann meist für ein paar Tage in Basel. Zwar las Vivienne kürzlich in einem Buch über Medialität, dass es ratsam sei, erst ein Jahr nach dem Ableben mit den Verstorbenen in Kontakt zu treten, weil sie sich in der geistigen Welt zuerst zurechtfinden müssten. ‚Doch Rita ist grad jetzt in der Schweiz und ob sie in einem halben Jahr wiederkommt, weiss ich nicht,‘ überlegte Vivienne und buchte trotz der Vorbehalte ein Reading.

Seit langem wieder in guter Stimmung, fuhr sie ein paar Tage später zum vereinbarten Termin nach Basel und freute sich auf das Gespräch. Freundlich wurde sie von der Engländerin und der Übersetzerin in Empfang genommen und als alle drei im Sitzungsraum auf den bequemen Stühlen Platz genommen hatten, begann sich das Medium auf die Durchsagen der geistigen Welt zu konzentrieren. Nie konnte man im Voraus wissen, wer sich alles melden würde. So war Vivienne gespannt, ob ihr Bruder schon so weit war und sich bemerkbar machen würde. Rita schaute Vivienne plötzlich erstaunt an und wollte wissen: „Ist kürzlich ein junger Mann hinübergegangen?" Zu Ritas Erstaunen, fing ihre Kundin hemmungslos an zu weinen. Das Medium schaute Vivienne kopfschüttelnd an und bat sie, mit dem Weinen aufzuhören. Doch Vivienne konnte nicht einfach auf einen Knopf drücken, um ihren Tränenfluss zu stoppen. Zu gross war die Trauer um ihren Bruder. „Die Verstorbenen verstehen nicht, dass man um sie trauert", erklärte Rita. „Verstorbenen geht es sehr gut, viel besser als auf der Erde. Sie möchten, dass man sich mit ihnen freut, weil sie von der menschlichen Last befreit sind und sich in ihrer ursprünglichen Heimat wieder frei bewegen können. Die Erde dient der Seele in menschlicher Verkleidung nur vorübergehend als Heimat." Vivienne schnäuzte sich die Nase und wischte die Tränen ab. Was Rita ihr erklärte, ergab Sinn. Trotzdem trauerte sie um Daniel. Doch nun hatte er sich anscheinend gemeldet und Vivienne hörte aufmerksam zu, was er ihr durch Rita zu sagen hatte. „Gab es Leute, die dachten, Ihr Bruder hätte sich das Leben genommen oder er sei umgebracht worden?" wollte Rita wissen. Vivienne war baff und nickte ihr zu. „Ich soll Ihnen ausrichten, dass das nicht stimmt. Er sei eines natürlichen Todes gestorben."

Tatsächlich kursierten Gerüchte über Mord oder Selbstmord, die sich irgendein Spinner aus Daniels Freundeskreis ausgedacht hatte. Vivienne konnte nicht fassen, dass eine wildfremde Frau wie Rita über solch private Geschichten Bescheid wusste. Einfach so. Minuten später fiel Vivienne einmal mehr fast vom Stuhl, als ihr Rita eine weitere Botschaft ihres toten Bruders übermittelte: „Mir geht es gut. Ich sitze regelmässig neben dir in deinem Auto und fahre mit. Vor allem geniesse ich es, wenn du das Dach runtergeklappt hast." Vivienne besass ein Cabriolet und da es die Frühlingstemperaturen bereits zuliessen, war sie seit Tagen mit offenem Verdeck unterwegs. „Nun wäre das Rätsel also gelöst, woher der Geruch nach kaltem Rauch in meinem Auto kommt", wandte sich Vivienne der Dolmetscherin zu, die Rita sogleich alles übersetzte. „Sogar mein Sohn und mein Freund fragten mich unabhängig voneinander, warum es in meinem Auto so penetrant nach Zigaretten riechen würde", erklärte Vivienne weiter. „Die Verstorbenen hinterlassen oft für sie typische Gerüche, um auf sich aufmerksam zu machen", erklärte Rita. „Musste mein Bruder gross leiden, bevor er starb?" wollte Vivienne besorgt wissen. „Nein, er sagt mir nein, und Sie sollen sich keine Sorgen machen. Es ging alles ganz schnell, sodass er gar nicht richtig realisierte, was überhaupt passiert war", beruhigte Rita ihre Klientin. „Haben Sie noch weitere Fragen?" wollte das Medium wissen, kurz bevor die Sitzungszeit um war. „Gerne möchte ich wissen, wie es mit meinem Partner Konrad und mir weiter geht", antwortete Vivienne. Wohl meldeten sich wie beim letzten Reading ihr Vater und ihre Grossmutter, doch nur um Vivienne kurz zu begrüssen und sie wissen zu lassen, dass sie nicht allein sei und durch sie beschützt werde, egal in welcher Lebenssituation sie sich gerade befinde. Über ihr Beziehungsleben herrschte jedoch Schweigen. „Es kommen keine weiteren Botschaften durch und dies sollten wir so respektieren", schloss Rita das Reading ab, ohne nochmals auf Viviennes Frage einzugehen. Trotzdem fühlte sich Vivienne nach dem Gespräch um einiges besser und vor allem erleichtert, dass Daniel nicht gross hatte leiden müssen, als er ertrunken war. Obwohl...genau wusste dies ja letztendlich keiner. Doch es brachte jetzt nichts, Ritas Botschaft anzuzweifeln. Daniel war tot und doch nicht tot... Er lebte nun in einer völlig anderen Welt, wo es ihm anscheinend gut ging.

Ausser über seine Telefonklingelzeichen hörte Vivienne von Konrad keinen Laut. Ihre grösste Sorge für den Moment war jedoch nicht Konrad, sondern wie sie für Fabian so rasch als möglich eine passende neue Wohnung finden würde. Daniels Wohnung war gekündigt und konnte rascher als erwartet wieder vermietet werden. So machte sie sich auf die Suche nach einer gemütlichen Bleibe für ihren Sohn. Mit viel Glück fand sie innert Wochenfrist am Ende des oberen Zürichsees eine 40 Quadratmeter grosse Einzimmerwohnung im Dachgeschoss eines Mehrfamilienhauses. „Gefällt dir die Wohnung?" wollte sie von ihrem Sohn während der Besichtigung wissen. „Ja, gefällt mir sehr gut, die würde ich gerne nehmen." Vivienne blickte dem Vermieter tief in die Augen und setzte ihr charmantestes Lächeln auf: „Haben wir Chancen auf die Wohnung?" Der Vermieter, ein Handwerker mittleren Alters lächelte charmant zurück und meinte: „Wenn Sie nachweisen können, dass die monatliche Miete regelmässig auf meinem Konto liegt, gehört die Wohnung Ihnen."

„Nun wird es Zeit, für mich eine neue Wohnung in Zürich zu suchen, damit ich Bern endlich den Rücken kehren kann", meinte sie zu Fabian, nachdem sein Umzug abgeschlossen war. Ihr Sohn nickte ihr zu. „Ja, gute Idee. Bern liegt im Gegensatz zu Zürich für mich am Ende der Welt, wenn ich dich spontan besuchen möchte." Vivienne kaufte sich am Kiosk verschiedene Tageszeitungen aus der Region Zürich und nach Durchsicht der Wohnungsinserate fand sie drei akzeptable Angebote. Sofort rief sie die zuständigen Maklerfirmen an, um für den nächsten Tag Besichtigungstermine zu vereinbaren.

Beschwingt fuhr sie am anderen Tag über die Autobahn Richtung Zürich und entschied sich schlussendlich für eine Dreizimmerwohnung in einem renovierten Jugendstilhaus im fünften Stock, die in der Nähe des Stadtzentrums lag. Zwar gab es keinen Lift, dafür stand ihr eine Dachzinne mit grosser Terrasse zur Verfügung. ,Kein Lift ist zwar mühsam, wenn man die Einkäufe raufschleppen muss, doch für die Fitness ideal,' redete sie sich gut zu, bevor sie den Mietvertrag unterschrieb. Dann fuhr sie zurück in ihre Wohnung nach Bern und rief Delia an, um ihr über den bevorstehenden Umzug zu berichten. „Ich frage Mirko, ob er dir hilft. Sicher kennt er ein paar starke Männer, die ihm zur Seite stehen." Vivienne war dankbar um jede Hilfe, die ihr angeboten wurde, um so rasch als möglich aus ihrem „Exil" raus zu kommen. Nun galt es noch ihre Wohnung zu kündigen und zu hoffen, dass sich auf die Schnelle ein Nachmieter finden lassen würde. „Sie haben Glück, Frau Zeller!" liess sie der Wohnungsmakler wissen, nachdem sie ihn über ihre Kündigungsabsichten in Kenntnis gesetzt hatte. „Wir haben hier auf der Warteliste tatsächlich einen Interessenten, der sich eine Wohnung mit Sitzplatz wünscht. Zudem könnte er sofort einziehen." Vivienne begann nach der freudigen Nachricht sofort ihr Hab und Gut in Schachteln einzupacken. Bereits zwei Tage vor dem offiziellen Umzug fuhr sie mit vollbeladenem Auto in die neue Wohnung, um die Küchenutensilien in der grossen Küche einzuräumen. Im Vergleich zur Küche waren die Zimmer in der Wohnung eher klein, vor allem das Wohnzimmer bot kaum Platz, um alle Möbel befriedigend zu platzieren. Sie entschloss sich, das dritte Zimmer als Esszimmer zu nutzen. Dank ihrer Vorarbeit und der Hilfe ihrer Freunde war sie nach dem Umzug rasch wohnlich eingerichtet. Am ersten Abend in der neuen Bleibe fiel sie völlig erschöpft ins Bett und überlegte, dass sie nun nur noch ihre alte Wohnung fertig reinigen müsste, bevor sie diese dem neuen Mieter übergeben würde.

Dann liess sie das letzte halbe Jahr seit der Kündigung durch Mario Schmid gedanklich nochmals Revue passieren und konnte kaum glauben, wie sehr sich ihr Leben in den letzten Monaten verändert hatte. Vor allem auch, zu welch neuen Erkenntnissen sie durch die unglückliche Liebesgeschichte und den Tod ihres Bruders gekommen war. Ihr Horizont hatte sich um einiges erweitert und sie sah das Leben zwischen Himmel und Erde nicht mehr nur aus katholischer oder rein irdischer Sicht.

Dann dachte sie an Konrad und fragte sich, wie es ihm wohl ginge. Im Gegensatz zu ihm war sie frei. Er hingegen war Elenas Gefangener und konnte sich kaum frei bewegen. ‚Sicher wird er Tag und Nacht überwacht, damit er ja nicht mehr auf dumme Gedanken kommt. Will Gott wirklich, dass wir meist als junge, unreife Menschen ein Ehegelübde ablegen und dieses dann als reifere und zu neuen Erkenntnissen gekommene Erwachsene auf Gedeih und Verderben einhalten müssen, bis dass der Tod uns scheidet? Sind es nicht vielmehr die Religionsgemeinschaften oder die Gesellschaft, die dies um jeden Preis erwarten, ja sogar vorschreiben, weil eine Scheidung ein Treuebruch bedeutet und vor allem Versagen signalisiert?'

Am Sonntagmorgen erwachte Vivienne bereits in aller Herrgottsfrühe und bereitete sich das erste Mal in der neuen Wohnung das Frühstück zu. Insgeheim trauerte sie auch nach dem erneuten Umzug immer noch den alten Zeiten nach. Sie wünschte sich nichts sehnlicher, als wieder in der Firma Matter zu arbeiten, so, als wäre nichts geschehen. Einfach die Zeit zurückdrehen…

Gegen Abend besuchte Fabian seine Mutter, um sich in der neuen Wohnung umzuschauen. „Mami, diese Wohnung ist viel zu klein für dich. Hier gehörst du nicht hin. Und dann noch die vielen Treppenstufen… Mann, da bekommt man ja einen Kollaps, bis man oben ist! Und das alles wegen diesem Koch." Fabian hatte so eine Wut auf den Kerl, dass er am liebsten bei ihm vorbei gegangen wäre, um ihm und seiner Frau mal so richtig die Meinung zu sagen. „Untersteh dich, Fabian! Die Freude machen wir den beiden nicht, gell!" tadelte ihn seine Mutter mit strengem Blick. „Setzt dich nun ins Esszimmer, ich habe dein Lieblingsgericht Spaghetti Bolognese gekocht." Kaum sassen beide am Tisch, klingelte das Telefon und Richard war dran. „Darf ich vorbeikommen, ich möchte etwas mit dir besprechen." „Von mir aus, ich hab grad gekocht und es reicht auch für drei", meinte Vivienne überrascht. Sie pflegte mit ihrem Ex-Partner zwar nach wie vor telefonischen Kontakt, doch seit ihrem Umzug nach Bern hatten sich die beiden nicht mehr gesehen. Nun, da Vivienne wieder in der Nähe wohnte, hoffte Richard sehr, dass sich dies ändern würde. Eine halbe Stunde später stand er keuchend vor der Türe. „Ufff, was für ein Aufstieg, bis man bei Dir in der Wohnung ist! War keine Wohnung im Parterre frei?" Vivienne schüttelte lachend den Kopf und bat ihren Gast herein. Richard schaute sich kurz in der perfekt eingerichteten Wohnung um. Dann setzte er sich an den Tisch und liess sich das Essen schmecken. Nachdem sich Fabian zwei Stunden später verabschiedet hatte, setzten sich Richard und Vivienne ins Wohnzimmer, um sich ein Schnäpschen zu genehmigen. „Was gibt es so Dringendes zu besprechen?" wollte Vivienne nun wissen. „Gerne würde ich wieder mit dir zusammenziehen, weil ich dich nach wie vor liebe. Durch die Trennung wurde mir bewusst, dass ich vieles falsch gemacht habe. Ich bin bereit mich zu ändern und dies sind nicht nur leere Versprechungen." Vivienne meinte sich verhört zu haben und schaute Richard völlig entgeistert an. „Ich meine es ernst Vivienne, gib uns nochmals eine Chance!" ergänzte Richard sein Liebesgeständnis. „Richard, ich habe Jahre lang um eine harmonische Ehe gekämpft. JAHRELANG! Bis es zur Trennung kam. Ich liebe dich nicht mehr. Ich habe dich auch nie so geliebt, wie ich Konrad liebe. Mein Herz hängt immer noch an ihm und ich denke, dies wird für den Rest meines Lebens so bleiben. Wir können weiterhin gute Freunde bleiben, mehr nicht!" „Du kannst es dir ja nochmals überlegen, du weisst, wie du mich erreichst", reagierte Richard enttäuscht. Dann stand er auf und verabschiedete sich. „Es gibt nichts zu überlegen, die Würfel, was uns beide als Paar betrifft, sind gefallen."

Vivienne lebte sich rasch in Zürich ein und entschloss sich, eine Stelle als Personalvermittlerin anzunehmen und ihre Temporärstelle zu kündigen. Dies auch, um nicht mehr jeden Tag nach Bern zur Arbeit fahren zu müssen. In einer Wirtschaftszeitung entdeckte sie ein interessantes Angebot und rief kurzentschlossen den Inhaber der Stellenagentur, Miguel Mischler, an, der sich in der Kadervermittlung von technischem Personal einen guten Namen gemacht hatte. Ein paar Tage später sass sie ihm beim Vorstellungsgespräch in seinem Büro in der Zürcher Altstadt gegenüber und fand den grossgewachsenen, dunkelhaarigen Mann auf Anhieb sympathisch. „Sie sind mit Ihren beruflichen Erfahrungen genau die Richtige für diesen Job", liess er Vivienne während dem Vorstellungsgespräch wissen und bereits einen Tag später hielt sie den Arbeitsvertrag in ihren Händen. Nicht, dass dies jetzt ihr Traumjob gewesen wäre, doch es war der richtige Job, um sich vom Arbeitsamt abzumelden und um etwas zur Ruhe zu kommen. Zudem lag der neue Arbeitsort nur sieben Gehminuten von ihrer Wohnung entfernt. Erst wenn sie sich sicher war, wie es mit ihrem Liebesleben weitergehen würde, würde sie in der Lage sein, sich nach einer Stelle in einer Personalabteilung umzusehen. Dies, weil man von einer Personalchefin erwartete, dass sie in stabilen privaten Verhältnissen leben würde und die konnte sie für den Moment nicht vorweisen. Fürs Erste war sie finanziell abgesichert, obwohl sie mit ein paar tausend Franken im Monat weniger auskommen und somit lernen musste, den Batzen mindestens einmal umzudrehen, bevor sie diesen ausgab. Dies auch, weil Fabian bis zum Ende seiner Ausbildung finanziell von ihr abhängig war.

Bereits nach einer Woche stellte Vivienne fest: ‚Personalberaterin wird nie mein Traumjob werden.' Zu sehr störte sie sich daran, dass es in diesem Business vor allem darum ging, so rasch als möglich so viel Personal wie möglich zu vermitteln, um so viel Geld wie möglich zu verdienen. „Menschen sind doch keine Handelsware", liess sie ihren neuen Chef wissen, der im gleichen Alter war, wie sie. Miguel Mischler lachte sie daraufhin strahlend an und meinte: „Daran werden Sie sich schon noch gewöhnen. Wir verdienen hier sehr gutes Geld und dies dient am Ende doch allen: Dem Auftraggeber, dem Arbeitnehmer und uns, die hier arbeiten!" Trotz der inneren

Abwehr gegenüber diesem „Menschenhandel" musste sich Vivienne jedoch eingestehen, dass dieser Job, der sie nicht allzu sehr forderte, durchaus seine Vorteile hatte, weil genügend Energie bleiben würde, um ihre längst geplante Psychologieausbildung in Angriff zu nehmen.

Auf die Idee mit dem Studium am Alfred Adler Institut brachte sie ihr Freund Ferdinand und begründete dies mit: „Du kannst deine Probleme erst lösen, wenn du deren Hintergründe genau kennst. So wie ich das sehe, gibt es in deinem Leben etliche Baustellen. Vor allem deine religiöse Erziehung hindert dich daran, ein freies, selbstbestimmtes Leben zu führen. Ich beobachtete bereits früher während unserer Zusammenarbeit, dass du zu viele Skrupel hast, dich mal so richtig zur Wehr zu setzen, zum Beispiel gegen die Obrigkeit. Und was Konrad nun mit dir macht, spricht Bände, auch ohne Worte."

Selbst wenn Vivienne nicht gerne hörte, was Ferdinand ihr damals im Gespräch unverblümt mitteilte, musste sie ihm Recht geben. Und nun war der richtige Moment gekommen, um seinen Rat in die Tat umzusetzen. Das Alfred Adler Institut war für sie mit dem Bus in 15 Minuten zu erreichen, was sich wiederum wie ein Wink des Himmels anfühlte. „Darum, jetzt oder nie!" sprach sie sich Mut zu und griff zum Telefonhörer, um einen Termin fürs Eignungsgespräch mit dem Institutsleiter Lothar Schmid zu vereinbaren. „Vorhin hat grad jemand den Termin für morgen um 14.00 Uhr abgesagt. Hätten sie so kurzfristig Zeit?" Vivienne packte die Gelegenheit beim Schopf und fand sich einen Tag später in der Schulungsstätte ein. Nach den üblichen Begrüssungsfloskeln wollte Lothar Schmid, ein grossgewachsener, schulmeisterlich wirkender und ergrauter Endfünfziger, die Gründe für den

Ausbildungswunsch wissen. „Ich will mein Leben neu sortieren und gleichzeitig auch anderen dabei helfen", gab Vivienne etwas hilflos zur Antwort. „Sie haben einige Jahre als Personalchefin gearbeitet, wie ich Ihrem Lebenslauf entnehme. Möchten Sie die Individualpsychologie in den Human Ressources anwenden oder möchten sie später als selbständige Beraterin arbeiten?" „Ich möchte das Gelernte vor allem in meinen Job einfliessen lassen", antwortete Vivienne unverbindlich. „Was wissen Sie bereits über Alfred Adler?" fragte der Studienleiter weiter. ‚Hoffentlich erzähl ich jetzt keinen Stuss!' ging es ihr durch den Kopf, während sie auf ihren Notizblock schielte, auf dem sie sich einige Fixpunkte über Alfred Adler und seine Individualpsychologie notiert hatte. „Alfred Adler war Psychiater und einige Zeit Anhänger seines Berufskollegen und Dozenten Sigmund Freud. Er distanzierte sich jedoch bald wieder von dessen Lehre über die Sexualtheorie, weil er aus eigener Erfahrung erkannte, dass seelische Probleme nicht allein über einen fehlgeleiteten Sexualtrieb entstehen. Alfred Adler beobachtete, dass Neurosen und Minderwertigkeitsgefühle vor allem während der Kleinkinderphase zwischen Geburt und dem vierten Lebensjahr entstehen. Weiter war Adler der Meinung, dass wenn Menschen bereits als kleine Wesen ermutigt werden, Durchhaltewillen zu zeigen, sie später im Erwachsenenleben nicht gleich vor jeder Schwierigkeit kapitulieren würden..." Vivienne schaute den Studienleiter fragend an, um herauszufinden, ob das bis anhin gesagt für ihn stimmig war. „Machen Sie nur weiter", nickte dieser ihr freundlich zu.
„Mitentscheidend für die gesunde Entwicklung eines Kindes war aus seiner Sicht, dass es als vollwertiger Mensch in sein Lebensumfeld integriert wird. Für Alfred Adler war zudem

entscheidend, in welcher Familienkonstellation ein Kind aufwächst. Zum Beispiel als Einzelkind, als ältestes, jüngstes, mittleres Kind oder als Nachzügler, was als Einzelkind gewertet wird. Alfred Adler war überzeugt, dass das Kleinkind instinktiv die Verhaltens- und Charaktermerkmale seiner engsten Bezugspersonen abschaut. Man wird so zur unbewussten Marionette von mütterlichen und väterlichen Verhaltensmustern, die über Generationen weitergegeben werden. Man könnte dabei von „Familien-Karma" sprechen. Diese Erkenntnisse erklären auch, warum Kinder, die gleich nach der Geburt adoptiert werden, oft ihren Adoptiveltern verhaltensmässig und charakterlich ähnlich sind und man von aussen kaum annimmt, dass es sich dabei nicht um die eigenen Kinder handelt", erklärte Vivienne, während sie immer wieder auf ihre Notizen schielte. „Da wissen Sie ja schon eine ganze Menge über Alfred Adler und seine Theorie. Haben sie eines seiner Bücher gelesen?" „Nein, ich habe kein Buch über Alfred Adler gelesen. Doch mein Freund Ferdinand, der hier studiert hat, lieh mir einige seiner Lehrunterlagen aus", erklärte Vivienne. „Wie heisst er?" „Ferdinand Keller." „Ja, ich mag mich an ihn erinnern. Zirka zwei Meter gross mit schwarzen, gelockten Haaren und ein paar Kilo zu viel auf den Hüften?" „Ja genau", nickte Vivienne. „Hat er Sie auch darüber informiert, dass es für künftige Berater Pflicht ist, sich während des Studiums laufend mit der Selbstanalyse zu beschäftigen?" „Ja, hat er", bestätigte Vivienne. Nach dem Gespräch schob er ihr einige Blätter zu und erklärte: „Das ist ein Aufnahmetest, bitte füllen Sie die Fragebogen innert der nächsten Stunde aus und Sie erhalten bis spätestens in drei Wochen Bescheid, ob Sie zur Ausbildung zugelassen werden."

Abends wieder zu Hause, betrachtete Vivienne ihr Ebenbild im Spiegel, während sie ihre Hände im Badezimmer wusch. ‚Du hast schon bessere Tage gesehen, gell, Vivienne?' dachte sie für sich. Auch wenn sie die Aufnahmeprüfung im Adler Institut bestehen würde, war dies nicht das Leben, das sie sich vorgestellt hatte. Während sie das Abendessen zubereitete, weinte sie vor sich hin. Sie vermisste Konrad und hasste sich dafür. Ferdinand hatte Recht: Der Grund für ihre Abhängigkeit lag irgendwo in der Vergangenheit. Oder stimmte Retos Sichtweise und es war doch alles Karma? Waren Konrad und sie mit einem unsichtbaren Band verbunden, das sich nicht einfach so lösen liess? Kannten sie sich bereits aus anderen Leben und mussten jetzt irgendetwas, von dem sie nicht wusste, was es war, zum Abschluss bringen?

Doch Vivienne mochte nicht so recht an Reinkarnation glauben, auch wenn in einigen der von Lukas Grob empfohlenen Büchern etwas ganz Anderes stand. ‚Vielleicht bekomme ich durch die Ausbildung am Adler Institut mehr Antworten, sofern ich denn überhaupt zugelassen werde,' schloss sie ihre Überlegungen ab.

Am nächsten Morgen ging sie zur Arbeit und kam abends müde wieder nach Hause. Die Ursache der Müdigkeit war nicht der unbefriedigende Job, sondern sie verspürte eine Lebensmüdigkeit. Nie hätte sie – auch nicht in den finstersten Momenten ihres Lebens – an Selbstmord gedacht. Und doch hinterfragte sie in letzter Zeit vermehrt den Sinn des menschlichen Daseins mit all seinen Mühen und Sorgen. Bevor sie die Haustüre aufschloss, warf sie einen Blick in den Briefkasten und entdeckte einen Blumenstrauss ohne Absender. ‚Hm, wer schenkt mir Blumen und dann erst noch anonym?' fragte sie sich wenig erfreut. ‚Sicher nicht Konrad, denn der weiss ja gar nicht, dass ich umgezogen bin. Und wenn doch, kennt er meine neue Adresse nicht, weil sie noch nicht im Telefonbuch steht. Vielleicht hat jemand die Blumen in den falschen Briefkasten gelegt und sie sind gar nicht für mich bestimmt?' Sie nahm die Blumen trotzdem mit in ihre Wohnung und stellte sie in eine passende Vase. Kaum stand der Strauss im Wasser, klingelte das Telefon und Konrad war dran. „Hast du die Blumen gesehen?" wollte er wissen. „Ja, habe ich. Woher weisst du überhaupt, dass ich umgezogen bin?" wollte Vivienne verärgert wissen. „Dein Telefon in Bern war nicht mehr in Betrieb und so habe ich die Verwaltung angerufen und erfahren, dass du umgezogen bist. Über die Auskunft habe ich deine Adresse gefunden und wollte dich mit den Blumen in Zürich willkommen heissen. Ich bin froh, dass du wieder in meiner Nähe lebst. Ich vermisse dich." „Entscheide dich endlich und wenn du weisst, was du willst, dann steh dazu!" meinte Vivienne alles andere als freundlich. „Siehst du, da haben wir es schon wieder! Kaum rufe ich dich an, hältst du mir eine Standpauke. Ein Zusammenleben mit dir ist sehr anstrengend und genau das frage ich mich die ganze Zeit: Verkrafte ich deine offene Art auf die Dauer? Will ich mich wirklich verändern und anpassen oder ist es für mich besser dort zu bleiben, wo man mir nicht ständig mein Fehlverhalten unter die Nase reibt?" tönte es vorwurfsvoll aus dem Telefonhörer. „Nein, nicht darüber musst du dir klarwerden, sondern darüber, ob du im alten Trott weiter leben oder ob du den Schritt ins Ungewisse wagen willst. Obwohl, dieser Schritt gar nicht so ungewiss ist, denn wir haben ja alles in allem immerhin schon ein halbes Jahr zusammengelebt. Man kann sich nicht auf eine neue Beziehung einlassen und denken, es läuft alles im alten Trott weiter. Wenn du nicht bereit bist, das Neue zu wagen, ja dann bleibt eben alles beim Alten", gab Vivienne zu bedenken. „In einer echten Partnerschaft geht es vor allem darum, Kompromisse zu finden. So wie ich das beurteilen kann, gehörst du allerdings nicht zu den Kompromissbereitesten auf diesem Planeten. Du hängst noch zu sehr in veralteten Gesellschaftsstrukturen. Die Zeiten sind doch längst vorbei als der Mann befahl und die Frau kuschte." „Das stimmt jetzt aber überhaupt nicht!" verteidigte sich Konrad. „Sicher kuscht Elena nicht vor mir. Sie ist einfach anpassungsfähiger als du und nicht so fordernd. Sie hinterfragt nicht immer alles und lässt mich machen." „Mein Lieber, das tönt ja alles nach einer harmonischen Ehe. Nur, warum musstest du nach Charlottes Unglück in den Wald gehen, um zu weinen und warum konntest du das nicht zu Hause tun? Warum suchtest du Trost bei mir und nicht bei deiner supertollen, anschmiegsamen, pflegeleichten Ehefrau?" giftete Vivienne aufgebracht ins Telefon und hängte auf. Sie hatte es nach allem was in den letzten bald drei Jahren passiert war einfach nur satt, sich ständig anzuhören, dass sie im Gegensatz zu Elena die mühsamere Partnerin sei. ‚Wann wacht dieser Kerl endlich auf und gesteht sich ein, dass seine Ehe von Anfang an ein Kartenhaus war, das nach dem Unglück mit Charlotte endgültig zusammenbrach und dass, wenn er beruflich und privat wieder Fuss fassen will, einfach mal mit der Vergangenheit abschliessen muss? Schliesslich wurde ich durch ihn ja auch gezwungen, genau das zu tun. Ich frage mich jetzt grad zum sicher hundertsten Mal: Warum nur, habe ich mir Konrads Leidensrucksack aufbürden lassen? Warum habe ich mich in diesen Egoisten verliebt und komm nicht mehr von ihm los?' Das Telefon klingelte erneut und sie nahm widerwillig ab. „Hast du dich wieder beruhigt?" wollte Konrad in versöhnlichem Ton wissen. „Nein, ich habe mich nicht beruhigt!" erklärte sie aufgebracht. „Ich fahre übermorgen nach Zürich zu einem Eishockey-Match. Könnten wir uns vorher kurz sehen und nochmals alles in Ruhe besprechen?" wollte Konrad in dem sanften Ton wissen, dem sie so schlecht widerstehen konnte. „Okay, ich erwarte dich am Samstag um 17 Uhr in meiner neuen Wohnung. Ich nehme mir genau eine Stunde Zeit für dich. Danach bin ich anderweitig verabredet. Und ich hoffe, du bist fit genug." „Warum?" fragte Konrad erstaunt. „Lass dich überraschen", schloss Vivienne das Gespräch ab.

Zwei Tage später stand Konrad wie verabredet vor ihrer Wohnungstüre und klingelte. „Da darf man aber nichts vergessen, wenn man mal zum Haus raus geht", war seine Begrüssung, nachdem er die unzähligen Treppenstufen raufgestiegen war. „Für den Moment ist es so für mich okay. Und zudem kann dir das ja egal sein, denn du musst hier nicht jeden Tag rauf und runter steigen", liess sie ihn schnippisch wissen. „Mal sehen, vielleicht eben doch, wenn du mich noch willst", antwortete er und prüfte dabei genau, wie Vivienne reagierte. „Wie meinst du das?" wollte sie wissen. Konrad fiel auf die Knie und bat Vivienne um ihre Hand. „Machst du Witze? Du bist ja nicht mal geschieden und jetzt machst du mir einen Heiratsantrag?" „Ich habe nicht gesagt, wir heiraten sofort, doch nun bin ich soweit und lasse mich definitiv scheiden", sicherte er Vivienne zu, nachdem er wieder aufgestanden war. „Und wenn wir dann wieder Krach haben, geht es zurück zu Mami?" wollte sie mit spöttischem Unterton wissen. „Nein, dieses Mal, ich schwöre bei meiner Mutter, bleibe ich für immer bei dir, wenn du dies auch so willst", versprach Konrad. „Und wenn es mit uns beiden dann doch nicht klappt, was dann?" fragte sie zurück. „Überleg es dir in Ruhe, ich melde mich am Montag wieder bei dir", verabschiedete sich Konrad.

Nachdem Konrad wieder weg war, überlegte Vivienne, was sie von seinem Antrag halten soll. Es kam keine richtige Freude auf, denn sie traute dem Frieden nicht wirklich. ‚Auf was lasse ich mich da wohl ein? Werde ich, wenn wir tatsächlich heiraten, lebenslänglich die Krankenschwester spielen, wie mir dies Lukas Grob prophezeit hat? Oder wird sich Konrads Gesundheitszustand mit der Zeit stabilisieren und er kann sich tatsächlich aus seinem alten Leben lösen und zu einem neuen Leben vorbehaltlos Ja sagen?' Unterdessen, nach dem zwölften Hin und Her, war ihr früher Optimismus einer skeptischen Haltung gewichen. Sie spürte, dass sie das Vertrauen in sie beide als Paar mehr oder weniger verloren hatte. Sie liebte ihn zwar immer noch, konnte sich auch keinen anderen Mann an ihrer Seite vorstellen. Trotzdem… Auch wenn sie jetzt Ja sagen würde, waren damit ganz viele Probleme noch nicht gelöst.'

Zehn Tage später zog Konrad vollbepackt mit Koffern und Schachteln bei ihr ein. „Dies ist mein ganzes Hab und Gut, das ich aus meinem alten Leben mitbringe. Vier Möbelstücke, die mir persönlich gehören, hole ich später ab. Alles andere überlasse ich Elena. Die Scheidung ist eingereicht und von meiner Seite her gibt es nun kein Zurück mehr. Elena hat bis heute nicht kapiert, dass die alten Zeiten endgültig vorbei sind und ich gesundheitlich nicht mehr in der Lage bin, einem Direktorenjob nachzugehen. Und dies hat nichts mit unserer Liebesbeziehung zu tun, sondern mit Charlottes Herzstillstand. Dieser Schicksalsschlag hat mich innerlich fast zerstört. Nicht zu vergessen die ewigen Machtkämpfe in der Firma Matter, die ich jahrelang ausgesessen habe...dies alles zollt nun seinen Tribut. Und nun, nachdem alles zusammengebrochen ist, zeigt sich Elena nicht bereit, den Gürtel enger zu schnallen. Wie eh und je wirft sie das Geld zum Fenster raus. Wie es mir dabei geht, interessiert sie überhaupt nicht. Sie will einfach, dass es genauso weitergeht, wie bis anhin, so, als wäre nichts gewesen." „Ok, doch dies ist ja nichts Neues. Ist etwas Besonderes vorgefallen, das nun den Ausschlag für die endgültige Trennung gab?' wollte Vivienne wissen. „Ja und nein. Gewusst habe ich ja längst, dass es in unserer Beziehung vor allem ums Geld und Prestige ging. Doch als Elena letzthin mit einem Einkaufszettel vor mir stand und das wenige Geld, das sie für Butter und Milch aus ihrem Sack berappen musste, von mir zurückverlangte, ja, da war es einfach genug. Man könnte sagen, drei Franken und zehn Rappen brachten das Fass zum Überlaufen." Vivienne und Konrad sassen während des Gesprächs im Wohnzimmer und jeder machte sich seine Gedanken. „Nun muss ich sicher einiges an Alimente für Elena und meinen studierenden Sohn hinblättern und dann bleibt für mich nicht mehr viel übrig. Ob ich je wieder einen gutbezahlten Job finden werde, ja ob ich überhaupt wieder jemals wie gewohnt arbeiten kann, steht in den Sternen. Die Zeiten haben sich geändert und mit 53 Jahren und meiner angeschlagenen Gesundheit wird es sehr schwierig, beruflich wieder einigermassen Fuss zu fassen", gab Konrad zu bedenken. „Das schaffen wir schon irgendwie", versuchte Vivienne ihren Partner zu ermutigen.

„Ich habe mich übrigens entschlossen, eine Ausbildung als Individualpsychologische Beraterin zu absolvieren. Heute Morgen kam der Bescheid, dass ich den Aufnahmetest bestanden habe. Somit bin ich mindestens zwei Abende in der Woche im Adler Institut. Während des Tages arbeite ich und so haben wir vor allem am Wochenende Zeit für einander."
„Ist mir recht so, mach dir um mich keine Gedanken, ich weiss mich schon zu beschäftigen und schmeiss hier den Haushalt. Unterdessen kann ich sogar etwas kochen, wie du weisst."

Individualpsychologische Erkenntnisse

Einen Monat später legte Vivienne mit dem Studium los. Am ersten Vorlesungsabend lernte sie als erstes ihre Mitstudenten kennen. An die 50 Frauen und Männer sassen in der Aula und warteten gespannt auf den Institutsleiter und seine Begrüssungsrede. Vivienne kam mit ihrer Sitznachbarin ins Gespräch, die gut zwanzig Jahre älter war als sie und sich als Berta Maag vorstellte. „Man muss schauen, dass man geistig fit bleibt. Nun sind die Kinder aus dem Haus und ich kann mich um meine eigenen Interessen kümmern. Individualpsychologie hat mich schon immer interessiert", liess Berta sie wissen. „Willst du mal als Beraterin arbeiten?" fragte Vivienne. „Nein, es ist mehr für den Hausgebrauch. Vielleicht verstehe ich dann gewisse Macken meines Mannes und meiner Kinder besser. Und meine grad auch noch." Dann kam der Institutsleiter in den Saal und hielt die angekündigte Rede. Gleichzeitig stellte er alle Dozenten der Schule vor und erklärte die Spielregeln, die man als Studierende einzuhalten hatte.

Ab diesem Moment besuchte Vivienne zweimal die Woche nach Feierabend das Adler Institut. Während der Vorlesungen gab es zwischen den Studenten und den Dozenten immer wieder Gespräche zu heiklen Themen wie Inzest, Vergewaltigung und Psychosen aller Art. Gerne hätte Vivienne mitdiskutiert, doch zu ihrem grossen Entsetzen brachte sie kein Wort heraus. Statt wie früher im Plenum das Wort zu ergreifen, stiegen Panik- und Hitzegefühle in ihr hoch. ‚Was ist nur mit mir los?' Sie überlegte ein wenig und wurde sich plötzlich bewusst: ‚Meine unerwartete Kündigung hat mich mehr traumatisiert, als mir dies bis heute bewusst war. Die Angst wieder etwas Falsches zu sagen, das unangenehme Konsequenzen nach sich ziehen könnte, hat tiefe Spuren hinterlassen. Obwohl ich ja genau an diesem Ort keine Angst haben sollte und offen über alles sprechen können müsste,‘ versuchte sie sich zu beruhigen. ‚Am besten, ich bespreche dies mit meiner Lehranalytikerin,‘ nahm sie sich vor. Spätabends nach den Vorlesungen fühlte sie sich besser und auch am anderen Tag wieder bei der Arbeit fiel ihr nichts Aussergewöhnliches auf. Doch sobald sie an einer der Vorlesungen teilnahm und mitdiskutieren wollte, blieben ihr die Worte im Hals stecken.

Mit der Lehranalytikerin Anna Hess, einer mütterlich wirkenden Frau in den Fünfzigern, verstand sich Vivienne auf Anhieb gut. Im ersten Gespräch erklärte Anna Hess ihrer neuen Studentin, dass während der dreijährigen Ausbildung mindestens hundertfünfzig Lehranalysenstunden Pflicht seien, um überhaupt zu der Abschlussprüfung zugelassen zu werden. „Wir werden uns also öfter sehen. Während der Vorlesungen geht es darum, zu erkennen, wie ihr als künftige Berater zusammen mit euren Klienten Problemlösungen effizient erarbeitet und zwar während maximal zehn Terminen. Während dieser Gespräche analysiert und hinterfragt ihr die Situation des Klienten aktiv und systematisch. Mögliche Gründe für eine Krise werden von den Beratern aufgezeigt und Lösungswege im Dialog besprochen. Dies bedingt aber, dass ein Klient nicht unter einer ernsthaften Psychose, sondern unter einer vorübergehenden Krise leidet, die sich mit dieser Art von Kurzberatung lösen lässt. Krankheiten wie Schizophrenie, schwere Depressionen und andere ernsthafte psychische Probleme gehören zwingend in die Hände eines Psychiaters", erklärte die erfahrene Therapeutin „Wenn der Klient das nicht will, dann ist das nicht mehr das Problem der beratenden Person. Die Beratung muss abgebrochen werden, alles andere wäre verantwortungslos." „Ja, das ist mir bewusst", nickte Vivienne Anna Hess zu.

Die Therapeutin wollte zu Beginn der ersten Analysestunde mehr über Viviennes Herkunftsgeschichte wissen. Bereitwillig erzählte die Studentin aus ihrem Leben und was sie derzeit am meisten beschäftigte. Doch Anna interessierte nicht, was sie in der Gegenwart beschäftigte, sondern vor allem, wie sie sich während ihrer Kindheit als Erstgeborene ihrer Eltern fühlte. „Wie gross ist der Altersunterschied zu deinen jüngeren Geschwistern?" wollte sie wissen. „Mein kürzlich verstorbener Bruder Daniel war anderthalb Jahre jünger und der Jüngste, Benedikt, ist neun Jahre nach mir geboren worden", erklärte Vivienne. „Wie war das bei dir? Musstest du die jüngeren Brüder beaufsichtigen?" „Ja, regelmässig und ich machte es gerne, denn ich liebte meine Brüder. Es gab schon mal Momente, wo ich an meinen freien Nachmittagen lieber ohne den Jüngsten unterwegs gewesen wäre. Doch Benedikt war ein angenehmes und folgsames Kind." „Durch deine Rolle als ältestes Geschwister, das früh Verantwortung für die jüngeren Brüder übernehmen musste, wurde wahrscheinlich dein Verantwortungsgefühl und auch deine Führungseigenschaften mitgeprägt", erklärte Anna. „Dies beobachtet man häufig bei den ältesten der Geschwister. Im Idealfall wird durch diese Geschwisterkonstellation die Sozialkompetenz gegenüber Schwächeren gebildet. Doch es gibt auch Älteste, denen die jüngeren Geschwister lästig sind und die die Kleinen dann gezielt tyrannisieren."

Anna zeigte Vivienne auf, dass zweitgeborene oft unter Minderwertigkeitsgefühlen leiden würden, weil sie sich gegen „oben" und „unten" durchsetzen müssten und dabei oft von den Eltern „übersehen" würden.

„Bei den Jüngsten hingegen kann sich eine Art Abhängigkeit und schlimmstenfalls Lebensuntüchtigkeit entwickeln, weil ihnen nicht dasselbe zugetraut wird, wie den älteren Geschwistern. Sie sind sich im Laufe ihrer Entwicklung gewohnt, dass ihnen die Eltern oder die älteren Geschwister alle Unannehmlichkeiten abnehmen. Später überflügeln diese oft ihre älteren Geschwister, zum Beispiel durch bessere Schulabschlüsse und beruflich höhere Positionen, um zu demonstrieren, was wirklich in ihnen steckt.

Verwöhnte und verzärtelte Jüngste hingegen fallen als Erwachsene gerne in eine Art Opferhaltung und sind kaum in der Lage, sich während schwieriger Lebenssituationen zu behaupten, weil sie es sich gewohnt sind, dass Dritte ihre Probleme lösen"„ schloss die Lernanalytikern vorerst das Thema Geschwisterkonstellation ab.

Während der Analysestunde in der darauffolgenden Woche sprach Vivienne Anna Hess auf ihre Panikattacken an. „Dies hat nicht nur mit deinem Kündigungserlebnis zu tun, sondern liegt viel tiefer. Wir werden während unserer Gespräche sicher herausfinden, was genau dahintersteckt. Doch für den Moment machen wir weiter mit der Familienkonstellation."

Durch die Lehre von Alfred Adler wurde Vivienne nun glasklar vor Augen geführt, was sich zwischen ihr und Konrad über die letzten Jahre tatsächlich abgespielt hatte. Sie als Älteste beschützte den Jüngsten und sah dabei über viele seiner Verfehlungen hinweg. Genauso, wie sie damals in der Kindheit als ältere Schwester gegenüber ihrem jüngsten Bruder Benedikt über Verfehlungen hinweggesehen hatte. ‚Ferdinands Lego-Land-Metapher war absolut korrekt,‘ schmunzelte Vivienne. ‚Konrad kam zu mir, um Spielchen zu spielen, die er zu Hause nicht spielen durfte und wenn er genug davon hatte, haute er einfach wieder ab. Und ich als ehemals Älteste in der Geschwisterkonstellation zeigte trotz meiner Wut noch so etwas wie Verständnis für den „Kleinen."‘ Vivienne erkannte durch ihr neues Wissen, dass alles, was während der Kindheit an emotionalem Schmerz angestaut und nicht erlöst wurde, sich während unerwarteter Krisensituationen im Erwachsenenleben schonungslos präsentierte. Nur wer all seine Verletzungen aus der Kindheit aufgearbeitet hatte, war in der Lage, Krisen anzunehmen und diese mit dem notwendigen Selbstbewusstsein zu bewältigen. Wer unter Minderwertigkeits- und Wertlosigkeitsgefühlen litt, war kaum in der Lage, wie ein Phönix aus der Asche zu steigen und Veränderungen als Chance zu sehen.

Vivienne lernte innerhalb der Analyse-Stunden, wie prägend tiefe Verletzungen aus der Kindheit auf den weiteren Lebensverlauf sein konnten. Mit Erreichen des Erwachsenenalters liessen sich traumatische Kindheitserlebnisse nicht wie ein alter Mantel abstreifen. Unerledigtes und Verdrängtes würde immer irgendwie im Unterbewusstsein hängen bleiben.

Während der Gespräche wurde ihr zudem vor Augen geführt, warum Konrad nicht in der Lage war, konstruktive Kritik zu ertragen oder sich gegen verbale Angriffe, wie sie im Geschäftsalltag an der Tagesordnung waren, zur Wehr zu setzen. Statt Probleme sachlich auszudiskutieren, schreckte er sein Gegenüber mit sarkastischen Bemerkungen ab oder verliess Sitzungen wortlos, wenn es ihm zu bunt wurde. ‚Konrad rennt heute noch, sinnbildlich gesehen, vor seinem älteren Bruder davon, der alles unternahm, um ihn fertigzumachen. Die Eltern bemerkten davon nichts, weil sie viel zu beschäftigt mit ihrem Geschäft waren. Für den kleinen Konrad muss das die Hölle gewesen sein,' wurde sich Vivienne bewusst. ‚Darum hielt er es auch nie lange bei mir aus. Konrads Erwachsenen-Ich wollte bleiben, doch das verletzte Kindheits-Ich hatte Angst vor Strafe und Ablehnung durch sein familiäres Umfeld. Seine Frau, sein Sohn oder auch viele seiner Bekannten zeigten ihm ihre ganze Verachtung, weil er mit einer anderen Frau ein neues Leben aufbauen wollte. Nicht Konrads Erwachsenen-Ich reagierte auf solche Manipulationen, sondern sein verletztes Kindheits-Ich übernahm unbewusst das Kommando. Zurück bei Elena gewann kurze Zeit später wieder sein normales Erwachsenen-Ich die Oberhand,' überlegte Vivienne. Sie erinnerte sich, wie sich Konrads Gesichtsausdruck jedes Mal veränderte, kurz bevor er wieder zu seiner Familie zurückkehrte. Er kam ihr jeweils wie ein Fremdgesteuerter vor. Delia stellte dies in ihrem Kartenbild ebenfalls fest und vermutete eine fremde, unsichtbare Macht dahinter. ‚Doch es war nicht nur eine fremde, aussersinnliche Macht, die Konrad beeinflusste, sondern die verdrängten Verletzungen aus seiner Kindheit spielten ebenfalls eine Rolle. Das innere Kind geriet in Panik, weil es etwas machte, das durch die Erwachsenen bestraft werden könnte, so wie es ihm vor Jahrzehnten sein um zwei Jahre älterer Bruder eingeredet hatte. Nicht nur Elena übernahm unbewusst die Rolle des Bruders und manipulierte Konrad im ähnlichen Stil weiter, sondern auch Rudolf Matter. Jeder, der Konrad näher kannte, wusste, dass er Kritik kaum ertrug und Auseinandersetzungen jeglicher Art hasste wie die Pest.'

Vivienne unterbrach ihre Überlegungen, nachdem der Bus in der Nähe ihrer Haustüre Halt gemacht hatte. Als sie wenig später die Wohnung betrat, wartete Konrad bereits mit dem Abendessen auf sie. „Wie war die Analysestunde?" wollte er wissen. „Sehr aufschlussreich!" gab sie knapp zur Antwort und ging nicht weiter darauf ein.

Wochen später stellte Vivienne fest, dass sich durch die Ausbildung am Alfred Adler Institut ihr psychologischer Wissenshorizont fast explosionsartig erweiterte und sie ihr eigenes Leben aus einer völlig neuen Perspektive sah. Während der nächsten Sitzung wollte sie von Anna wissen, was aus ihrer Sicht der Grund für ihre unstabile Beziehungsproblematik sein könnte. „Was habe ich bis anhin falsch gemacht und was hat das mit mir selbst zu tun?" Anna liess die Frage ihrer Studentin in Ruhe auf sich einwirken und wollte dann wissen: „An wen erinnert dich Konrad?" „Nicht an meinen Vater", antwortete Vivienne spontan. Anna lächelte milde: „An wen denn dann? Überleg es dir in Ruhe." „Hm, wenn ich genau darüber nachdenke, an meine Mutter. Aber das kann ja nicht sein." „Warum nicht?" fragte Anna erstaunt. „Weil Konrads Verhaltensweisen mit einem männlichen Verwandten zu tun haben müssten, da kommt mir jedoch keiner in den Sinn. Doch meine Mutter reagierte oft ähnlich, wie Konrad. Nicht in allem, aber in einigem." Anna bohrte hartnäckig nach: „Was spiegelt dir Konrad von deinem Vater, was von deiner Mutter wieder?" Vivienne überlegte eine Weile, bevor sie antwortete. „Die Beziehung zu meinem Vater war als Kind emotional sehr eng. Danach veränderte sich dies, weil er sich im Laufe seiner beruflichen Karriere zu einem wahren Tyrannen entwickelte. Man könnte rückblickend sagen: Der Erfolg, jedoch auch der Druck, dem er durch seine politischen Ämter ausgesetzt war, veränderte seinen Charakter. Doch die tiefe Liebe blieb trotz allem unverrückbar da. Dies spürte ich vor allem damals, als er völlig unerwartet starb, ohne dass es zu einer Versöhnung zwischen uns gekommen war. Ich war ein heulendes Wrack und zwar über Monate hinweg. Alles was mich an meinen Vater erinnerte, löste einen tiefen Schmerz aus. Ich denke, die engen Bande wurden während der frühesten Kindheit geflochten. Meine beiden Brüder fanden kaum einen so tiefen emotionalen Zugang zu ihm. Ich war das einzige Papa-Kind. Der Jüngste war klar ein Mama-Kind und Daniel am ehesten ein Schwester-Kind, wenn man dem so sagen kann. Er hing vor allem an mir." „Und wie war dein Verhältnis zu deiner Mutter?" hakte die Lehranalytikerin nach. „Mit meiner Mutter war es seit frühester Kindheit schwierig, ein stabiles, emotionales Verhältnis aufzubauen, weil sie eigentlich überhaupt keine Kinder wollte und mit ihrer Hausfrauenrolle nie klarkam. Meine Mutter hatte auch grosse Mühe mit mir als Tochter, weil ich ihr zu selbstbewusst, zu rebellischen und zu eigensinnig war. Ich lief ständig mit Schuldgefühlen rum, weil ich ihren Ansprüchen nicht genügte. Ausser wenn ich krank war – und dies war ich als Kind sehr oft – da hätte man sich keine bessere Mutter wünschen können. Und dafür bin ich ihr heute noch dankbar. Solange ich nach Mamas Pfeife tanzte und einen auf „liebes Kind" machte, war die Welt in Ordnung. Doch wenn ich mich gegen ihre zum Teil wirren Vorschriften wehrte, übte sie ihre Macht als Mutter gnadenlos aus und liess mich links liegen. Manchmal beachtete sie mich Tage lang nicht mehr. Dann kam es schon mal vor, dass sie sagte, dass sie sich statt so einer unmöglichen Tochter lieber ein anderes Kind gewünscht hätte. Oder noch besser, gar keine Kinder. Sie war eine durch und durch unzufriedene und manchmal ganz schön grausame Frau." Anna blieb hartnäckig und fragte weiter: „Ja und was hat dies mit der Beziehung zwischen Konrad und dir zu tun?" Wieder dachte Vivienne eine Weile nach. „Konrad verhält sich wie meine Mutter. Wenn ich mich nach seinen Vorstellungen verhalte und seinem Frauenbild entspreche, ist er sehr lieb und zugänglich. Doch begehre ich auf und teile ihm unverblümt mit, was mir an seinem Verhalten nicht passt, spielt er genau wie meine Mutter die beleidigte Leberwurst und beschuldigte mich, ihn nicht genügend zu lieben. Er straft mich deshalb mit Nichtbeachtung ab oder was das Allerschlimmste ist: Er geht nach solchen Auseinandersetzungen wieder zurück zu seiner Frau. Meine Mutter stieg in ähnlichen Situationen in ihr Auto, fuhr wütend davon und liess uns Kinder auch mal einen Tag lang allein zu Hause zurück. Wir wussten nie, ob sie zurückkommen würde. Natürlich kam sie immer wieder zurück, doch als Kinder konnten wir dies nicht wirklich einschätzen. Meist war sie dann wieder zufrieden und tat so, als sei nichts gewesen, was uns als Kinder für den Moment glücklich machte. Trotzdem, die Verlustangst blieb." „Tja, da haben wir es doch!" meinte Anna. „Konrad zeigt dir mit seinem Verhalten auf, welche Verletzungen im Zusammenspiel mit deinen Eltern noch nicht geheilt sind. Er drückt unbewusst auf die roten Knöpfe deines Unterbewusstseins, dort wo es richtig weh tut. Und du drückst umgekehrt auf seine roten Knöpfe, wo es ihn schmerzt." „So habe ich es noch nie gesehen! Im Kampf um Konrad ging es unbewusst nicht unbedingt um ihn, sondern um seelische Wunden, die ich zwischen meinen Eltern und mir noch nicht aufgearbeitet habe. Nicht aufarbeiten konnte, weil sie mir nicht bewusst waren." „Du hast es auf den Punkt gebracht, Vivienne. Dein Familiendrama spiegelt sich in deiner aktuellen Beziehung wieder. Und zu bedenken ist noch: Deinen Eltern erging es als Kindern ähnlich und deinen Grosseltern, Urgrosseltern und Ururgrosseltern ebenfalls. Alle haben das, was ihnen mehr oder weniger vorgelebt wurde in ihr Erwachsenensystem aufgenommen und an die nächste Generation weitergegeben. Das ist keine Entschuldigung für das Verhalten deiner Bezugspersonen, jedoch eine nachvollziehbare Erklärung, die doch so einiges aus einem anderen Blickwinkel betrachten lässt." Anna hielt kurz inne und wollte zu Viviennes Überraschung wissen: „Welches ist eigentlich dein Lieblingsmärchen?" „Manchmal Dornröschen, Manchmal der Froschkönig!" antwortete Vivienne ohne zu zögern. „Warum grad diese beiden Märchen?" wollte die Therapeutin wissen. „Weil es ein schönes Gefühl sein muss, vom Märchenprinzen aus dem Tiefschlaf geküsst zu werden. Oder einen Frosch zu küssen, der sich dann in den Märchenprinzen verwandelt. Unterdessen weiss ich jedoch, dass es den Märchenprinzen nicht gibt, weil es eben nur ein Märchen ist. Warum fragst du nach meinem Lieblingsmärchen?" „In der Individual-Psychologie und nicht nur dort, geht man davon aus, dass wenn man sich zu einer besonderen Märchenfigur oder Handlung im Märchen hingezogen fühlt, dies unerlöste Konflikte spiegeln könnte. Was denkst du, was dir das Dornröschen an unerlösten Konflikten spiegeln will?" schaute Anna ihre Klientin fragend an. „Als Kind und später Jugendliche war es unmöglich, mich gegen die Autorität meiner Eltern zu wehren. Darum träumte ich oft davon, in den 100jährigen Schlaf zu verfallen. Ich wünschte mir, dass mich mein Märchenprinz an meinem 20. Geburtstag wieder wachküssen sollte. Dann wäre ich erwachsen und meine Eltern hätten keinen Einfluss mehr auf mich. Das war natürlich eine Illusion, denn meine Eltern hätten sich immer irgendwie in mein Leben gemischt. Doch mein Märchenprinz hätte mich vor ihnen beschützt und mich erlöst." „Und heute, wie sieht die Situation heute aus?", wollte Anna wissen. „Konrad hat mich wachgeküsst, aber auf eine ganz andere Weise, wie ich mir dies je hätte vorstellen können. Oder drücken wir es so aus: Ich habe symbolisch gesehen einen Frosch geküsst in der Hoffnung, er verwandle sich in den Märchenprinzen. Doch die Verwandlung fand nicht in dem Tempo statt, die ich mir erträumt habe, nämlich „pronto." Bis es soweit war, galt oder gilt es immer noch, einige Prüfungen zu bestehen. Ich denke, über die Märchenprinzen-Nummer bin ich nun hinweg und auf dem Boden der Realität gelandet. Kein Mensch kann einen andern Menschen aus irgendetwas erlösen, wenn er selber nicht in der Lage ist, sich zu erlösen." Nach Viviennes Erkenntnissen zum Thema Märchenprinz mussten die beiden Frauen lauthals lachen. „Wir sehen uns in einer Woche wieder", verabschiedete sich Anna wenig später.

Nach dieser sehr aufschlussreichen Lehranalysestunde rief Vivienne ihren Guru Lukas Grob an. Sie hatte das Bedürfnis, mit jemandem, der verstehen konnte, was sich in ihrem Leben gerade abspielte, über ihre neuesten Erkenntnisse zu sprechen. Lukas hörte interessiert zu. „Ja, siehst du Vivienne, du hast dir dieses schwierige Leben selbst ausgesucht und bist in diese Familie hineingeboren worden, um deine emotionalen Verletzungen und Erlebnisse aus vergangenen Leben zu erkennen und energetisch aufzulösen. Konrad war dir mit seinem Verhalten der grösste Lehrmeister, weil du erst durch den emotionalen Liebesschmerz bereit warst, dein Leben genauer zu hinterfragen. Es gibt nebst der psychologischen auch eine karmische Seite. Sich karmischer Verstrickungen bewusst zu werden und sich aus diesen zu lösen, geht einen Schritt weiter als die Erkenntnisse der Psychologie. Dies, weil wir unser Denken und Handeln auf eine höhere Ebene ausrichten und uns so unserer Göttlichkeit bewusst werden." Vivienne glaubte sich verhört zu haben und widersprach Lukas energisch: „Wir sind doch keine göttlichen Wesen, wir sind lediglich arme Sünder, das ist ja Gotteslästerei!" Lukas liess Viviennes Empörung gelassen über sich ergehen und bald war das Telefongespräch beendet. ‚Nicht zu fassen!' wetterte Vivienne innerlich, nachdem sie den Telefonhörer aufgelegt hatte. ‚Nun bekomme ich durch meine Individualpsychologieausbildung endlich verwertbare Antworten und Erklärungen für mein kompliziertes Leben und nun versucht Lukas, mir dies mit seinen Karma-Konstrukten madig zu machen.'

Die Erkenntnisse aus der Individualpsychologie brachten Vivienne einen grossen Schritt weiter, um ihrer Liebesbeziehung mit Konrad eine dauerhafte Chance zu geben. Konrad kam zur Wohnungstüre herein und riss sie aus ihren Gedanken. Er war den ganzen Tag auf einer Wanderung im Berner Oberland unterwegs gewesen und freute sich nun auf den gemeinsamen Abend mit Vivienne. Er küsste sie zärtlich und verzog sich ins Badezimmer zum Duschen, bevor er sich zum Abendessen an den Tisch setzte. „Am Wochenende müssen wir uns mal Zeit nehmen, damit ich dir alles erzählen kann, was ich bis jetzt am Alfred Adler Institut gelernt habe", meinte Vivienne, während sie das Essen auftischte. „Muss ich das wirklich wissen? Du weisst, Vivienne, ich halte nicht viel von Psychologie und Psychiatrie. Weder die Gespräche mit Doktor Borer noch die Beratungen bei der Psychologin haben mich wirklich weitergebracht. Ich will zu diesem Thema einfach meine Ruhe. Durch deine neuen Erkenntnisse wird Charlotte auch nicht wieder gesund. Nun lebe ich hier bei dir und ich sehe nicht ein, warum wir weiter psychologisieren müssen." ‚Schrei!!' durchfuhr es Vivienne und sie gab sich alle Mühe, um sich nichts von ihrer Wut anmerken zu lassen und wie üblich auszuflippen.

Nach dem Essen erzählte Vivienne Konrad von einem Buch mit dem Titel „Negaholiker", das sie kürzlich gelesen hatte. „In dem Buch werden all unsere Verhaltensmuster und Glaubenssätze aufgezeigt, die uns das Leben echt vermiesen, ohne dass wir uns dessen bewusst sind. Vielleicht interessiert es dich?" „Muss ich mich verändern? Ich glaube nicht, denn nun hast du mich und ich bin eben so, wie ich bin. Das sollte dir genügen." ‚Grrr!' kochte Vivienne innerlich vor Wut. Doch sie war stolz darauf, einfach ruhig zu bleiben. Ihr Zusammenleben hatte sich nach Konrads Einzug zwar rasch eingependelt, doch er litt nach wie vor unter Depressionsschüben, die sie so nicht einfach hinnehmen wollte. Zudem packte ihn immer noch die Wut, wenn er an Rudolf Matter, dem er die ganze Schuld an seinem beruflichen Scheitern gab, zurückdachte. Wie früher im Zusammenleben mit ihrer Mutter, spürte Vivienne nun im Zusammenleben mit Konrad dieselbe explosive Stimmung, ähnlich einem Pulverfass, das bei der kleinsten, falschen Bewegung in die Luft gehen konnte. ‚Konrad gehört in die Hände einer Fachperson, um all seinen Frust und psychische Verletzungen aufzuarbeiten. Ähnlich, wie ich dies nun während der Lehranalyse mache,' wurde Vivienne bewusst, bevor sie ins Bett ging und trotz allem in Konrads Armen einschlief.

Gefangen in der Opferrolle

Auch Wochen später änderte sich nichts an der Situation und Konrad verharrte weiter in seiner Opferrolle. Charlotte würde nie wieder gehen, sprechen, selbst essen können und war nach dem Herzstillstand durch die zu späte Reanimation dazu verdammt, den Rest ihres Lebens im Zustand eines acht Monate alten Kindes zu verbringen. Über diesen Schicksalsschlag konnte und wollte Konrad nicht hinwegkommen. Darum liess er Vivienne mehr als einmal wissen, dass man ihn jetzt mit irgendwelchen therapeutischen Blabla-Gesprächen, die an Charlottes Zustand nichts ändern würden, verschonen sollte. Doch Vivienne liess nicht locker und beharrte auf einer Gesprächstherapie. „Du weisst, dass ich dich sehr liebe Konrad, doch mit deiner Einstellung zerstörst du früher oder später unsere Beziehung. Du musst endlich den Tatsachen ins Auge schauen und deine Wut auf Rudolf Matter und deine Trauer um Charlotte aufarbeiten. Solange du in Deinem Selbstmitleid hängen bleibst und allen anderen die Schuld für dein Elend gibst, wird sich deine Lebensqualität niemals verbessern", gab sie zu bedenken. Doch alles Gutzureden nützte nichts.

Ein Jahr nach Beginn ihrer Ausbildung und zwei Jahre nach der Kündigung durch Mario Schmid, fand Vivienne eine neue Stelle als Personalchefin. Es ging alles ganz schnell und sie konnte ihr Glück kaum fassen. Derselbe engagierte Stellenvermittler, der ihr bereits die Temporärstelle in Bern vermittelt hatte, machte sie auf den Job in der Firma Stutz, einem bekannten elektrotechnischen Unternehmen, aufmerksam und vereinbarte für sie einen Vorstellungstermin. Vivienne nahm den Termin wahr und drei Stunden später, nach einem eingehenden Gespräch mit dem Personaldirektor und diversen psychologischen Tests, verliess sie das Unternehmen mit einem Vertrag in der Tasche. Für solch eine verantwortungsvolle Kaderstelle war dieses Vorgehen eher ungewöhnlich. Doch ihr künftiger Chef suchte bereits seit Monaten nach dem richtigen Personalprofi, aber bis anhin hatte keiner der Bewerber seinen hohen Ansprüchen genügen können. Vivienne begeisterte ihn auf Anhieb, weil sie nicht nur über das fachliche Rüstzeug, sondern auch über tadellose Manieren und ein ansprechendes Äusseres verfügte, auf was er beides grossen Wert legte.

Zu Hause zeigte sie Konrad unter Freudentränen ihren neuen Arbeitsvertrag und er gratulierte ihr zum Erflog. Nach all den emotional qualvollen Jahren war sie endlich wieder in der Lage, ihrem Beruf, den sie als ihre Berufung empfand, nachzukommen.
Zur selben Zeit schloss Fabian seine Ausbildung als Modeberater ab. Vivienne dankte dem Himmel, dass ihr Sohn trotz all der familiären Wirren sein Berufsziel erreicht hatte und sich in seiner Single-Wohnung wohl fühlte. So etwas wie Ruhe war in ihr Leben eingekehrt. Nach all diesen Schicksalsjahren war sie um einiges reifer und weiser geworden. In einem halben Jahr würde sie ihren 40. Geburtstag feiern und ihr wurde bewusst, dass sie sich nun so richtig erwachsen fühlte.

Konrad war grundsätzlich dankbar, dass es in Viviennes Berufsleben wieder vorwärts ging. Doch fiel es ihm schwer, sich über irgendetwas überhaupt noch richtig zu freuen. Er fühlte sich zwar wohl in Viviennes Nähe, der Entscheid mit ihr zusammenzuleben fühlte sich richtig an. Doch die vergangenen schwierigen Jahre hinterliessen tiefe Wunden und ob diese irgendeinmal ganz heilen würden, bezweifelte er. Niemals würde er Rudolf Matter verzeihen, dass dieser ihm das Messer in den Rücken gerammt hatte, als er längst am Boden gelegen hatte. Er verstand auch nicht, dass Vivienne ihm immer wieder versuchte, zu erklären, dass daran nicht Rudolf Matter allein Schuld war, sondern er, Konrad, ebenfalls seinen Teil dazu beigetragen hatte. In solchen Momenten spürte er eine Wut in sich aufsteigen, die ihn normalerweise veranlasst hätte, Vivienne wieder zu verlassen. Dieses sich ständige Hinterfragen nahm für ihn seit Vivienne die individualpsychologische Ausbildung besuchte, immer groteskere Züge an. Vor allem, wenn sich seine Partnerin ihm gegenüber als Psychologin aufspielte und ihre treffsicheren Analysen ihn oft bis ins Mark erschütterten. Doch er wollte und konnte Rudolf Matter nicht verzeihen und auch nicht all den anderen, die ihn einfach hatten fallen lassen, als er nicht mehr in der Position als Personaldirektor arbeitete. Ihm wurde sehr schmerzlich bewusst, dass man einst nicht Konrad Koch als Menschen richtiggehend gehuldigt hatte, sondern seiner beruflichen Position. Und zudem wurde ihm vor Augen geführt, dass sein Selbstbewusstsein vor allem auf seinem beruflichen Erfolg aufgebaut gewesen war. Nun, nachdem alles zusammengebrochen war, fühlte er sich hilflos und tieftraurig. ‚Ob ich je wieder mein Leben unbeschwert geniessen kann? Ich weiss es nicht...vielleicht wäre eine Therapie doch das Beste? Aber was würden Gespräche bei einem Psychiater verändern?' Konrad überlegte ein Weilchen und kam zur Erkenntnis: ‚Nichts! Nichts würde sich ändern. Weder Schönschwätzerei noch psychologische Erklärungen bringen mir Charlotte oder meinen Job zurück.'

In einer der Pausen im Adler Institut, entdeckte Vivienne am Anschlagbrett ein Inserat. Die Stelle der administrativen Institutsleitung wurde ausgeschrieben und sie überlegte, dass dies eine Wiedereinstiegsmöglichkeit für Konrad sein könnte. Sie notierte sich die wichtigsten Eckpunkte, um diese später mit ihm zu besprechen. Als sie spät abends nach Hause kam, schlief Konrad bereits und so verlegte sie das Gespräch auf den folgenden Tag.

Während des Frühstücks am nächsten Morgen erzählte sie ihm kurz von der Stellenausschreibung. „Du bist wohl ein paar Schuhnummern zu gross für diese Aufgabe. Doch als Einstieg nach deiner gesundheitlichen Krise könnte dies doch grad das Richtige sein, um deine Belastbarkeit zu prüfen. Was hältst du davon?" „Ja, warum nicht?" stimmte Konrad seiner Partnerin zu und schickte noch gleichentags seine Bewerbungsunterlagen ab. Glücklicherweise bekundete der Institutsleiter nach Durchsicht des Lebenslaufs und Zeugnissen sein Interesse und lud Konrad zwei Tage später zu einem Vorstellungsgespräch ein. Konrad gab offen Auskunft über seine private und berufliche Situation. Am Ende des Gesprächs kam der Leiter zur Überzeugung, dass Konrad eine Bereicherung für das Institut sein könnte. „Ich muss das noch mit unserem Führungsgremium besprechen, doch ich denke, einer Anstellung steht nichts im Wege." Dann verabschiedete er Konrad und versprach, sich innert Wochenfrist zu melden.

Bereits drei Tage später lag der Arbeitsvertrag im Briefkasten. Vivienne freute sich über Konrads Erfolg, doch ihr Partner fand nicht wirklich Gefallen am Gedanken, vom Personaldirektor zum Sekretariatsleiter degradiert zu werden. Vivienne erklärt ihm nochmals, dass dieser Job als Einstieg nach der Krisenzeit zu betrachten sei und nicht als Endlösung. Zähneknirschend unterschrieb Konrad den Vertrag und fühlte sich gedemütigt, so wie noch nie zuvor in seinem Leben. „Mit der Zeit wirst du garantiert wieder einen Job finden, der dich mehr fordert und wo du all Dein Wissen einbringen kannst", versuchte Vivienne ihn zu trösten. Doch Konrad wollte sich nicht trösten lassen und er überlegte, ob er sich nicht besser von einer Brücke stürzen sollte, um all den Demütigungen ein Ende zu setzen. Jedoch gab ihm Vivienne, die Konrads Todessehnsüchte immer wieder erahnte, zu bedenken: „Wenn du dich umbringst, inkarnierst du einfach später nochmals auf der Erde und wirst irgendwann in deinem neuen Leben vor ähnliche Prüfungen gestellt. Du hast dieses Leben geschenkt bekommen und hast nicht das Recht, dich durch Selbstmord zu verdünnisieren. Auf jeden Fall nicht, wenn es noch Aussicht auf Hoffnung gibt. Das Leben verläuft nicht immer nach unseren Vorstellungen, sondern es verläuft so, damit wir etwas daraus lernen. Und das kann auch mal schmerzhaft sein, sehr schmerzhaft sogar, wie wir unterdessen am eigenen Leib erfahren haben. Durch Schicksalsschläge werden wir dazu gezwungen, uns aus unseren oberflächlichen Sichtweisen über Liebe, Geld, Karriere und Scheinerfolg zu lösen. Deine Ehe hielt eurem Drama um Charlotte nicht stand, weil eure Liebe nur die Schönwetterlage aushielt. Als es stürmisch wurde, habt ihr euch verloren. Und dein Direktorentitel war nur innerhalb der Firma Matter etwas wert. Du hast deinen persönlichen Wert viel zu sehr mit diesem Titel gleichgesetzt und denkst nun, dass du ohne diesen wertlos bist. Das stimmt jedoch nicht, Konrad! Jeder Mensch ist genau gleich viel wert, egal ob mit oder ohne Titel!" Viviennes Sichtweise leuchtete Konrad ein und so verwarf er die Selbstmordabsichten wieder. Zudem brauchte ihn Charlotte. Schon um ihretwillen musste er durchhalten. Und so nahm er sich vor, das Beste aus dem neuen Job zu machen und meinte zu Vivienne: „Nun weiss ich für den Moment, wo ich künftig arbeiten werde und so wird es Zeit, sich nach einer neuen Wohnung umzuschauen. Ich habe es nämlich satt, jeden Tag so viele Treppenstufen rauf und runter zu steigen. Letzthin habe ich in einem Inserat gelesen, dass am Fusse des Uetlibergs eine interessante Wohnung frei wird. Sie liegt ideal zu unseren Arbeitsorten. Soll ich dort mal anrufen und einen Besichtigungstermin vereinbaren?" „Von mir aus, anschauen kostet ja nichts", willigte Vivienne ein, denn auch ihr wurde die tägliche Treppensteigerei langsam zu viel.

Während der Besichtigung der ausgeschriebenen und neurenovierten Wohnung war der Hausbesitzer anwesend und Vivienne zeigte sich so begeistert, dass er den beiden nach Überprüfung ihrer Zahlungsfähigkeit den Zuschlag gab. Bereits einen Monat später zogen sie in ihr erstes gemeinsam ausgesuchtes Domizil ein.

Und einen weiteren Monat später fand die Scheidung zwischen Konrad und Elena statt und Konrad war vier Jahre nach dem ersten Kuss endlich frei.

Ende gut, alles gut?

Ein Jahr später nach einer anstrengenden Arbeitssitzung ging Vivienne in ihr Büro zurück, setzte sich ans Pult und schaute aus dem Fenster. Das Firmengebäude ihres neuen Arbeitgebers lag in einem Industriequartier ausserhalb Zürichs und etwas weiter entfernt auf der gegenüberliegenden Strassenseite sah sie direkt auf eine Grünzone. Sie beobachtete einige Amseln, die Würmer aus der Wiese pickten. ‚Ähnlich wie in meinem Büro in der Firma Matter,‘ ging ihr durch den Kopf. ‚Dort beobachtete ich jeweils, wie die Möwen Futter auf der angrenzenden Wiese suchten.‘ Wehmut kam in ihr hoch, denn insgeheim trauerte sie immer noch dem alten Job und den vielen guten Kollegen nach. Wohl gefiel es ihr an ihrer derzeitigen Stelle und sie lernte viel neues dazu. Dank ihrer Ausbildung zur psychologischen Beraterin konnte sie zudem einiges in der Firma bewegen und Veränderungsprozesse erfolgreich begleiten. Nun war Spätherbst und die weiter entfernten Laubwälder am Höngger Berg präsentierten sich während des Sonnenuntergangs in den prächtigsten Farben. ‚*Indian Summer* in Zürich,‘ ging es ihr durch den Kopf, bevor sie sich ihrem Computer zuwandte und noch rasch die E-Mail-Eingänge kontrollierte. Kurz nach ihrer Einstellung in die Firma Stutz hatte die Geschäftsleitung beschlossen, dem Trend der Zeit zu folgen und die zahlreichen Arbeitsplätze mit Personal Computern auszurüsten. Anfangs hatte Vivienne Mühe damit gehabt, dass die interne Kommunikation nun meist nur noch über den Mailserver lief. Doch unterdessen hatte sie sich daran gewöhnt und vor allem gelernt, dass man höllisch aufpassen musste, was und wie man dem Adressaten schrieb. Denn was einmal geschrieben und abgesendet war, liess sich nicht mehr einfach so rückgängig machen und konnte auch an Dritte weitergeleitet werden, ohne dass der Absender davon wusste.

Nach Durchsicht der Mailnachrichten schaltete sie den PC aus, um endlich Feierabend zu machen. Als sie bereits zur Bürotür raus war, hörte sie ihr Telefon klingeln und ging nochmals zurück. Zu ihrer Überraschung war Josef, ein Geschäftskollege von früher, von dem sie seit über einem Jahr nichts mehr gehört hatte, dran. „Hallo Vivienne, bist sicher erstaunt, dass ich mich nach so langer Zeit wieder einmal melde, gell. Ich habe zuerst auf deine Privatnummer angerufen und dein Partner gab mir netterweise deine Geschäftsnummer. Wie geht es dir?" „Danke der Nachfrage, mir geht es gut. Ich wollte grad nach Hause gehen", liess Vivienne den Anrufer in der Hoffnung wissen, dass er sich kurzhalte. „Und wie läuft es bei dir?" wollte sie wissen. „Auch alles bestens, danke. Ich rufe aus einem besonderen Grund an", machte es Josef nun spannend. „Ah ja?" meinte Vivienne neugierig. „Du erinnerst dich sicher an Mario Schmid?" „Blöde Frage, natürlich erinnere ich mich an den!" gab Vivienne etwas verärgert zurück. „Stell dir vor, er hat sich das Leben genommen." „Was?! Bist du sicher und woher weisst du das überhaupt?" wollte Vivienne ungläubig wissen. „Schmids Ex-Frau arbeitet bei uns als Verwaltungsratsassistentin und hat mir davon erzählt. Er trägt erhebliche Mitschuld daran, dass es zu den Massenentlassungen bei seinem Arbeitgeber kam, von denen du sicher aus der Zeitung erfahren hast. Die Zweigstelle und das Traditionsunternehmen am Zürichsee wurden vollumfänglich geschlossen und hunderte von Mitarbeitende landeten auf der Strasse. Mario Schmid wurde angehalten, sein Pult von einer Minute auf die andere zu räumen. Zudem wurde ihm ein Verhältnis mit seiner Assistentin nachgesagt, die ihm zu allem Übel gleichzeitig den Laufpass gab. All diese Schmach verkraftete er nur schlecht und so setzte er seinem Leben mit bloss 47 Jahren ein Ende." Vivienne schwieg für einen Moment. „Tragische Entwicklung." meinte sie, nachdem sie sich wieder gefasst hatte. „Mir tun vor allem die Mitarbeitenden leid, die nun auf der Strasse stehen." Dann bedankte sie sich bei Josef für den Anruf und legte den Hörer auf. Endlich machte sie sich auf den Heimweg und während sie im allabendlichen Stau stand, wurde ihr bewusst, dass es das Schicksal alles in allem trotzdem gut mit ihr meinte. ‚Als Personalleiterin hunderten von Mitarbeitern zu kündigen, hätte ich kaum verkraftet. Darum kann ich im Nachhinein gesehen froh sein, dass mich Mario Schmid damals rausgeschmissen hat!'

Konrad reagierte betroffen, als Vivienne ihm über Mario Schmids Suizid informierte. „Tragisch, dass er sich nicht anders zu helfen gewusst hat. Hätte mir auch passieren können. Doch durch dich habe ich gelernt, dass man seelischen Schmerz und Niederlagen aushalten muss. Wäre doch schade, wenn ich nicht mehr am Leben wäre. Man weiss ja nie, was man alles noch verpassen würde." „Ja, wäre echt schade, wärst du nicht mehr am Leben", stimmte ihm Vivienne zu und lächelte ihn dabei an.
„Was machen wir am Wochenende?" wollte Konrad wenig später während des Essens wissen. „Mir wurden Freikarten für die Esoterikmesse im Kongresshaus zugeschickt und ich überlege mir, ob ich am Samstag dort mal die Nase reinstre-

cken soll. Kommst du mit?" „Nein danke, da kannst du allein hingehen. Ich wüsste nicht, was ich dort verloren hätte." wehrte Konrad ab.

Indische Astrologie

So stieg Vivienne samstags gegen Mittag ins Tram und fuhr Richtung Kongresshaus. Sie besuchte zum ersten Mal eine Esoterikmesse und war gespannt, was sie erwarten würde. Während der Tramfahrt las sie den Messe-Prospekt aufmerksam durch und kreuzte sich dieses und jenes an, von dem sie dachte, dass es sie besonders interessieren könnte. Sie nahm sich vor, den Stand mit den Aura-Fotografien zu besuchen und Räucherwerk zu kaufen. Nachdem sie an der Garderobe ihren Mantel abgegeben hatte, marschierte sie zielstrebig Richtung Ausstellungshalle. Überall hing Weihrauchduft in der Luft, der wohl vermitteln sollte, dass man mit Betreten der Ausstellungshalle in eine andere Welt eintaucht. Vivienne war fasziniert von der ungewohnten Atmosphäre und ging langsam von Stand zu Stand. Ab und zu kam sie ins Gespräch mit Ausstellern. Einige versuchten, sie zu einer medialen Beratung zu überreden oder wollten sie sonst von ihren Dienstleistungen überzeugen. Die meisten der Standbetreiber aus nah und fern dekorierten, um auf sich aufmerksam zu machen, ihre Stände zum Thema ihres Angebots. Die einen etwas dilettantisch mit selbstgebastelten Plakaten und Flyern, die alles andere als seriös wirkten. Wieder andere scheuten sich nicht davor, viel Geld für professionell gestaltetes Werbematerial auszugeben, um die Besucher anzulocken. Vivienne blieb neugierig bei einem mit bunten Seidentüchern ausstaffierten Stand stehen. Ein grossgewachsener Deutscher, eingehüllt in ein blaues indisches Seidengewand, verteilte Flyer mit seinen Dienstleistungen an die vorübergehenden Messebesucher. ‚Es fehlt nur noch ein Turban, dann wäre das

Outfit perfekt,' überlegte Vivienne auf den Stockzähnen lachend. Seine Frau, ebenfalls eine Deutsche, trug einen Sari und machte sich hinter dem Stand zu schaffen. „Was bieten Sie an?" wollte Vivienne wissen. „Bei uns können Sie etwas über die indische, beziehungsweise vedische Astrologie erfahren", erklärte ihr der sympathische, grossgewachsene Deutsche lächelnd, der sich als Joachim Nusch aus Köln vorstellte und den Vivienne auf Mitte vierzig schätzte. „Was ist der Unterschied zwischen normaler Astrologie und vedischer Astrologie?" wollte sie wissen. „Vedisch stammt aus dem Indischen und ist eine Möglichkeit, sein Selbst zu erkennen, ungünstiges Karma auf der materiellen und spirituellen Ebene zu verstehen. Erst wenn man etwas erkennt und versteht, kann man es ändern", erklärte er anschaulich. ,Da bin ich ja genau am richtigen Stand gelandet,' überlegte Vivienne erstaunt. ,Sich seines Karmas bewusster zu werden und vor allem die Möglichkeit, dieses aufzulösen...darüber muss ich mehr erfahren.' „Ich hätte gerne eine Beratung", liess Vivienne Joachim Nusch wissen. Dieser bat sie erfreut zu sich in das Innere des Standes, wo ein Tisch und zwei Stühle für die Beratungen bereitstanden. Vivienne setzte sich, wie ihr geheissen wurde. Danach setzte sich Joachim Nusch mit seinem transportablen PC ebenfalls zu ihr an den Tisch. „Darf ich du sagen?" fragte er mit Blick auf Vivienne. „Ja klar", meinte diese. „Kennst du deine genauen Geburtsdaten, also Datum, Geburtszeit und -ort?" wollte er wissen. „Ja, kenne ich." Joachim gab die Daten in den Computer ein, drückte auf eine Taste, die sein Astroprogramm ins Laufen brachte und wartete auf das Resultat. Dann betrachtete er sich in Ruhe das Ergebnis und wandte sich wieder seiner Kundin zu. „Um was geht es überhaupt bei der Beratung? Soll ich einfach mal schauen, was sich allgemein in deinem Leben grad tut oder interessiert dich etwas Besonderes?" „Nein, nichts Besonderes. Ich sehe die Beratung vor allem als Standortbestimmung", ließ sie ihn wissen. „Bist du verheiratet?" fragte er nach. „Ich lebe mit meinem Partner zusammen, bin jedoch nicht verheiratet." „Kennst du die genauen Geburtsdaten deines Partners?" schaute er sie fragend an. „Ja, kenne ich." Nachdem er diese im Computer gespeichert hatte, berechnete er mit Hilfe seines Astroprogramms auch diese Daten. Ein paar Minuten später druckte er die Datenblätter aus und legte sie Vivienne hin. „Das sieht für mich alles chinesisch aus", ließ Vivienne den Astrologen wissen und schaute ihn ratlos an. Dieser zwinkerte ihr beruhigend zu: „Du meinst wohl, es sieht alles vedisch aus", und lachte dabei schallend. „Ich erklär dir gleich die Bedeutung der Zeichen." Vivienne nickte ihm lächelnd zu. „Ich bin gespannt, was du mir darüber zu berichten hast." „Ja, wir legen gleich los. Also Vivienne, du bist ein Glückskind, auch wenn du das nicht immer so empfindest. Das will auch nicht heissen, dass dein Leben immer nur gerade verläuft. Wie alle Menschen bist auch du auf diesen Planeten gekommen, um zu lernen. Aber du bist auch hier, um dir alter Verletzungen bewusst zu werden und um diese zu heilen. Das ist Knochenarbeit. Wenn du diese erledigt hast, bist du bereit, anderen Menschen zu helfen, ihre Verletzungen zu heilen." Vivienne schaute den Astrologen fragend an. Doch dieser liess sich mit Blick auf die Datenblätter in seinem Redefluss nicht stören. „Das Verhältnis als Kind zu deinen Eltern war schwierig, vor allem mit der Mutter. Deine Eltern hatten aber, rein astrologisch gesehen, nur die Aufgabe, dir ein Leben auf der Erde zu ermöglichen und dir das Wichtigste beizubringen. Danach wurdest du früh dazu gezwungen, deinen eigenen Weg zu gehen, um über dich selbst hinauszuwachsen. Darum verzeih deinen Eltern, falls es was zu verzeihen gibt. Das Leben bietet viele Wege und es ist nicht immer einfach, den richtigen zu erkennen. Oft nimmt man lieber den bequemeren Weg und nimmt dadurch die falsche Abzweigung. Wird man sich dessen bewusst, gibt es nichts anderes, als in sich zu gehen und sich zu fragen, welcher Weg der richtige wäre. Die geistige Welt greift nie direkt ein, sie sendet höchstens Impulse, um den freien Willen zu respektieren. Alle geistigen Helfer wissen, dass sie den freien Willen des Menschen als höchstes Gebot zu respektieren haben. Ausser in Notfällen, wenn der Lebensplan noch nicht abgelaufen ist, greifen sie helfend ein. Diese Hilfe wird von den Menschen oft als Wunder erlebt." „Ja genau, einmal wären mein Partner und ich durch einen Verkehrsunfall fast zu Tode gekommen und wurden wie durch ein Wunder gerettet", entfuhr es Vivienne. „Ich hatte das Gefühl, als würden wir durch Schutzengel aus der Gefahrenzone gehoben." Sie war perplex, wie treffend ihr der Astrologe nur auf Grund ihrer Geburtsdaten ihr Leben erklärte. „Was ist mein Lebensplan oder meine Aufgabe hier auf Erden?" wollte sie wissen. „Du bist da, um das, was du aus deinem Leben und deinen weitreichenden Erfahrungen gelernt hast, anderen weiter zu geben. Du bist hier, um irgendeinmal als spirituelle Lehrerin und Heilerin zu arbeiten." Vivienne glaubte, sich verhört zu haben. „Woher willst du das wissen, dies tönt jetzt ziemlich abgehoben und ist doch absolut unglaubwürdig. Ich bin ein ganz normaler Mensch und im Moment lastet einiges auf mir, das ich loswerden will, nur weiss ich nicht wie." Joachim lachte laut und hielt seinen Blick auf seinen Bildschirm geheftet. „Ja, das sehe ich, dass du es im Moment alles andere als einfach hast. Dies ist vor allem darum, weil du dich gegen deine eigentliche Lebensaufgabe stellst, nämlich zu heilen. In deinem Fall aber nicht als Körpertherapeutin, sondern vor allem auf der geistigen Ebene, als Psychologin zum Beispiel. Ist der Geist geheilt, heilt auch der Körper. Körperliche Beschwerden sind meistens Signale der Seele, weil man sich zu sehr vom Lebensziel entfernt hat. Oft erst durch Heilungsprozesse erkennt man, welche Korrekturen im täglichen Leben vorzunehmen sind. Zum Beispiel in der Familie, Partnerschaft und Beruf." Vivienne widersprach ihm energisch: „Und wie steht es mit tödlichen Krankheiten? Da gibt es gar nichts mehr zu korrigieren. Kürzlich verstarb meine Tante Maya mit nur 56 Jahren an Krebs. Die Krankheit wurde unerwartet diagnostiziert und wenige Monate später war sie tot!" Joachim liess sich nicht aus der Ruhe bringen und erklärte geduldig weiter: „Das kommt dir nur so vor. Der Beginn der Krankheit war viel früher. Es gab wahrscheinlich Momente, in denen deine Tante Entscheidungen hätte treffen müssen, um ihr Leben zu verändern. Ich denke, sie hat sich tatsächlich Gedanken darüber gemacht, nur fehlte ihr der Mut zur unbequemen Veränderung und so nahm die Krankheit ihren tödlichen Verlauf." „Und was ist, wenn kleine Kinder bereits todkrank auf die Welt kommen oder in jungen Jahren an einer tödlichen Krankheit leiden? Die Kleinen können doch nicht ihr Leben überdenken und daran etwas ändern!" „Da magst du Recht haben, nur dies hätte dann mit vergangenen Leben zu tun, die die Seele hier aufarbeiten möchte. Manchmal sind Kinderkrankheiten auch Lehrstücke für die Eltern", versuchte Joachim weiter zu erklären. „Oder die Krankheit der Kinder zeigt auf, dass es mit der Partnerbeziehung nicht zum Besten steht. Also die Beziehung krank ist." „So, das wird mir jetzt zu viel! Eigentlich wollte ich ja nur etwas über mein Karma wissen, das mich mit meinem Partner verbindet", wehrte Vivienne energisch ab. Joachim starrte auf die Auswertung mit den komischen Zeichen und murmelte vor sich hin: „So, was haben wir denn da Konkretes zwischen euch? Hm, ja gar nicht einfach, aber sehr heilsam, wenn ihr es durchsteht." „Kann man sehen, wann wir unser Karma in diesem Leben aufgelöst haben?" wollte Vivienne wissen. Joachim konnte sich nach dieser Frage vor Lachen fast nicht mehr halten. „Ja, du stellst aber Fragen, ich schau gern mal für dich nach." Dann ging er zu seinem Computer, gab nochmals irgendwelche Daten ein und wartete, bis die Auswertung aus dem Drucker ratterte. „So, jetzt wissen wir dann gleich mehr. Also...wenn ihr weiter schön an eurer Beziehung arbeitet, euch nicht trennt, kein anderer Partner im Spiel ist, ja dann wird sich euer Karma in ungefähr neun Jahren auflösen." „Warum weisst du das so sicher?" fragte sie zweifelnd nach. „Du kannst es glauben oder nicht, doch so ungefähr wird es sein. Du wirst es bemerken, weil vieles einfacher laufen und dein Partner vor allem seine Krankheit mehr oder weniger überwunden haben wird." „Krankheit, ja woher weisst du denn, dass er krank ist?!? Ich habe dir darüber doch gar nichts erzählt." „Ja, Vivienne, das sehe ich hier", und dann setzte er mit Blick auf seine indischen Zeichen dazu an, seiner wissbegierigen Kundin die Logik der vedischen Astrologie in wenigen Worten zu erklären. Er brauchte hierfür viele Ausdrücke, die ihr völlig fremd waren und die sie eigentlich gar nicht wissen wollte. Joachim wurde langsam nervös, weil weitere Kunden auf eine Beratung warteten. „Also Vivienne, weiter dranbleiben, dich um deine spirituelle Entwicklung kümmern und wenn das Karma zwischen dir und Konrad aufgelöst ist, bitte nicht sogleich Koffer packen und abhauen. Ausser, es wäre der Wunsch von euch beiden. Sonst zieht es erneutes Karma auf sich. Es kommt gut mit euch, glaub mir. Auf jeden Fall wärst du ohne ihn und euren Beziehungswirrwarr kaum hier und würdest dir eine astrologische Beratung geben lassen. Es musste richtig weh-tun, damit du bereit warst, dich aus den rein irdischen Denkmustern zu lösen und den für dich vorgesehenen Weg einzuschlagen. Wenn wir zu sehr von unserem Lebensplan abweichen, kreieren unsere geistigen Helfer Situationen, die uns sanft oder auch mal weniger sanft in die richtige Rich-tung schubsen." „Was steht denn in meinem Lebensplan ge-nau, weisst du das?" Langsam ging Joachim die Geduld aus. „Ich weiss es nicht zu hundert Prozent und was ich gesehen habe, habe ich dir ja eben gesagt. Du bist eine Heilerin und sollst den Menschen durch deine Lebenserfahrungen helfen. Vielleicht schreibst du später auch mal ein Buch darüber. Wenn du es noch genauer wissen möchtest, müsstest du nach Indien in eine der Palmblattbibliotheken reisen, denn dort steht auf einem der Palmblätter dein Schicksal geschrieben." Natürlich hätte Vivienne gerne weiter nachgefragt, was es mit der Palmblattbibliothek auf sich hatte, doch Joachim ver-abschiedete sich, nachdem sie für die Beratung bezahlt hatte und wandte sich einer neuen Kundin zu.

‚Es wird Zeit für eine kleine Stärkung,' überlegte sie und suchte sich in einem der Messecafés einen freien Platz, um einen Fruchtshake und ein Mineralwasser zu bestellen. Wäh-rend sie den Shake trank, beobachtete sie die anderen, meist weiblichen Gäste, die zum Teil angeregte Gespräche führten oder sich einfach wie sie, etwas ausruhen wollten. Später besuchte sie weitere Stände und kaufte sich eine gut riechende Essenz. Auf weitere Beratungen verzichtete sie, weil sie zuerst Joachim Nuschs astrologische Analyse in Ruhe verdauen wollte. Bevor sie der Messe nach ein paar Stunden den Rücken zukehren würde, besuchte sie wie ursprünglich geplant den Stand für Aura-Fotos. Die Anbieterin, wiederum eine Deutsche, erklärte Vivienne, während sie ihr ein schwarzes Tuch über die Schultern legte, was es mit der speziellen Fototechnik auf sich hatte, die das russische Ehepaar Semjon D. und Valentina Kirlian bereits um 1937 entwickelt hatte. „Damit Ihre Aurafarben klar und deutlich zu erkennen sind, legen wir unseren Kunden ein schwarzes Tuch um. So werden Aura-Farben und Kleiderfarben nicht vermischt", meinte die freundliche Beraterin. „Nun bitte Ihre Hände auf die beiden Sensoren links und rechts vom Stuhl legen und zwar so, dass die Hände flach liegen. Bitte in die Kamera schauen und lächeln. Nach ein paar Minuten ziehe ich auf dem Fotopapier die Folie ab, und wir sehen auf dem Bild Ihre Aura-Farben. Die Farben können sich je nach seelischer Verfassung von Minute zu Minute verändern. Doch die Grundfarben bleiben meist dieselben." Wenige Minuten später wurde Vivienne ihr Aura-Foto in die Hand gedrückt. „So wie ich das interpretiere, verfügen Sie über Heilkräfte, haben Sie das gewusst?" Vivienne war von ihren fotografisch festgehaltenen Aura-Farben fasziniert. Ihr Körper leuchtete in türkisen und violetten Farben und auch Weiss war zu erkennen. „Da bereits die nächste Kundin auf ein Foto wartet, gebe ich Ihnen einen kleinen Aura-Führer mit", lächelte die Beraterin. „Aus dem Büchlein können Sie mehr über die Farben und ihre Bedeutung erfahren." Vivienne bezahlte die Kurzberatung samt Foto und verabschiedete sich wieder. Beim Ausgang des

Kongresshauses stand ein Indianer, der Räucherwerk verkaufte. „Was empfehlen Sie mir zur Reinigung meiner Wohnung?" wollte sie wissen. Er drückte ihr eine kleine Plastiktüte mit spezieller Weihrauch- und Salbeimischung in die Hand. „Kostet fünf Franken, weil sie es sind", grinste er sie an. „Und wie verwende ich das genau?" wollte Vivienne wissen. „Sie geben das Granulat in eine feuerfeste Schale und zünden es an. Hier gebe ich Ihnen noch einen Prospekt mit, in dem die Reinigungsrituale genau beschrieben sind." Vivienne bedankte sich beim langhaarigen Indianer. ‚Ähnlich wie in der katholischen Kirche,‘ überlegte sie. ‚Da wird ebenfalls Weihrauch benutzt, allerdings um die Gebete der Gläubigen rascher gegen Himmel zu transportieren.‘ Geschafft verließ sie die Messe und fuhr mit dem Tram wieder nach Hause, wo Konrad bereits mit dem Abendessen auf sie wartete. Kaum war sie zur Türe herein, drückte er ihr ein Glas Rotwein in die Hände. „Du brauchst sicher eine Stärkung", musterte er sie. „Warum meinst du? Eigentlich brauche ich jetzt ein heisses Bad, um alles zu verdauen, was ich an der Messe erlebt habe." „So schlimm?" fragte er besorgt nach. „Nein, nein. Ich erzähle dir dann später davon."

Nach dem Essen setzten sich die beiden ins Wohnzimmer und Vivienne erzählte Konrad über all ihre Eindrücke und Gespräche, die sie an der Messe geführt hatte. Er hörte ihr ruhig zu, runzelte ab und zu die Stirn und als sie die Palmblattbibliothek erwähnte, meinte er zu ihrer grossen Überraschung: „Ja, davon habe ich auch schon gehört und ich hätte während meiner Indienreise um ein Haar eine solche Bibliothek aufgesucht. Doch ich liess es bleiben." „Warum nur bist du nicht hingegangen?" wollte Vivienne wissen. „Und warum hast du mir nichts davon erzählt?" „Weil ich es wieder vergessen habe? Weil ich gedacht habe, es interessiert dich nicht? Weil es nicht wichtig war? Ich weiss es nicht, Vivienne, warum ich es dir nicht erzählt habe. Auf jeden Fall habe ich mich gegen einen Besuch entschieden, vor allem auch, weil ich wahrscheinlich nicht damit hätte umgehen können, zum Beispiel mein Sterbedatum zu erfahren. Denn dieses steht nämlich auch auf dem Palmblatt", beendete Konrad das Gespräch. Sein Gesichtsausdruck ließ Vivienne wissen, dass er nicht weiter darüber diskutieren wollte. Trotzdem versuchte sie nochmals, das Gespräch darauf zu lenken: „Wie ist es möglich, dass das ganze Leben eines einzigen Menschen auf einem Palmblatt in einer Bibliothek in Indien liegt? Die kennen uns doch gar nicht, also woher wollen die das wissen?" „Keine Ahnung und ich will jetzt nicht mehr darüber sprechen. Ich habe mich dagegen entschieden und das war gut so." „Wenn wir schon beim Reisen sind…gerne möchte ich Anfang März in den Tibet reisen. Studiosos, ein Anbieter für Bildungsreisen, hat zurzeit ein interessantes Angebot im Katalog. Was meinst du, kannst du einen Monat lang auf mich verzichten?" wollte Konrad wissen. „Wenn du das brauchst, kann ich mich ja schlecht dagegenstellen", willigte Vivienne in seine Pläne ein. Sie hatte es sich abgewöhnt, gegen Konrads Reisedrang anzugehen. Sie selbst mochte Reisen in ferne Länder nicht, weil sie dafür körperlich nicht geschaffen war, wie sie fand. Deswegen jedoch ihrem Partner zu verbieten, seiner Leidenschaft zu frönen, dazu hatte sie ihrer Meinung nach nicht das Recht. Auch wenn es ihr überhaupt nicht passte, dass Konrad sie einmal mehr für einige Wochen verlassen würde.

Der Tag aller Tage

Am Abreisetag Mitte März brachte Vivienne ihren Partner zum Flughafen Zürich-Kloten. „In einem Monat kannst du mich hier wieder abholen, gell meine Liebste", meinte er und hielt Vivienne dabei fest in seinen Armen. „Pass gut auf dich auf und komm gesund und munter wieder zurück", lächelte sie ihm zu. „Muss ich ein schlechtes Gewissen haben, weil ich dich nun so lange allein lasse?" wollte er noch wissen. „Nein, ich weiss ja, dass du zurückkommst." „Ja, so Gott will, komm ich wieder zurück. Und was ich dir noch sagen wollte: Es wird langsam Zeit, dass wir heiraten, meinst du nicht?" „Ja, ich denke auch, dass es langsam Zeit wird, unsere Beziehung zu legalisieren", meinte Vivienne schmunzelnd. „Schade, können wir nicht kirchlich heiraten." Konrad hievte seinen schweren Koffer aus dem Kofferraum und schaute sie fragend an. „Ist das wichtig für dich, kirchlich zu heiraten? Du weisst, ich halte nichts von Kirchenbrimborium." Vivienne zeigte sich etwas enttäuscht über seine abwehrende Haltung. „Bis du zurück bist, bereite ich das Hochzeitsprogramm vor, was meinst du?" „Ja, mach mal. Doch jetzt muss ich mich sputen, damit ich rechtzeitig am Gate bin."

Vivienne vermisste Konrad bereits nach kurzer Zeit. Doch die Aussicht, nun in aller Ruhe ihre gemeinsame Vermählung zu planen, liess so etwas wie Jubelstimmung in ihr hochkommen. Bis zu jenem Moment hatte sie sich kaum je Gedanken über eine Heirat gemacht, weil sie sich nicht hatte vorstellen können, je wieder zu heiraten. Zudem würden ihr als Geschiedene für eine katholische Feier die Kirchentüren verschlossen bleiben, was sie ärgerte. Kirchlich gesehen war sie trotz der zivilen Scheidung immer noch an Fabians Vater gebunden. Mittlerweile vor zwei Jahrzehnten, kurz nach der Scheidung von Bruno, reichte sie beim katholischen Kirchengericht zwar Klage gegen die aufgezwungene Ehe ein, doch wurde diese abgewiesen, weil aus der Ehe ein Kind hervorgegangen war. So auf jeden Fall erklärte ihr dies ein erzkonservativer Priester aus dem Bistum Chur. „Wenn Sie je wieder heiraten sollten, müssen Sie gemäss katholischem Recht auf sexuelle Kontakte mit Ihrem neuen Mann verzichten, weil dies Sünde wäre." Vivienne war damals so wütend, dass sie dem arroganten, ganz in schwarz gekleideten Priester gerne eins ans Schienbein getreten hätte. Seit jenem Moment verband sie mit der Kirche nicht mehr allzu viel, trotzdem hätte sie sich für Konrads und ihre Hochzeitsfeier einen göttlichen Segen gewünscht. ‚Mal abwarten, vielleicht kommt mir ja noch etwas in den Sinn,' überlegte Vivienne, bevor sie nach der Mittagspause einen Stellenbewerber in ihrem Büro empfing.

Am Abend las sie während des Essens die Tageszeitungen durch. Dabei stach ihr ein Artikel besonders ins Auge. Ein aus der katholischen Kirche ausgetretener Theologe erzählte in einem Interview, wie er sich in eine Frau verliebte und diese schlussendlich heiratete. Gerne hätten sich die beiden, genau wie Vivienne, einen kirchlichen Segen gewünscht. Doch die Kirchenoberen zeigten dafür kein Verständnis. Ohne mit der Wimper zu zucken wurde der Mann mittleren Alters aus Amt und Würde verjagt. Diese schmerzhafte Erfahrung gab ihm zu denken und nachdem er auf zivilrechtlichem Weg mit seiner Frau verheiratet war, entschloss er sich kurzerhand, als freiberuflicher Theologe zu arbeiten. Seiner Meinung nach war der liebe Gott weder Katholik, Protestant, Buddhist, Moslem, Hindu oder was auch immer, weil Gott schon immer da war, im Gegensatz zu all den Religionen, die höchstens ein paar Tausend Jahre auf dem Buckel hatten. Darum war er der Meinung, dass Gott bestimmt bereit sein würde, seinen Segen auch konfessionslosen Paaren zu gewähren.

So bot er Brautpaaren, die aus der Katholischen Kirche ausgetreten oder geschieden waren, einen alternativen göttlichen Heiratssegen an. Weiter gestaltete er Tauffeiern für konfessionslose Kinder und Trauerfeiern für verstorbene Kirchenabtrünnige. Am Ende des Interviews wurden seine Adresse und Telefonnummer publiziert. ‚Das gibt's ja nicht!' murmelte Vivienne, während sie das Interview zum zweiten Mal durchlas. ‚Kaum mache ich mir Gedanken über die Gestaltung unserer Hochzeitsfeierlichkeiten, bietet sich eine Lösung an. Einfach so! Das ist bestimmt himmlisch arrangiert!' war sie sich sicher. ‚Am besten, ich schreib diesem Jakob Reich und schildere ihm unsere Situation.' Sie versorgte den Artikel in ihrer Handtasche und am nächsten Tag während der Mittagspause schrieb sie dem Theologen ein paar Zeilen und erklärte ihr Anliegen.

Der Theologe kontaktierte Vivienne bereits zwei Tage später, um ihr ein persönliches Gespräch vorzuschlagen. „So lerne ich Sie beide besser kennen und vor allem Sie mich. Die Chemie muss stimmen für solch einen Anlass." Vivienne vereinbarte den Termin für die Zeit nach Konrads Rückkehr.

Als sie ihrer Assistentin Veronika von der bevorstehenden Hochzeit erzählte und sie in die Hochzeitspläne einweihte, gab ihr diese sogleich Tipps, wo die schönsten Brautkleider zu kaufen waren. „Mein Brautkleid habe ich in einem italienischen Brautmodegeschäft in der Züricher Innenstadt gefunden. Was meinst du, sollen wir mal nach Feierabend dort hingehen?"

Vivienne nahm das Angebot dankend an und die beiden vereinbarten einen Termin mit der Leiterin des Brautmodegeschäfts. Als es soweit war, liess sich Vivienne diverse Kleider zeigen und schlüpfte am Ende in einen grad geschnittenen, schlichten Satin-Traum in Weiss, der auf der einen Seite mit wenigen lachsfarbenen Seidenrosen geschmückt war. Dazu reichte ihr die Verkäuferin passende lange weisse Satin Handschuhe. „Sie sehen aus wie Grace Kelly in ihren besten Jahren", meinte die Verkäuferin bewundernd. Auch Veronika war hin und weg. „Das musst du kaufen und ich garantiere dir, Konrad wird sich nochmals neu in dich verlieben!" Für Vivienne war klar, dass dieses Kleid – und nur dieses – ihr Hochzeitskleid sein würde. Und doch erfasste sie beim Gedanken an Konrad ein schales Gefühl. Sie kannte ihn nur allzu gut, um zu wissen, dass alles was zu mondän wirkte, bei ihm auf Ablehnung stiess. „Bitte reservieren Sie mir das Kleid, ich werde nochmals zusammen mit meinem Mann vorbeikommen", bat Vivienne die erstaunte Verkäuferin. „Männer dürfen das Kleid vor der Hochzeit nicht sehen, das bringt Unglück", belehrte sie ihre Kundin. „Glauben Sie mir, bei mir ist es umgekehrt: Sieht mein Mann das Kleid vorher nicht, gibt es ein Unglück und zwar vor dem Altar. Das wollen wir doch beide nicht, oder?" Obwohl, ob es überhaupt je zu einer Trauung vor einem Altar kommen würde, das stand ja noch in den Sternen. Da musste zuerst das Gespräch mit Herrn Reich abgewartet werden.

Drei Wochen später landete Konrad wohlbehalten wieder in Zürich und Vivienne holte ihn vom Flughafen ab. Während der Heimfahrt erzählte sie ihm begeistert über ihre Hochzeitsvorbereitungen. „Ich war gerade 20 Stunden mit dem Flugzeug unterwegs und bin hundemüde. Zudem muss ich mich zuerst wieder an die hiesige Zeitzone gewöhnen. Wenn ich mich wieder akklimatisiert habe, kannst du mir alles erzählen", wehrte Konrad Viviennes Redeschwall ab.
Bereits einen Tag später fühlte sich Konrad ausgeruhter und in der Schweiz angekommen. „So, nun kannst du mir alles über die Hochzeitsvorbereitungen erzählen!" forderte er Vivienne auf, als diese von der Arbeit nach Hause kam. Natürlich liess sie sich nicht zweimal bitten und überreichte Konrad ihre ausführlichen Notizen mit Ablauf und Ideen für den Tag aller Tage. Er las alles genau durch und begann zu ihrem Entsetzen als erstes bei der Gästeliste zu streichen. „50 Personen sind zu viel und da hat es welche drunter, die ich nicht mag. Müssen wir unbedingt kirchlich heiraten, genügt denn eine zivile Trauung nicht? Hochzeitskleid à la Grace Kelly?! Das will ich sehen, denn ich habe keine Lust mit einer aufgetakelten Mode-Puppe vor den Traualtar zu treten. Es muss authentisch sein, Vivienne. Wir wollen eine ruhige und schöne Hochzeitsfeier und keinen Modeevent. So kenn ich dich gar nicht! Mit der Wahl des Restaurants bin ich soweit einverstanden, möchte aber wissen, was das Ganze kostet. Und probeessen müssen wir auch. Mitte September ist okay für mich. In Indien heiraten übrigens die Brautpaare auch mal mitten in der Nacht. Ich habe eine Hochzeit in einem Hotel nachts um 2.10 Uhr beobachtet, weil der Astrologe dies als idealen Zeitpunkt ausgerechnet hat. Die Inder richten anscheinend ihr ganzes Leben nach der Astrologie aus."

Konrad war normalerweise nicht der Mann der grossen Worte, doch wenn er mal loslegte, dann aber richtig. Vivienne musste erkennen: ‚Bis das Hochzeitsprogramm ausgehandelt ist, muss ich noch einige Hürden nehmen und zwar mit viel Kompromissbereitschaft.‘ Die Gästeliste blieb am Ende bei 50 Personen bestehen, die jedoch in A- und B-Gäste aufgeteilt wurden. Die A-Gäste würden bei der ganzen Feier dabei sein und die B-Gäste nur in der Kirche und für den Apéro.

Zudem blieb Vivienne nichts anderes übrig, als Konrad das reservierte Hochzeitskleid zu zeigen, um einem Eklat vorzubeugen. Am nächsten freien Tag fuhren die beiden mit dem Tram zum Brautmodegeschäft und die Verkäuferin half Vivienne in der Garderobe ins Kleid, während Konrad vor der Kabine wartete. Als die Verkäuferin den Vorhang mit den Worten öffnete: „Tatata...darf ich vorstellen, die schönste Braut weit und breit!" und Vivienne strahlend in ihrem Traumbrautkleid dastand, erntete sie statt bewundernden Blicken, einen Rüffel, der sich gewaschen hatte: „Kommt nicht in Frage, dieses Kleid passt nicht zu mir als Bräutigam!" Die künftige Braut schäumte vor Wut und liess es auf einen riesengrossen Krach ankommen. ‚Was fällt dem Kerl eigentlich ein, sich ständig in mein Leben einzumischen? Zuerst lässt er mich Jahre lang hängen, lässt mich trotzdem nicht mehr los, dann endlich trennt er sich von seiner Frau, verlobt sich mit mir und nun schreibt er mir vor, welches Brautkleid ich tragen darf und welches nicht? Scheisskerl!!!‘ hätte Vivienne am liebsten laut gebrüllt. Doch dann kam ihr Lukas Grob in den Sinn und sie leierte für sich in Gedanken ein paar Mal „Om Nama Shivaia" – alles ist gut, so wie es ist – runter, obwohl sie der Meinung war, dass gar nichts gut war, so wie es jetzt grad war.

Einige Tage später stand Jakob Reich zur vereinbarten Zeit vor ihrer Wohnungstüre und Vivienne nahm ihn freudig in Empfang. Konrad kam dazu und Vivienne war erleichtert, als sie bemerkte, dass sich die beiden Männer auf Anhieb sympathisch waren. „Um es auf den Punkt zu bringen", liess Konrad den Theologen wissen, nachdem sich die drei an den Esszimmertisch gesetzt hatten „ich wünsche mir eine schlichte Feier, die nicht vor Heiligkeit trieft oder zu dogmatisch rüberkommt. Sonst müsste ich das Weite suchen." Jakob Reich konnte sich einen Lacher nicht verkneifen. „Ich bin weder ein Heiliger noch ein Dogmatiker. Wenn Sie einverstanden sind, unterbreite ich Ihnen, nachdem ich Sie nun etwas besser kennenlerne, einen Vorschlag, dem Sie zustimmen können oder auch nicht. Ich dränge Ihnen nichts auf und bin überzeugt, dass wir ein auf ihre Bedürfnisse abgestimmtes Hochzeitsritual finden werden." Dann wollte er von den Heiratswilligen wissen, seit wann sie sich kennen und warum sie heiraten wollten. Breitwillig gaben die beiden über ihre ungewöhnliche Liebesgeschichte Auskunft und zwei Stunden später verabschiedete sich Jakob Reich wieder. „Wenn es Ihnen recht ist, komme ich in einer Woche nochmals mit einem ausgearbeiteten Vorschlag vorbei. Ihr geplantes Hochzeitsdatum halte ich mir frei und wenn Sie mit meinem Vorschlag einverstanden sind, dann stehe ich Ihnen gerne für die Hochzeitsfeier zur Verfügung."

Konrad und Vivienne begrüssten das weitere Vorgehen und eine Woche später besuchte der Theologe das Brautpaar von neuem. „Danke, Herr Reich, dass Sie auf all unsere Wünsche eingegangen sind und gerne möchten wir Sie für unsere Trauung engagieren", meinte Konrad nach Durchsicht der Unterlagen. Jakob Reich freute sich über die Zusage und wollte wissen, wo die Trauung stattfinden würde. „Hätten Sie da allenfalls eine Idee?" fragte Vivienne. „Gerne würden wir in einer richtigen Kirche heiraten." „Nein, ich habe keine Idee, denn wie Sie wissen, bin ich in Kirchenkreisen nicht mehr gerne gesehen", wehrte der Theologe ab. „Da kann ich Ihnen leider keine Unterstützung bieten, doch ich bin überzeugt, dass Sie bis zur Trauung einen geeigneten Ort finden werden. Notfalls in der freien Natur", fügte er augenzwinkernd hinzu.

Trotz anfänglicher Abwehr besuchte Konrad seit einigen Monaten regelmässig Therapiesitzungen bei einem renommierten Psychiater. Nach immer wiederkehrenden Depressionsschüben musste er einsehen, dass ihm nur eine Fachperson nachhaltig bei der Bewältigung von Charlottes Schicksal und andern unerledigten Themen helfen könnte. Am Tag nach Jakob Reichs Besuch ging Konrad wie üblich zu seiner wöchentlichen Therapiesitzung und als Vivienne abends von der Arbeit nach Hause kam, erwartete er sie freudestrahlend. „Was ist los, hast du im Lotto gewonnen?" wollte sie von ihm wissen. „So ähnlich", machte er es spannend. „Wieviel?" fragte Vivienne scherzhaft nach. „Stell dir vor, mein Therapeut ist Kirchenratspräsident und hat vorgeschlagen, dass wir uns in der protestantischen Kirche seiner Wohngemeinde im Zürcher Oberland trauen lassen könnten. Sie hätten immer wieder Anfragen von geschiedenen Paaren und stünden solchen Anliegen offen gegenüber. Zudem sei an unserem gewünschten Datum die Kirche noch frei."
Vivienne musste sich das Angebot nicht zweimal überlegen. Sie kannte die Kirche, die angrenzend an eine stattliche Burg in idyllischer, ländlicher Umgebung lag. „Romantischer

könnte es fast nicht sein, so wie die Kirche liegt", liess sie Konrad freudig wissen. „Ein Geschenk des Himmels, anders kann ich mir dieses Glück nicht erklären. Wir beschliessen zu heiraten und dann kommt uns alles einfach so zugeflogen: Ich lese über Jakob Reich in der Zeitung und nun noch eine richtige Kirche an einem wunderschönen Ort... was will man mehr? Bist du einverstanden, dass ich meinen vedischen Astrologen nach dem idealen Hochzeitdatum frage? Deine Erzählung über indische Hochzeitsrituale lässt mich nicht mehr los." „Von mir aus." gab der Bräutigam seinen Segen. „Obwohl: Zuerst errechnet man normalerweise das Hochzeitsdatum und dann lädt man die Gäste und den Priester ein. Was machst du, wenn Joachim Nusch nun ein anderes Datum, als das bereits festgelegte berechnet?" „Keine Ahnung, das wird sich dann zeigen", wehrte Vivienne Konrads Bedenken ab.

Am anderen Tag rief sie den Astrologen in Köln an und schilderte ihm ihr Anliegen. „Dein künftiger Mann hat Recht, Vivienne. Tatsächlich heiratet in Indien kaum jemand, ohne vorher den Rat eines Astrologen eingeholt zu haben. Wann wollt ihr heiraten?" „Am 13. September", erklärte Vivienne. „Also von diesem Datum rate ich ab, sofern du möchtest, dass die Ehe ein Leben lang hält. In eurem Fall sehe ich für dieses Jahr lediglich den 15. oder 16. August als ideales Heiratsdatum. Wenn dies nicht passen würde, dann müsstet ihr bis nächstes Jahr im Frühling warten, da sieht es wieder besser aus." Natürlich war Vivienne über diese Entwicklung alles andere als zufrieden. Während dem Nachtessen erzählte sie Konrad über Joachims Erkenntnisse und ihr künftiger Gatte schaute alles andere als glücklich drein. „Ja, dann frag all die Gäste, ob es ihnen auch einen Monat früher geht und vor allem frag den Pfarrer. 15. und 16. August machen insofern Sinn, weil ich dich ja am 16. August vor sechs Jahren das erste Mal geküsst habe. Weisst Du noch…das war, als wir bei Ulla auf Besuch waren…!" „Als ob ich dies je vergessen würde." rollte Vivienne die Augen. „Und ja, so gesehen passt der 16. wirklich perfekt. Das heisst, zivil könnten wir am 15. heiraten, kirchlich am 16." Anderentags kontaktierte sie Jakob Reich und die geladenen Gäste. Wieder wie himmlisch arrangiert, hatte keiner was gegen eine Vorverschiebung des Trauungstermins und alle sagten ihre Teilnahme zu.

Vivienne entschloss sich dem Frieden zuliebe auf ihr Traumhochzeitskleid zu verzichten. Zusammen mit Veronika besuchte sie an einem Samstag zwei Monate vor der Vermählung einen bekannten Brautmodenausstatter in der Nähe von Zürich und die beiden verbrachten Stunden mit der Anprobe von allen möglichen Brautkleidern. Vivienne entschied sich am Ende für ein mit St. Galler Stickereien und zartfallendem Chiffon verarbeitetes elfenbeinfarbenes Kleid. Nudelfertig machten sich die beiden Frauen gegen Abend auf den Heimweg. „Ich habe nicht gewusst, wie anstrengend so ein Brautkleiderkauf ist. Hoffentlich hat es sich gelohnt und Konrad ist mit meiner Wahl zufrieden", meinte Vivienne zu Veronika, bevor sich diese verabschiedete und in ihr Auto einstieg. „Dieses Kleid gefällt ihm sicher. Geniess den Sonntag!" „Du auch und vielen Dank für deine Geduld!" Vivienne war sehr dankbar für Veronikas Hilfe, denn eigentlich wäre dies ja der Job ihrer Brautführerin gewesen, doch Noella weilte in den Ferien und musste somit passen.

Zwei Wochen vor der Trauung ging Vivienne zur Frisurenprobe und parkierte ihr Auto in einem Einkaufszentrum in der Nähe ihres Friseurs. Beim Verlassen des Parkhauses wollte sie die Strasse überqueren, doch die Ampel stand auf Rot und die rollende Blechlawine wollte und wollte nicht zum Stillstand kommen. Sie drehte sich gelangweilt zum Parkhaus um und zu ihrem allergrössten Erstaunen stand Elena Koch hinter ihr und wartete ebenfalls darauf, dass die Ampel auf Grün schaltete. Nur, sie war nicht allein, sondern stand engumschlungen mit einem älteren Mann glückselig lächelnd da und genoss sichtlich dessen Berührungen und Küsse. Endlich stellte die Ampel auf Grün und Vivienne rannte über die Strasse, um pünktlich bei ihrem Coiffeur zu sein. ‚Ich fass es nicht!!! Die arme Geschiedene, die nie, nie mehr einen anderen Mann anrühren wollte, wie sie dem Richter während der Scheidungsverhandlung tränenreich weismachen wollte, knutscht ungeniert in aller Öffentlichkeit herum.' Vivienne war ausser sich, während sie den Beautysalon betrat. Der Besitzer des Salons begrüsste sie freundlich und Vivienne vergass ihren Ärger fürs erste wieder. Sie war gespannt, welche Hochzeitsfrisur der bekannte Figaro vorschlagen würde und währenddessen er mit unzähligen Haarnadeln versuchte ihr langes Haar zu bändigen, überlegte sie, dass die Begegnung mit Elena Koch einmal mehr vom Schicksal arrangiert worden sein musste. Bis anhin plagte sie immer wieder das schlechte Gewissen und sie konnte sich lebhaft vorstellen, dass Elena über die Hochzeitspläne ihres Ex-Mannes alles andere als erfreut war. Zwar lagen seit der Scheidung bereits drei Jahre zurück, doch Vivienne kam über eine Bekannte zu Ohren, dass Elena insgeheim immer noch drauf hoffte, Konrad würde zu ihr zurückfinden.

‚Nach der heutigen Begegnung müsste ich eigentlich kein schlechtes Gewissen mehr haben, denn die Frau ist nicht so bemitleidenswert, wie sie überall herumerzählt!' überlegte Vivienne, während der Friseur ihre Haare in Form brachte. Doch ganz tief in ihrem Innern blieb das schlechte Gewissen hängen, auch wenn sie wusste, dass sie niemals der Grund für die Scheidung war, sondern einfach der Auslöser. ,Wer in seiner Ehe fest verankert ist, wird den sicheren Hafen kaum verlassen,' war sich Vivienne sicher. Nur, gegen die Liebe war keiner gefeit... Vielleicht auch solche nicht, die in einem sicheren Hafen ankerten? Sie schaute in den Spiegel und war begeistert über die Haarkreation, die Angelo innert kürzester Zeit auf ihren Kopf gezaubert hatte. „Den Schleier befestigen wir unterhalb der Steckfrisur, so hält er am besten und es sieht auch sehr hübsch aus." „Meinst du nicht, dass ich mit 41 Jahren zu alt für einen Schleier bin?" wollte sie vom Figaro wissen. „Du siehst wie dreissig und nicht wie einundvierzig aus", antwortete dieser lachend. „Es ist dein Tag und du wirst hinreissend aussehen."

Wieder zu Hause erzählte Vivienne Konrad als erstes von der ungewöhnlichen Begegnung mit Elena. „Ihr Begleiter ähnelte deinem Bruder Danny. Weil es bereits dunkelte, konnte ich ihn jedoch nicht genau erkennen..." Sie kam nicht dazu, den Satz zu Ende zu sprechen, da stand Konrad bereits am Telefon und wählte die Nummer seines Bruders. „Hier ist Konrad!" meldete er sich energisch, als sich sein Bruder am anderen Ende meldete. „Hast du was mit Elena?" Vivienne hörte, wie ihr künftiger Schwager am anderen Ende der Leitung schallend lachte. „Sicher nicht, ich habe Elena seit drei Jahren nicht mehr gesehen, das letzte Mal auf der Beerdigung unseres Onkels. Wie kommst du darauf?" Konrad berichtete ihm kurz von Viviennes Begegnung und die beiden tauschten sich noch ein paar Minuten aus. Unter anderem liess Danny seinen jüngsten Bruder wissen, dass er auf jeden Fall an der Hochzeit dabei sein werde. „Das lass ich mir nicht entgehen, auch wenn ich normalerweise Kirchen meide. Doch dir zuliebe, nehme ich die Bürde auf mich", verabschiedete er sich immer noch lachend.

Kaum war das Telefongespräch beendet, rief Vivienne ihre künftige Schwägerin Lara an, die Frau eines weiteren Bruders von Konrad, die gerade von der Arbeit nach Hause kam. „Weisst du, wen ich heute gegen Abend vor einem Parkhaus engumschlungen mit einem Mann gesehen habe?" fragte Vivienne ihre künftige Schwägerin und Elenas Busenfreundin inquisitorisch. Ein Kichern tönte aus dem Hörer: „Ja, wenn du so fragst, kann ich mir denken, wen du gesehen hast: Elena!" „Du hast das gewusst?" wollte Vivienne erstaunt wissen. „Ja klar, Elena hat mir erzählt, dass sie auf einer Ferienreise zum Nordkap einen Arzt kennen gelernt hat. Er ist verheiratet und Vater von vier kleinen Kindern. Die beiden haben seit einigen Monaten ein Verhältnis." „So so, verheiratet und vier kleine Kinder!" war Viviennes bissiger Kommentar „Ja, ich finde das auch speziell und habe Elena darauf angesprochen. Sie meinte nur, dass sie der Frau nichts wegnehme, weil die beiden nur noch wegen der Kinder zusammen seien." „Kommt mir bekannt vor, denn Konrad sagte damals genau dasselbe zu mir", reagierte Vivienne empört. „Ja, da hast du Recht und ich habe genau dasselbe zu Elena gesagt. Doch dies interessierte sie nicht wirklich, weil dies etwas ganz anderes sei als das, was sich zwischen Konrad und dir abgespielt hätte. Doch ich habe ihr versucht zu erklären, dass dies sehr wohl dasselbe sei, nämlich Ehebruch." „Weiss Mike von der Geschichte?" fragte Vivienne nach. „Ich denke schon, doch mich geht das grundsätzlich nichts an. Sie muss selbst wissen, was sie tut." beendete Lara das Gespräch.

Endlich war es soweit und nach einer mehrere Wochen dauernden Regenperiode schien die Sonne am 15. August 1997 vom stahlblauen August-Himmel und die Temperaturen lagen bei über 20 Grad. Das Brautpaar stand zusammen mit einigen Familienmitgliedern und den Trauzeugen pünktlich um 15.15 Uhr vor dem Standesamt. Konrads Sohn Mike weilte im Ausland und weigerte sich standhaft, an der Trauung seines Vaters dabei zu sein. Ebenso Viviennes Mutter und ihr Bruder Benedikt. Dafür nahmen alle andern nahen Verwandten der Familie Koch und Zeller an den Hochzeitsfeierlichkeiten teil und freuten sich mit den beiden über ihr Glück. Der Astrologe errechnete nicht nur das ideale Hochzeitsdatum, sondern auch das ideale Zeitfenster für die Ziviltrauung, das zwischen 15.15 und 15.40 Uhr lag. Als Vivienne der Zivilstandesbeamtin dies mitteilte, ging diese sofort auf Viviennes Wunsch ein. Doch nun war von ihr weit und breit nichts zu sehen, was Konrad in regelrechte Panik versetzte. „Hoffentlich hat sie uns nicht vergessen, was machen wir bloss, wenn sie nicht kommt?" Doch schon kam die Beamtin ausser Atem daher gerannt. „Entschuldigen Sie bitte, doch ich habe den falschen Schlüssel mitgenommen. Ihren Zeitplan können wir trotzdem gut einhalten", wandte sie sich lachend Vivienne zu. Diese nickte ihr in ihrem kurzen, lachsfarbenen Kleid im Empirestil freundlich zu. Die langen blonden Haare trug sie offen, leicht gelockt und sah einfach bezaubernd aus. Konrad wählte einen schwarzen Blaser mit Goldknöpfen und weissem Hemd sowie eine passende Krawatte, abgestimmt auf

Viviennes Kleid. Trotz seiner 56 Jahre und angegrauten Haare wirkte er jugendlich und sehr attraktiv.

Fabian stellte sich als Fotograf zur Verfügung und machte fleissig Fotos. „Ist schon ein komisches Gefühl, wenn die eigene Mutter heiratet und der Sohn längst erwachsen ist", raunte er ihr zu. „Das passiert nicht nur dir", flüsterte ihm Vivienne augenzwinkernd zu.

Das Trauungszimmer lag im restaurierten Saal eines mehrere hundert Jahre alten historischen Gebäudes, was dem würdigen Anlass gerecht wurde. Die Zivilstandesbeamtin zauberte zudem mit ihrer angenehmen Art eine feierliche Stimmung in den Raum und das Brautpaar zeigte sich gegen aussen ruhig und relax. Doch innerlich ratterten bei beiden ähnliche Gedanken durch den Kopf: ‚Was, wenn dies nun doch nicht der richtige Schritt ist? Was, wenn wir doch nicht zusammenpassen, wie uns so viele einzureden versuchen? Was, wenn mich Vivienne als alter Mann nicht mehr mag? Was, wenn Konrad wieder Heimweh nach seiner Familie haben wird…?'

„Wollen Sie, Konrad Koch, die hier anwesende Vivienne Zeller zu Ihrer Frau nehmen, ihr die Treue halten, ihr beistehen, in guten wie in schlechten Tagen? Dann bezeugen Sie dies mit einem Ja", durchbrach die Frage der Zivilstandesbeamtin die Gedankenflut. „Ja" antwortete Konrad mit verliebtem Blick auf seine Braut. Dasselbe wurde Vivienne gefragt und sie antwortete ebenfalls mit Ja und einem liebevollen Lächeln für ihren Bräutigam. Dann wurden die beiden gebeten, dieses Ja mit ihrer Unterschrift zu bestätigen. Zuerst Konrad, dann Vivienne, die etwas Mühe hatte, nun nicht mehr nur mit „Zeller" zu unterschreiben, sondern mit „Zeller Koch." ‚Ich hätte besser vorgängig etwas geübt, meine Unterschrift sieht echt kritzlig aus,' dachte sie, als sie die ungewohnte Unterschrift betrachtete. Dann unterschrieben die Trauzeugen und danach überreichte die Standesbeamtin dem frisch getrauten Paar einen riesigen, bunten Rosenstrauss. Alle Anwesenden beglückwünschten das Brautpaar und vor der Tür wartete einer von Viviennes Geschäftsfreunden mit Champagner zum Anstossen. Nachdem Fabian im Schlosspark ein paar Fotos geschossen hatte, ging die Hochzeitsgesellschaft in ein nahegelegenes Gartenrestaurant zum Abendessen. Ein paar Stunden später verabschiedeten sich Vivienne und Fabian, weil Vivienne bei ihrem Sohn übernachten wollte. Konrad fuhr mit seinem Bruder und dessen Verlobter zurück nach Zürich. „Dann bis morgen wieder vor der Kirche", verabschiedete sich Vivienne strahlend.

Am nächsten Morgen fuhr Fabian seine Mutter zum Friseur. Nachdem die Hochsteckfrisur perfekt sass, platzierte Angelo den Schleier und Vivienne war entzückt über das Ergebnis. Danach fuhren sie mit dem Auto zu Noella, bei der sie ihr Brautkleid vor Konrads neugierigen Blicken in Sicherheit gebracht hatte. Noella half ihr ins Kleid und als sich die Braut zufrieden im Spiel betrachtete, meinte sie zu ihrem Sohn: „Ich gehe glatt als 30jährige Braut durch oder was meinst du, Fabian?" „Ja, sieht wirklich sehr schön aus. Trotzdem, die eigene Mutter im Brautkleid...das ist gewöhnungsbedürftig." Dann chauffierte er seine Mutter zusammen mit den Trauzeugen zur 50 Minuten entfernten Kirche im Zürcher Oberland, wo ihr Bräutigam auf sie wartete. Vivienne konnte kaum glauben, dass sie nun auf den Tag genau sechs Jahre nach dem ersten Kuss an Konrads Arm zum Altar schreiten würde.

Als Fabian mit etwas Verspätung vor der Kirche vorfuhr, läuteten bereits die Kirchenglocken. Die Hochzeitsgäste und der Theologe warteten in der Kirche, bis das Brautpaar gemeinsam zum Altar schreiten würde. Konrad half Vivienne galant aus dem Auto und wollte es sich nicht nehmen lassen, seine Braut selbst zum Altar zu führen. Er wirkte in seinem dunklen Anzug und der passenden, silbernen Krawatte elegant und jugendlich, wie bereits am Tag zuvor. „Du siehst wunderschön aus", flüsterte er Vivienne zu. „Das Kleid steht dir sehr gut, hast du sehr gut ausgewählt." Dann küsste er sie, bevor sie zusammen die blumengeschmückte Kirche betraten und von Orgelklängen begleitet zum Altar schritten. Links und rechts in den Kirchenbänken sassen an die fünfzig festlich gekleidete Gäste, die ihnen lächelnd zunickten. Beim Altar standen zwei Stühle für das Brautpaar und Jakob Reich nahm die beiden mit einem herzlichen Händedruck in Empfang. Die Zeremonie gestaltete sich feierlich und Vivienne fühlte sich wie im siebten Himmel. Nachdem der Theologe die beiden gefragt hatte, ob sie von nun an als Mann und Frau durchs Leben gehen wollten, zögerten weder Vivienne noch Konrad, um mit einem beherzten „Ja, ich will" zu antworten. Dies im Wissen, dass auch ihr weiterer gemeinsamer Weg nicht immer einfach sein würde! ‚Doch Liebe überwindet alle Hindernisse,' war Vivienne nach wie vor überzeugt, während Konrad ihr den Ehering überstreifte. „Nun dürfen Sie die Braucht küssen", forderte der Theologe Konrad auf, der sich nicht zweimal bitten liess ☺.

****

„Das Hauptgewicht Ihrer Beziehung zu Konrad liegt auf beidseitigem Vorwärtskommen oder, anders ausgedrückt, auf der potentiellen Erweiterung Ihres Lebens. Die Richtung hin zu einer grösseren und besseren Zukunft liegt beiden Seiten am Herzen. Trotz der explosiven und überlebensgrossen Eigenart Ihrer Beziehung zu Konrad müssen Sie beide vielleicht auch grosse Geduld und Ausdauer entwickeln."

Astro-Intelligenz 1992